D0523814

Glen Duncan

RITES DE SANG

Traduit de l'anglais par Michelle Charrier

Denoël

Cet ouvrage a été précédemment publié
dans la collection Lunes d'encre aux Éditions Denoël.

Titre original :

BY BLOOD WE LIVE

Né en 1965 en Angleterre, d'une famille anglo-indienne, Glen Duncan est l'auteur d'une dizaine de romans. Plusieurs ont connu un succès considérable en Angleterre puis dans le monde entier : *Moi, Lucifer*, *Death of an Ordinary Man* et, surtout, la trilogie du *Dernier loup-garou*. Glen Duncan vit à Londres.

Rites de sang, glacé, brûlant,
Ravageant, rachetant le monde :
Ne resteront que mythes de sang.

Geoffrey Hill, « Genesis »

PREMIÈRE PARTIE

L'ensorcellement

1

Remshi

Mieux vaut tuer les gens au terme de leur parcours psychologique. Ils n'ont plus rien à offrir ni à s'offrir.

Je n'aurais dû tuer personne à ce moment-là : je m'étais nourri moins de vingt heures plus tôt, j'aurais donc dû me réveiller serein et détendu, indifférent au sang pour une semaine, minimum. Alors que je m'étais réveillé dans un état de confusion bordélique absolue — disons les choses telles qu'elles sont. Avec une voix dans la tête (répétant, Dieu sait pourquoi, *Il ment à chaque mot... Il ment à chaque mot...*), un séisme dans le cœur, une nausée sartrienne dans l'âme — et une *soif* telle que je n'en avais pas connue depuis des siècles. Rien à voir avec la version domestiquée, dont on se débarrasse grâce à une demi-douzaine de poches tirées du frigidaire, non, je parle du Fouet à l'ancienne, le Fouet non négociable, le chœur rouge qui assourdit les capillaires de son simple impératif idiot : *BOIS DU VIVANT MAINTENANT OU CRÈVE.*

Si stupéfiant et traumatisant que ce fût, un mystère plus grand encore me tracassait. Le rêve que je venais de faire. On ne commence *pas* par un meurtre. On ne commence *pas* par un rêve. Je sais. J'invoquerai pour ma défense deux arguments : premièrement, je suis un meurtrier ; deuxièmement, le rêve représentait une anomalie colossale — par son contenu, mais aussi en lui-même. Je ne rêve pas, comprenez-vous. Du tout. Jamais. Pas depuis la mort de Vali. Pas depuis très, *très* longtemps.

Je n'avais toutefois aucune chance d'y réfléchir dès l'abord. La soif a une vertu : le besoin de la satisfaire rend tout le reste comiquement secondaire. Elle impose la concentration.

Voilà où j'en étais.

Le pornographe Randolf Moyser vivait, sans surprise, dans une maison de pornographe : canapés italiens en cuir crème, petites tables incrustées de jade, carpettes en peau, lustres, étendues de moquette aussi immaculées que le sable des Bahamas, miroirs qu'on n'avait pu accrocher qu'avec une grue. Je l'avais choisie pour sa localisation, à moins de deux kilomètres des sources de Malibu, perchée sur une colline dominant le paysage. Les pinèdes qui couvraient la pente orientale ne s'interrompaient qu'à cinquante mètres de la terrasse du rez-de-chaussée, et les broussailles inhabitées de la pente occidentale s'étendaient jusqu'à la lisière du bois situé à quatre cents mètres. Je parle de choix à tort. Le Fouet impose ses suaves conseils, repère les vecteurs et dérives invisibles de l'éther, trouve dans les trois dimensions les dimensions menant à l'accomplissement. Le dialogue du sang — le vôtre et le leur (ou, plutôt, le mien et le vôtre) — s'instaure avant que vous n'ayez réellement posé les yeux l'un sur l'autre. Comme une histoire d'amour. Comme les prémices à ma première rencontre avec Vali, il y a de cela dix-sept mille ans.

(Oui, vous avez bien lu.)

Je garai la voiture sur une aire de repos, au bord de

la route de campagne, puis grimpai la colline à travers bois.

Randolf, plus connu dans l'industrie sous le nom d'Eric Sion (et connu de moi parce qu'une de mes sociétés de production lui avait consacré un documentaire), était arrivé au terme de son parcours psychologique. À cinquante-huit ans tout juste, il était assez riche depuis une vingtaine d'années pour que son physique n'ait aucune importance. Le laisser-aller physique faisait partie de son parcours psychologique : il fallait que les filles de vingt ans à genoux devant lui, sa bite dans la bouche, n'aient aucune envie de se trouver à genoux devant lui, sa bite dans la bouche. D'où les ongles des pieds en deuil, le ventre cireux et les seins flasques, les pores dilatés. C'était quelque chose de devenir chauve sans anxiété, avec satisfaction.

La psychologie ne l'en avait pas moins trahi en lui affirmant que s'il poussait assez de femmes à faire ce qu'elles ne voulaient pas faire — sans utiliser la force (c'était de la triche), juste par la persuasion, la séduction, l'argent, la *psychologie* —, il obtiendrait réponse à la grande question brûlante quoique informe de son être. Il ignorait d'où lui était venue l'équation — la dégradation des femmes ouvrirait la porte à la révélation —, mais elle était là en lui, elle échappait au doute autant qu'à la contradiction. Il n'avait pas cherché à l'esquiver. En trente-cinq ans de porno, il avait obtenu presque tout ce dont il avait cru autrefois qu'aucune femme n'y consentirait jamais. Mais la psychologie mentait. Comme le Démon, elle berçait son auditoire de fausses promesses. Si on oubliait les rares femmes *disposées*, pour quelque raison que ce fût, à faire ce que les autres refusaient (on devinait dans leurs performances un soupçon d'impatience ou d'irritation, parce qu'elles ne se dégradaient pas assez, un désespoir fré-nétique devant leurs propres limites) — sans parler de ces rares femmes, qui n'étaient d'aucune utilité psychologique à Randolf (et qui, par ailleurs, fichaient l'industrie en l'air pour tout le monde), oui, sans parler d'elles, le problème fondamental demeurait : dégrader les femmes ou les pousser à se dégrader ne répondait pas à la question brûlante quoique informe de son être. Ève croquait la pomme ; elle découvrait que c'était une pomme et qu'elle pouvait la croquer. La psychologie n'avait pas d'autre méthode à proposer à Randolf. C'était un magicien qui ne connaissait qu'un unique tour, lequel se soldait par un échec — toujours.

Randolf, ou Eric, n'était pas seul. Son homme à tout faire, pendu au téléphone, monopolisait le bureau du rez-de-chaussée, pendant que deux call-girls aux genoux cagneux, en bikini et sandales à talons aiguilles, buvaient des mojitos au bord de la piscine circulaire opalescente. Randolf, lui, enguirlandait son administrateur Internet depuis une des chambres de l'étage (colonnes corinthiennes, cheminée façon pièce montée de mariage) à cause des problèmes de son tout nouveau site, desoleepapa.com. Il s'avérait que le nom était déjà pris — l'enregistrement des noms de domaine avait connu des jours meilleurs —, par un service de conseil chrétien voué à la réconciliation des filles rebelles et des pères dévots qui traînait en justice la société de production de Randolf.

« Je me fous de ce que t'a dit ce connard d'Anthony, braillait-il en examinant un grain de beauté peut-être cancéreux sur sa poitrine à la Tirésias. Je te dis que c'est ces connards qui vont changer de nom de site. Hein ? Non, on peut *pas* prendre desoleemaman.com, c'est *pas* une possibilité. Oh, putain. Y a vraiment personne… Qu'est-ce que…»

Incrédulité momentanée. Parce qu'il ne m'avait ni vu ni entendu arriver, mais que j'étais là. Sa bouche bée m'offrait un souffle brûlant, bourbon Booker et entrailles gonflées de viande.

«La vidéosurveillance est branchée», ajouta-t-il.

Je me gardai de le contredire, alors qu'il ne m'avait pas fallu une minute pour incapaciter le système. Je ne dis pas un traître mot, car je n'avais rien à dire. Je n'ai jamais rien à dire, dans ces moments-là. Il se retrouva par terre, les quatre fers en l'air, sous moi, sans savoir comment. Une horrible magie, le flou, la compression, les deux états — debout/couché —, sans qu'aucun appareil causal les réunisse. Et, bien sûr, il savait ce que j'étais. Les humains savent toujours, quand l'heure est venue. *Un vampire. Des vampires. Malgré les gouvernements Noël Microsoft. Nom de Dieu.* Quand *leur* heure est venue, il y a toujours en eux quelque chose de désintéressé, d'enchanté, après tout, que ce genre de choses soit réel. Merde alors, ça aurait fait une sacrée différence si j'avais su, voilà ce qu'ils se disent. Ça n'aurait fait aucune différence dans le cas de Randolf, mais à quoi bon lui en parler?

Un bon coup de pied dans les couilles, puis je lui cassai le bras gauche.

L'instant qui précède immédiatement la morsure ressemble à celui qui précède immédiatement l'orgasme : le temps se fige, on se déleste de l'espace d'un haussement d'épaules, on comprend en un clin d'œil ce que ressent Dieu. Voilà pourquoi les gens disent *Mon Dieu* au paroxysme du sexe : ils ne s'adressent pas à une puissance supérieure, ils constatent leur propre divinité. J'étais extrêmement conscient de ma bouche ouverte, de mon pouls dans mes dents, de la facilité obscène avec laquelle je maîtrisais Randolf — la chambre, rictus figé autour de nous, et, autour d'elle, la nuit californienne, les fleurs d'oranger, le désert, la conscience indifférente du vaste continent obscur se concentrant pour parvenir à une sorte de Signifiant. Les détails composant Randolf se blottissaient en lui tels des villageois terrifiés, entassés dans leur église. Ainsi en va-t-il immanquablement : les particularités rassemblées exsudent leurs pleines vibrations comme une odeur. Avant de mordre, avant de boire, on entrevoit ce qu'on va y gagner, les notes de base, les secrets explosés, le final ; les décisions, imprécisions, crimes et deuils de la victime se réunissent pour chanter — à cet instant — les manières minuscules et uniques dont cette vie transformera celui qui l'aura bue.

Il cherchait à parler, mais ma main refermée sur sa gorge le réduisait à des sibilantes et des fricatives avortées. Sans doute se débattait-il, mais j'aurais aussi bien pu tenir un sac de flocons d'avoine, pour le bien que ça lui faisait. Je modifiai ma prise afin de lui couvrir la bouche, m'allongeai complètement sur lui, le regardai dans les yeux, une fois... puis lui plongeai les crocs dans la gorge.

Obscure, suave, totale. Une soumission digne du couperet de la guillotine. L'univers se présentant par les dents-yeux comme il se présente par les mamelons de la mère au bébé qui tète. On veut davantage, on veut tout. Alors on prend davantage, on prend tout. La vie de Randolf.

Si j'en enculais une pendant qu'elle tue son enfant...

Telle fut, hélas, une de ses dernières pensées. C'était inévitable, car il savait qu'il allait mourir. Dans le sillage de chaque échec, la psychologie lui avait soufflé que c'était sa faute, qu'il n'était pas allé assez loin — et, d'après lui, on ne pouvait tout simplement pas aller plus loin. Or il n'était jamais allé jusque-là. Maintenant qu'il se sentait mourir, cette pensée se découpait donc nettement, quoique brièvement, contre la muraille de la peur. Il y en avait bien d'autres : le visage poudré de sa mère, la terrasse de l'appartement de Jersey City, le flanc brûlant du gros chien qui l'avait renversé quand il était petit, des milliers de fragments télévisés de slogans amassés de visages de femme éclaboussés de sperme. Sur fond de peur. Il croyait connaître la peur. Je lui montrais le terme de son parcours psychologique — pire qu'une poignée de poussière —, et il découvrait qu'il n'avait jamais eu peur.

Il ne faut pas laisser le cœur s'arrêter, Anne Rice a raison sur ce point. Mais quand il reste une douzaine de battements, je le sais. Dix. Six. Trois. Deux… On insiste, évidemment. Les dernières gorgées sont précieuses, évidemment. Elles charrient le goût de jaune d'œuf associé à la coiffe déchirée de l'âme, le résidu de ses adieux embrouillés. La vie absorbée se déploie dans notre sang, exhale sa sagesse, ses deuils et ses hasards poignants qui nous étoffent, nous obligent à trouver de la place parmi la multitude gémissante entassée sur nos étagères. La bibliothèque de notre cœur s'agrandit, que ça nous plaise ou non. Il me semblait autrefois d'une triste ironie de voir croître mon amour de l'humanité chaque fois que je tuais un humain. Je l'accepte aujourd'hui, je bois, je fais de la place, je m'étoffe, j'aime, je vais mon chemin. *Il faut que quelqu'un témoigne*, m'a dit mon créateur il y a tellement longtemps, dans l'obscurité de la grotte.

Je buvais avec avidité, totalement séduit — *emporté* par le sang. Si l'âme était immortelle, elle laissait ses souvenirs derrière elle dans le sang, elle se dépouillait de la conscience avant de partir, pure et nue, pour le royaume au-delà de l'image et du mot où Dieu et Démon se la disputaient — à moins qu'elle n'atteigne à l'ultime dissolution dans le néant. Mais je n'avais pas besoin de l'âme. Juste du sang. Encore et encore, encore et toujours. Je buvais, la succion battant son rythme dans mes paupières, le bout de mes doigts, mes mamelons, mes pieds. Je buvais, immergé dans le pouls d'adieu de Randolf, abandonné dans le battement, systole, diastole, systole, diastole, je m'aimais enfin, j'étais pour un temps hors du temps.

C'est le sixième sens qui nous tire en arrière. Je m'arrêtai alors qu'il restait deux battements de cœur. Regardai papilloter les paupières de Randolf, contemplai ses derniers instants. La psychologie l'avait guidé jusqu'à la mort, avant de lui tourner le dos et de le laisser démuni. Il partait à présent, désespéré, terrifié, impréparé — la taille délicate du sablier aspirait les derniers grains de sable. Il était parti.

La vie de Randolf avait éveillé en moi les autres vies. Mon cœur m'emplissait d'une rose de feu, mes cellules s'épanouissaient, le chant de mes morts palpitait dans mes tissus. Le Sens à demi révélé de l'univers m'enveloppait des indices affairés de son architecture grandiose, irrésistible sourire énigmatique.

Je me levai, débordant d'une force hilarante, les épaules et les cuisses regorgeant d'une puissance sournoise. On oublie à quel point c'est bon. On oublie que c'est tout. Que ça prend possession de nous, de la plante des pieds au cuir chevelu, aux empreintes digitales renouvelées, aux cils, aux poils pubiens, aux curieuses petites papilles de la langue. Que ça laisse le Sens imprégner encore et encore les choses du sang comme la couleur reviendrait à un monde mono-chrome. On oublie que c'est parfait et que le rire monte aux lèvres, car il en va ainsi devant toute perfection — le décollage impeccable de l'athlète au saut à la perche, par exemple, ou le triple salto réussi du skater. J'aurais peut-être ri, d'ailleurs, si le souvenir du rêve n'avait pas resurgi pour me fracturer à nouveau, si le *Il ment à chaque mot* ne m'avait pas bourdonné à l'oreille telle une guêpe avant de s'éloigner, laissant dans son sillage l'impression que je savais quelque chose sans savoir quoi.

Au rez-de-chaussée, l'homme à tout faire fit tomber des glaçons dans un verre. Je jetai un dernier coup d'œil au visage stupéfié de Randolf (sa tête formidable occu-pait le centre d'un papillon de sang à la Rorschach), en souhaitant brièvement pouvoir prendre chaque fois les pires, débarrasser l'espèce humaine de ses misérables, comme les pique-bœufs débarrassent les buffles du Cap de leurs parasites, puis je gagnai d'un bond la fenêtre, l'ouvris et sautai. Une des call-girls anguleuses leva les yeux. Oh, putain de… de… ça sort la nuit, les aigles ? Nan, c'est les… les hiboux. Enfin bon, on s'en fout…

2

Étourdi par la symphonie du sang neuf, je regagnai à travers bois ma voiture, une humble Mitsubishi (j'ai laissé tomber les véhicules trophées depuis des années, une fois l'attrait de la nouveauté évanoui ; je le regrettais soudain en évoquant le balancement et la tenue de la Camaro bronze 1968, son odeur d'essence et de vinyle, ainsi que la fin défoncée de la décennie, Jimi Hendrix en cassettes huit pistes). Quelques minutes plus tard, je filais vers l'est sur la 101. L'instant — les vagues d'obscurité et les collines désertes de L.A., moi, les yeux grands ouverts, exhalant la puanteur luxuriante de la vie volée — exigeait de la musique (« O Fortuna », des *Carmina Burana* de Carl Orff, et « Welcome to the Jungle », des Guns N' Roses, s'imposaient également à mon esprit). Ou, plutôt, il en aurait exigé si la soif apaisée ne m'avait pas offert la terrible liberté de considérer la folie des événements qui s'enchaînaient depuis que j'avais ouvert les yeux dans la crypte, moins de trois heures plus tôt.

Le Fouet inexplicable.

Il ment à chaque mot.

Le rêve.

Eh oui. Pendant mon sommeil. Par opposition aux

flash-back et aux fugues qui s'emparent de moi à l'état d'éveil.

Un rêve ?

Impossible.

*Im*possible.

Ça n'a peut-être l'air de rien à vos yeux, mais je suis dans l'obligation de le répéter : je ne rêve pas. Catégoriquement : Je ne rêve *pas*.

Pas depuis…

Pas depuis ta jeunesse. Pas depuis la mort de Vali…

La tristesse enfla soudain : je compris que si je me laissais aller, j'allais fondre en larmes. (Ces derniers temps, j'étais sujet à de petites crises de larmes. Tu ne serais pas un peu fragile, Nounours ? m'avait demandé Justine récemment, après m'avoir trouvé en train de sangloter devant un téléfilm où Lindsay Wagner mourait d'une leucémie…)

Je ne rêvais pas.

Je ne rêvais *pas*.

Mais voilà. La nuit dernière, j'avais rêvé.

En *rêve*, je marchais pieds nus sur une plage déserte. Le crépuscule baignait une mer d'encre. Quelques étoiles solitaires brillaient au ciel, à croire que le gros des constellations avait été balayé. Je m'avançais vers…

Vers quoi ?

Il ment à chaque mot.

Quelqu'un m'accompagnait, juste derrière moi.

Rien de plus.

Rien de plus ? Vraiment… ?

Mon visage me picotait. Mes mains se crispaient sur le volant de la Mitsubishi. La chose s'était produite, si impossible qu'elle paraisse. Des millénaires de sommeil creux… et puis ça. Le dernier rêve *avant* ça — dix-sept mille ans plus tôt (à moins que ce ne soit seize ? La précision disparaît ; les limites entre époques se brouillent) — concernait Vali. La nuit de sa mort, elle m'était apparue dans mon sommeil pour me dire : *Je te reviendrai. Et tu me reviendras. Attends-moi.*

Les larmes menaçaient à nouveau. J'étais peut-être étourdi par la symphonie du sang neuf, mais elle ne faisait qu'accentuer une impression de solitude désespérée. Je n'eus pas le temps de me rendre compte de ce qui arrivait que, déjà — oui, oui, c'était ridicule —, je pleurais. J'imaginai Justine me disant *Ne pleure pas, Génie*, comme quand elle s'était aperçue que Lindsay Wagner me bouleversait. J'aimais qu'elle me dise ce genre de choses. Qu'elle me passe la main dans les cheveux ou m'emprisonne comme un singe en me nouant bras et jambes autour du corps. J'aimais tellement de choses. C'était ça le plus terrible, quand on vivait : on aimait tellement de choses. C'était ça le plus terrible, avec la vie : il y avait *tellement* de choses, point. Tu n'attends pas le retour de Vali, m'avait dit Mahmoud méchamment, peu avant son suicide, tu es juste accro à la *vie*. Tu n'es pas un romantique, mais un junkie.

Je séchai mes larmes du talon de la main, telle une héroïne de cinéma s'en allant tristement — mais courageusement — une fois la rupture consommée, puis je me forçai à réfléchir à ce qui s'était passé. D'accord avec tous les personnages de tous les films d'horreur d'avant les années 1970, je m'ordonnai de me calmer. Ça s'expliquait forcément de manière on ne peut plus rationnelle…

Autant que je m'en souvienne, la nuit précédente n'avait rien eu d'exceptionnel. J'avais regardé *Le Lauréat* et *Une équipe hors du commun* en compagnie de Justine (je crois que je reste en vie en partie pour le sourire de Geena Davis. À votre avis, cela signifie-t-il que je suis un crétin émotif?). Elle s'était ensuite rendue en boîte alors que je me rendais à la crypte, buvais six sachets de O positif piochés dans la glacière et passais les deux dernières heures nocturnes à lire *Don Juan,* en attendant que le sommeil m'emporte, juste avant l'aube. Voilà. Rien d'exceptionnel. Rien qui explique le rêve, le réveil paniqué, la soif marte-lante, la conviction que je savais quelque chose sans savoir quoi. Bref, rien qui explique l'impression irré-sistible que la folie s'était emparée soit de moi, soit du monde.

La nuit du désert coulait sur la voiture. J'avais conscience de mon visage résonnant et du tableau de bord qui gérait ma lutte mentale avec une sorte d'in-nocence compatissante. Les images du rêve me tour-mentaient : la plage déserte, les étoiles éparses, les flots noirs, la présence qui me suivait de près. J'avais oublié ce que c'était, bien sûr, le sillage bouillonnant du rêve, les remous dans lesquels on tâtonnait après la dissolution de ses fragments, en quête de sens — d'un semblant de sens. Ils ne veulent absolument rien dire, m'avait déclaré une nuit Oscar l'analyste, à Alexan-drie. Les rêves sont des allumeuses sans pareilles. Ils font encore et toujours des promesses qu'ils ne tiennent jamais. Ne perds pas ton temps avec ça. Oscar aussi était mort, depuis soixante-dix ans, dirais-je. Tous ces morts. Je ne savais pas que la mort avait…

Et voilà, les larmes me remontaient aux yeux. Accompagnées, cette fois, des prémices de la peur, la vraie, parce que je ne savais pas, mais alors pas du tout, ce qui clochait chez moi.

Je passai le reste du trajet à parcourir la même boucle d'amnésie, mais je n'y avais rien gagné quand j'arrivai chez moi — précaire, fragile, horriblement éveillé à ma propre confusion.

Et mon retour ne vint pas à bout de la folie.

Après avoir garé la voiture devant la maison, je restai immobile, figé par la nuit californienne en dépit du détraquement des choses : le parfum des fleurs d'oranger et de bougainvillée, mêlé à l'odeur délicieuse du travertin mouillé de l'allée, trempé par l'arc des arroseurs. Ma mémoire étant ce qu'elle est, je procède par associations — une fosse commune d'Auschwitz, des rats surexcités farfouillant parmi les membres blêmes, comme s'ils cherchaient les bijoux depuis longtemps volés par l'espèce dominante. Je laissai sans bouger s'évanouir la vision. Il n'y a rien à faire dans ces cas-là qu'attendre la fin des réminiscences. C'est ce que j'aurais fait, si ma rêverie n'avait soudainement été interrompue par une odeur d'humain aussi dense que celle d'un buffet de charcuterie et de pickles. Je pivotai vers la rue.

Ma vision nocturne ne me fut pas nécessaire.

Il se tenait entre les montants du portail, couronnés des pleines lunes jumelles de deux lampes d'extérieur qui l'inondaient de leur lumière. Un vieux mendiant appuyé sur une unique béquille, volumineux sans que les protéines y soient pour rien, juste par la grâce des multiples couches de tissu auxquelles il ne renonçait jamais (une douzaine) et où prospérait un écosystème propre. Son visage émacié — ce qu'on en distinguait parmi ses cheveux emmêlés et sa barbe toxique — était percé de grands yeux, dont l'un théâtralement injecté de sang, ses mains sales et bronzées. Si un des voisins l'avait vu, la police ne tarderait pas.

Il me regardait, souriant.

« Vous vous trompez de route », lança-t-il enfin.

Je restai planté là un bon moment, à le fixer, avant de lâcher un simple :

«Pardon?»

Sans répondre, il pivota sur sa béquille et s'éloigna d'un pas rapide.

Furieux, maintenant (les overdoses de stupeur finissent toujours par donner envie de frapper quelqu'un), je fis demi-tour, prêt à le suivre.

Toutefois, son illogisme agissait apparemment à retardement, car je m'arrêtai au bout de quelques pas, sans bien savoir pourquoi. Une intuition compréhensible, malgré sa faiblesse : le suivre n'était pas une bonne idée.

Palpitant, délicat, effrayé, je préférai exécuter un nouveau demi-tour et rentrer chez moi.

3

Justine n'était pas là. Je passai un temps lassant à chercher mon portable, qu'elle avait — allez savoir pourquoi — enfermé à clé dans le tiroir du bureau. Éteint. Les quelques secondes qu'il mit à s'allumer accentuèrent terriblement les faits bruts de mon existence, comme quand on attend l'ascenseur en compagnie de parfaits inconnus. J'avais l'impression de m'apercevoir peu à peu que je participais à un reality show. Des millions de téléspectateurs se disaient, Pauvre mec, il n'a pas la moindre idée de ce qui se passe… *Il ment à chaque…*

Un soulagement colossal m'envahit à l'apparition du symbole de charge, des colonnes du réseau AT&T, de l'écran d'accueil (*Le Printemps* de Botticelli qui, malgré tout — choses de beauté, joies éternelles —, persistait à dérober au temps une seconde saisissante pour ensorceler l'esthète, omniprésent en moi). J'appelai le portable de Justine.

Et tombai sur sa boîte vocale. Le message avait changé. Plus question de Bette Davis — *J'ai passé tout le trajet depuis la Californie à boire… et je suis saoule !* —, c'était maintenant Justine en personne qui annonçait d'une voix lointaine : «Vous êtes sur la boîte vocale de Justine Cavell. Laissez-moi un message…»

La pensée me vint — elle m'était déjà venue je ne sais combien de fois — qu'on ne peut quitter ce monde des yeux une seconde. Les signaux de fumée… on bat des paupières… les portables. Six mille ans de messagers à pied… et puis ça : l'accès instantané, partout. FaceTime. Je regrette qu'ils lui aient donné un nom pareil. Face Time, Affronte le Temps. Je ne peux m'empêcher d'y voir un *ordre* implacable.

«Eh merde. Rappelle-moi, Justine, d'accord? C'est important. Il se passe quelque chose. Je suis un peu… Rappelle-moi dès que possible.»

Me trouver sous mon propre toit me calmait, un peu, mais la maison me donnait l'impression d'avoir subtilement changé. J'étais parti si vite trois heures plus tôt que je n'avais rien remarqué. Je redécouvrais à présent les suaves parquets de noyer et les plafonds élevés, les lampes ambrées, les rideaux de velours rouge et les vingt mille livres du bureau (un par année de ma vie, comme je le dis avec esprit à mes visiteurs nocturnes), le long tapis persan vert et or du vestibule, la protection anti-éclaboussures en cuivre et les plans de travail en ardoise noire de la cuisine — mais ils avaient tous l'air crispés, à croire qu'ils se demandaient s'ils allaient me révéler ce qu'ils savaient, de quoi qu'il pût *réellement* s'agir. Justine avait rangé la pièce télé après notre double séance de la veille : les verres lavés avaient regagné leur place, les bouteilles vides disparu, les cendriers étaient propres et les coussins gonflés. Si incroyable que ce fût, il semblait même qu'elle avait passé l'aspirateur. Mes narines me signalaient l'emploi récent d'encens à la frangipane et de cire à parquet Pledge. Pourquoi? La jeune femme avait-elle été malade ? Avec n'importe qui d'autre, j'aurais supposé la visite d'un amant, des activités sexuelles à différents endroits, des taches à nettoyer, des odeurs à effacer. Mais on parlait de Justine. Ce n'était pas possible.

Il ne me restait qu'à l'attendre. J'en profitai pour prendre dans la crypte une douche de consolation qui ne me consola guère, car les fragments du rêve s'obstinaient à bourgeonner puis à s'évanouir dans ma tête, un peu plus détaillés, mais pas moins exaspérants. Nous nous étions promenés sur la plage déserte, puis nous étions tombés dans l'ombre d'une muraille de rochers noirs sur une petite barque à la peinture pustuleuse, couverte de bernaches, à demi ensevelie dans le sable et les algues séchées par le soleil. (Nous ? Moi… et celui ou celle qui m'accompagnait sans que j'aie conscience de son identité. Celui ou celle qui mentait à chaque mot, probablement.) Au moment où nous trouvions le bateau, je disais : « Voilà. Comme dans le rêve. Je sais ce que ça signifie. Bien sûr. Maintenant, je sais ce que ça signifie. »

Oui, bon. *Maintenant*, je ne savais pas ce que ça signifiait.

Nu, essuyé, je me plantai devant le miroir en pied. (Un reflet ? Oui. On apparaît aussi sur pellicule, ne laissez personne vous raconter le contraire.) L'ivresse véhiculée par le sang de Randolf me donnait l'air tellement en forme que c'en était ridicule. Ma peau douce et tendue était pour l'instant café au lait. J'avais été plus sombre. Beaucoup plus sombre, très longtemps auparavant. Je levai la main pour toucher le petit oa sculpté qui pendait à la chaîne de mon cou. Son poids infime me réconfortait, de même que l'image qu'il conjurait : mon père dont les mains s'activaient à la lumière du feu, ses yeux sombres emplis d'un calme savoir, l'odeur de la viande rôtie, ma mère creusant un trou juste à côté du foyer pour l'offrande…

C'est terrible de se voir commencer à pleurer, comme je me vis à cet instant précis. C'est terrible parce que, malgré le chagrin, on a une si drôle de tête. Les larmes ne s'en imposaient pas moins — *Seigneur* —, accompagnées de l'impression exaspérante que quelque chose d'énorme, d'évident, se trouvait juste hors de vue…

Ce fut alors que la porte du rez-de-chaussée s'ouvrit et se referma. Justine était de retour.

4

Il est dans ma nature de me déplacer sans bruit. D'où la peur extrême que je lui fis. Elle se tenait dans le bureau, près de la table de travail, son portable à la main, le regard fixe, comme si elle essayait de surmonter un choc. Vêtue d'une veste courte en daim noir, d'un tee-shirt rouge, d'un jean blanc moulant et de sabots en daim rouges. Il lui avait fallu des années pour porter aux pieds autre chose que des baskets. Évidemment. Elle avait vécu si longtemps dans un monde où elle devait toujours être prête à courir.

« Bordel de *merde*.

— Désolé, je ne voulais pas te faire peur. Tu es allée chez le coiffeur. »

Le carré à raie centrale qui lui arrivait au bas du visage avait disparu. Sa nouvelle coupe, à la fois très courte et élégante, lui donnait l'air de l'écolier le plus mignon du monde.

« Oh, la la. Bordel de bordel de merde, reprit-elle.

— Qu'est-ce qui se passe ? »

Elle s'assit dans le fauteuil pivotant, un siège en cuir crème ergonomique qui n'aurait pas déparé le cockpit du Faucon Millenium. Seule la lampe de bureau Tiffany éclairait les lieux, délicat trapézoïde de verre teinté, or, pêche et émeraude, jetant sur ses mains et son visage très pâles une douce clarté. Vernis à ongles turquoise. Grosse bague en ambre qui ne me disait rien. L'odeur délicieuse de la cigarette, de l'alcool et de la carboglace s'accrochait à la jeune femme. Elle revenait de la boîte de nuit, l'ES, trois niveaux sur Sunset Boulevard. Je la lui avais offerte pour son vingt-troisième anniversaire, cinq ans plus tôt. Le monde n'ayant rien d'autre à faire, d'innombrables internautes se demandaient ce que pouvait bien signifier ES. Justine et moi étions seuls à savoir. Étrange Séduction. Elle en avait décidé ainsi.

« Je te trouve changée, repris-je. Ce n'est pas seulement une question de coiffure. »

Elle laissa échapper l'air qu'elle retenait dans ses poumons.

« Eh oui. J'aurais… Eh merde.

— Pour l'amour de Thoth, tu vas me dire ce qui se passe, oui ? »

Silence.

« Tu t'es nourri ? s'enquit-elle enfin.

— Oui. Il y a quelque chose qui cloche chez moi. Je ne… Comment se fait-il que tu aies passé l'aspirateur ?

— Hein ?

— Le ménage a été fait depuis hier. Comment ça se fait ? »

Elle se laissa aller contre le dossier, qui l'accueillit avec un soupir de vierge. Trois murs couverts de livres du sol au plafond nous observaient en silence. Une petite bulle de Randolf éclata en moi : il avait six ans, il tombait pour la dixième fois du vélo qu'il apprenait à chevaucher dans la cour, son père riait, grande bouche aromatisée à la bière. Il me semblait que quelque chose me rattrapait.

« Ça ne date pas d'hier, dit Justine. C'était il y a deux ans. »

5

Confession : ma mémoire n'est pas exactement la Rolls des mémoires. *Mémoire pleine*, disent les ordinateurs, réussissant en machines pathétiques à vous persuader que vous les avez gavés de force, telles de malheureuses oies grasses. Ma mémoire à moi n'est pourtant jamais pleine. Elle s'endommage toute seule. Elle se livre aussi à des vantardises et des affirmations risibles, m'envoie des photos absurdes et des clips improbables : les constructeurs assassinés du tombeau d'Amenhotep, cadavres entassés au clair de lune, assemblée poignante de tétons, de pieds, de visages grimaçants, couverts de poussière. Niccolo Linario sur un canapé de damas rouge, levant les yeux vers moi et me disant, en latin : *Ils ont arrêté Machiavel. Tu en as entendu parler ?* Mes propres mains, à la peau plus sombre, aux ongles plus épais, enroulant des entrailles autour d'un silex taillé. Eh oui, un *silex*. Je ne m'attends pas à ce que vous y croyiez. Quant à moi, je suis au-delà de la croyance ou la non-croyance. Quant à moi, je me contente de *gérer* — comme disent ces chers Américains, religieusement commerçants. J'ai décidé il y a bien longtemps que fuir la mémoire totale n'est qu'un simple mécanisme de survie. Après tout, qui est bâti pour porter vingt mille ans de souvenirs ? C'est un trop gros bagage, la soute n'a pas la capacité requise. Voilà pourquoi on passe son temps à jeter sacs et valises par-dessus bord et à les remplacer, encore et encore. Sans ça, il serait impossible de voler, ce serait l'accident aérien. Hier encore, je le disais à Justine : Tu sais, ma puce, il m'arrive de me dire que si je me rappelais tout ce qui m'est arrivé, je mourrais à la seconde. Elle m'a regardé, les yeux emplis d'un doux épuisement très dérangeant, et a répondu : Je sais, Nounours, tu me l'as déjà dit.

Sauf que, bien sûr, ce n'était *pas* hier, en fin de compte.

Le *Times* de Los Angeles du 27 août 2012. Les faits étaient là, noir sur blanc. J'avais passé vingt et un mois à dormir. Près de deux ans s'étaient évanouis.

Justine m'avait installé dans un des deux fauteuils obèses du bureau — des Thomasville en cuir bovin que les ex-propriétaires de Las Rosas avaient abandonnés derrière eux —, avant d'aller à la cuisine se servir un verre. (Un bourbon single-barrel Eagle Rare de dix-sept ans d'âge, m'indiqua mon nez. Elle avait fait du chemin, depuis son époque Jack Daniel's Coca.) Elle se percha ensuite au bord du bureau, en face de moi, le gobelet tintant dans une main, une American Spirit dans l'autre. J'avais trouvé le paquet souple coincé derrière le coussin et m'en étais allumé une, moi aussi. Buvez votre content de sang, et rien ne vous satisfait davantage que la nicotine. Je me rappelai les premiers panneaux publicitaires : LES MÉDECINS PRÉFÈRENT LES CAMEL ! Image qui fit exploser — avec les chromes, les ailerons, Elvis, les rires préenregistrés féroces, les néons Budweiser et la bouteille de Coca aux formes féminines — le souvenir d'une sténographe plantureuse, dont la nuque emperlée fleurait la laque Elnett et la crème hydratante Pond, pendant que ses seins solidement maintenus par son soutien-gorge me remplissaient les mains. Son appartement, équipé d'un lit pliant et d'un tourne-disques Alba, comportait aussi une armoire de salle de bains où attendait, derrière un écran de cosmétiques et de pansements, un diaphragme couleur chair assez semblable dans sa boîte plastique à une coquille Saint-Jacques. La demoiselle pensait séduction. Sexe.

«De quoi te souviens-tu?» demanda Justine.

La pièce s'inclina, suggestion de montagnes, de falaises ou d'à-pics qui me donna une petite idée du point auquel les choses risquaient de me rendre malade. Tous les Lear que j'avais jamais vus de ma vie s'exclamaient en chœur *Oh! que je ne devienne pas fou, pas fou, cieux propices!*...

«Merci, c'est gentil d'y aller en douceur, déclarai-je, la bouche sèche.

— C'est toi qui m'as dit quoi faire, au cas où. Tu m'as dit... Oh, bordel, je n'arrive pas à y croire.»

Je ne lui reprochais rien. Chaque matin, vingt et un mois durant, elle s'était réveillée avec l'espoir que la nuit suivante me guérisse. Chaque soir, vingt et un mois durant, cet espoir avait été déçu. L'atmosphère livresque du bureau frémissait de la blessure que lui avait infligée la déception.

«Tu es vraiment là, au moins? reprit-elle. Je n'arrive pas à y croire, bordel de merde.»

J'étais très conscient de mon visage, brûlant et gonflé. Si bouleversante que fût la perte de ces vingt et un mois, le ravissement me possédait toujours, l'impression que les choses avaient un sens. Tel est le don du sang : il étanche notre soif, et le monde nous montre par-delà ce qu'il est l'épure qui le sous-tend. Il nous apparaît comme un flot d'indices saisissants sur l'énigme dissimulée par les apparences. Il a un dessein, un motif, une histoire, une intrigue. Un Sens. Y compris Justine, plantée là avec son gobelet massif et sa cigarette fumante, sur fond de lampe Tiffany et de rideaux rouges, Justine aux yeux sombres, à la bouche de meurtrissure et à la coiffure de gamin…

«Bordel de *merde*, répéta-t-elle. Eh ho ?

— Désolé. Tu ressembles à un Vermeer. Jeune fille au bourbon et à la cigarette.»

Connexion éclair à la sténographe. Vermeer, la Hollande, le fameux «bonnet hollandais» — ou diaphragme. Pas de continuité dans ce dessein issu de la plaisanterie du sang, mais une continuation chaque fois qu'on retrouvait le Fouet.

Justine secoua la tête, les sentiments bloqués. Trop, trop vite, pendant que je soufflais avec assurance la fumée par les narines. La pensée de rester assis là à laisser tout ça prendre forme autour de moi m'écœurait. Tout ça ? Tout quoi ? De *quoi* s'agissait-il ?

«Tu as déménagé ? m'enquis-je.

— Bien sûr que non. Est-ce que tu imagines une seule seconde ce que j'ai vécu ? Tu m'avais dit que tu le saurais, si tu devais t'endormir pour longtemps. Tu te rappelles que tu me l'as dit, hein ?

— Je suppose que oui, en effet. Je l'ai toujours su, avant.

— Mais pas cette fois. J'ai paniqué, bordel. Deux putains d'*années*. Je croyais que tu ne te réveillerais plus jamais.» La colère l'empoigna brusquement. «Tu m'avais *promis* que tu le saurais, si jamais ça devait arriver.

— Je suis désolé, répétai-je. Sincèrement. Je l'ai toujours su avant, je t'assure. Je ne t'aurais jamais promis une chose pareille, autrement. Tu le sais très bien. Ça a dû être affreux pour toi. Je suis terriblement désolé. » Me concentrer sur ses émotions plutôt que sur les miennes m'apportait un véritable soulagement. Je me levai et m'approchai d'elle. « Je peux ? » Elle ne répondit pas. Elle ne savait pas si elle allait accepter une seconde fois. Moi. Ça. L'ensemble. « S'il te plaît », ajoutai-je.

Elle posa sa cigarette dans le cendrier en onyx et son gobelet sur le bureau. Ses cheveux sentaient le shampoing Flex. Ses cils étaient surchargés de mascara. Ses yeux noirs débordaient de son histoire mutilée, de tout ce qu'elle avait drapé autour de son passé pour y survivre. Je l'avais sauvée et damnée. L'amour qu'elle me portait se mêlait donc forcément d'une touche de haine, la haine forcément d'une touche d'amour.

Je la pris dans mes bras avec la plus grande douceur, mais elle se laissa étreindre sans vraiment s'abandonner. Sa colère persistait. Elle avait beau mourir d'envie de poser le front contre ma clavicule, elle n'en fit rien, et je ne l'en aimai que davantage — j'aimai la loyauté qu'elle témoignait à sa colère. Les muscles discrets de son dos étaient pleins de détermination. J'aurais voulu lui dire que j'étais prêt à tout pour empêcher qu'il lui arrive encore du mal, mais je n'en fis rien non plus. Elle se méfie des mots. Les actes les ont précédés en ce qui la concerne, violents, prématurés, indélébiles. (Niccolo Linario : Un humain, dans ta vie, c'est un genre d'animal familier, non ? Une sorte de chien ou d'oiseau parlants. Nous nous trouvions dans les rues du Mercato Vecchio livrées aux formes de vie inférieures. L'odeur des égouts à ciel ouvert et de la fumée immonde des lampes à pétrole en saturait la chaleur. Niccolo découvrait tout juste le Fouet. Il ne comprenait pas l'amitié étroite qui me liait au vieux harpiste aveugle que j'avais tiré du caniveau pour l'installer chez moi, où je prenais soin de lui. Sais-tu ce que c'est qu'envelopper un humain de ta tendresse, Niccolo ? Que sentir le flux du sang soumis au temps ? Mais c'était tout juste s'il m'écoutait, trop occupé à guigner les poitrines à dentelles et les cuisses à rubans du banquet nocturne.)

« Comment te sens-tu, toi ? » demandai-je à Justine. Pas de réponse. « Tu as vécu l'horreur. Je suis affreusement désolé. »

Elle résistait toujours à mon étreinte, furieuse de se sentir soulagée de mon retour. En joignant sa vie à la mienne, elle avait coupé le cordon qui la reliait à son espèce, mais il avait fallu qu'elle me perde pour en prendre conscience. Cette découverte l'avait vieillie. Autrefois, c'étaient la colère et les blessures qui lui donnaient sa force. À présent, il s'y ajoutait la tristesse.

J'embrassai son petit front. Elle se laissa imperceptiblement aller, mais se dégagea aussitôt. Doux déchirement que de perdre le pouls de sa mortalité, les anges voletant à ses poignets, sa gorge, son entrejambe. Elle récupéra cigarette et gobelet puis s'écarta de moi pour se placer hors d'atteinte. Se mit à faire les cent pas. Se figea. Se retourna devant une des bibliothèques.

« Bon, je te les pose, les questions, oui ou non ? » Son visage était exactement parallèle à la première édition Grasset d'*À la recherche du temps perdu* en treize volumes. Évidemment. « Quoi ? Qu'est-ce qu'il y a ? ajouta-t-elle en s'apercevant que j'en prenais conscience.

— Rien. » Je me rassis dans le fauteuil. « Aucune importance. »

Ses yeux noirs s'étaient faits calculateurs.

«C'est cette histoire de connexion?

— Hein?

— Tu m'as dit que quand tu bois quelqu'un, comme ça, tu vois que les choses sont liées.» Puis, avec une nuance de dégoût : «Qu'elles ont un sens.»

La première fois que je lui avais parlé de ça, du don accompagnant le Fouet, elle s'était énervée, et je voyais bien qu'elle s'énervait toujours. Si je ne me trompais pas, il y avait une raison à ce qui lui était arrivé. Un dessein sous-tendait l'ensemble. La même pensée provoquait sa colère noire quand j'évoquais le livre des prophéties. (Oui, je crains qu'il n'existe un livre des prophéties. Je sais. Je ne puis que vous présenter mes excuses.)

«Ce n'est rien», dis-je.

Elle leva les yeux vers moi. Les détourna. Les releva. Ces trois regards renfermaient le schéma de notre relation. Justine a beau n'être ni ma fille, ni ma sœur, ni mon amante, elle m'est plus précieuse que ne le seraient aucune de ces femmes et les trois réunies. Notre relation rejette les noms que nous offre le monde. Tel est l'étrange contrat qui lie la vie au langage : le langage nomme inlassablement, pendant que la vie reste inlassablement juste au-delà des noms, séductrice échappant aux caresses de son séducteur.

«Alors, je te les pose, les questions? s'obstina Justine.

— Oui.

— Bon. Où sommes-nous?

— À Las Rosas. 2208, Carmine Drive, Hollywood Hills, Los Angeles, Californie. Tu t'appelles Justine Cavell. J'ai fait ta connaissance il y a huit ans… non, dix, ça doit faire dix maintenant… il y a dix ans à Manhattan. Tu saignais du genou. Tu étais prête à l'extra-ordinaire.

— Qu'est-ce que l'IRIMS ?

— L'Institut de recherche international sur les maladies du sang. Fondé par tes soins il y a plus longtemps que je n'ai envie de m'en souvenir. Il a implanté des centres dans une trentaine de pays, associés à des hôpitaux, des morgues, des programmes de donneurs, des universités. Une cantine dans chaque port. Tu vois ? Je suis à la page.

— Le songe d'une nuit d'hiver ?

— D'été. Ma mémoire procédurale et déclarative est intacte. Je suis toujours capable de conduire, heureusement. J'ai de multiples instruments de musique au bout des doigts et trop de langues différentes dans la bouche. »

Et la peur au cœur.

« Quel est ton dernier souvenir ?

— On a regardé ensemble *Une équipe hors du commun* et *Le Lauréat*. À part ça, je ne suis pas convaincu par ta coiffure. Tu as perdu de ton tranchant. »

Elle en était déjà à la moitié de son bourbon et but le reste cul sec. Créoles en or rose. Gorge charmante sur laquelle je n'avais jamais posé les lèvres. J'ai toujours été doué pour les exemptions aléatoires — mais elles ne sont jamais aléatoires, évidemment. Rien n'est jamais aléatoire sous le Fouet.

« Tu te souviens… » Elle hésita. Territoire difficile. À aborder avec prudence. « Tu te souviens d'être allé en Europe ?

— Avant Geena et Dustin ?

— Après. »

Ah. Mon dernier souvenir ne correspondait donc pas à nos derniers moments. Les amnésiques se cramponnent à quelque chose de sûr et d'heureux dont ils font leur dernier souvenir, la première miette de pain sur le chemin qui les ramènera chez eux.

«Dis-moi», demandai-je.

Elle écrasa son American Spirit dans le cendrier. Au moment de la dernière bouffée, toujours vaguement répugnante, qu'elle exhalait vers le bas, ses lèvres évoquaient celles d'un flûtiste.

«Une minute.» Les cils baissés. «Ce n'est peut-être pas…» Elle secoua la tête, se corrigeant elle-même. «Marco Ferrara.»

Son petit visage échauffé trahissait une masse de calculs.

«Pardon?

— Ce nom-là ne te dit rien?

— Non.

— Vaughn Brock?

— C'est un de mes pseudos. Je me demande à quoi je pensais.

— Emilio Rodriguez?

— Un autre. L'Italie était à la mode dans les années 80. Au XVIIIe siècle, je veux dire.

— Carter Marsh?

— Ne te fatigue pas avec ça, ma puce. Je me rappelle. Sérieux. Je sais qui je suis. Tu ferais mieux de me parler de Marco Ferrara et de l'Europe. Me suis-je couvert de honte, d'une manière ou d'une autre?»

L'éclat de la satiété s'était approfondi. Les couleurs de la pièce battaient. Le microclimat concentré de Justine mêlait la mélanine suscitée par le soleil, *Chérie* de Dior, l'amertume du vernis à ongles, parfois un soupçon louche de bourbon porté par son souffle, une pointe de sueur refroidie et l'âcreté sucrée-salée de sa chatte. Plus, bien sûr, le sang; jeune, humain, plein d'une vie blessée mais ardente. La force qui propulse la fleur à travers le fusible rouge.

«Oh, bordel.» Elle pencha la tête en arrière. «Je ne sais pas quoi te dire. Je ne sais pas si ça va…

— Oui, quoi?»

Elle réfléchit un instant, puis ses épaules se détendirent. Une décision.

«Avant de t'endormir…» Interruption, provoquée par l'assaut renouvelé que représentait ma seule présence auprès d'elle, ma réalité. «Désolée. C'est tellement bizarre, bordel.

— Dis-moi ce qui s'est passé.

— Il me faut un autre verre.»

Curieusement, cette déclaration sonna entre nous comme une fausse note. Le Fouet donne certes des indices éclatants sur les vérités fuyantes, mais aussi des aperçus saisissants sur les mensonges proférés. Les yeux sombres me fuyaient. Je n'en parlai pas. Justine gagna la cuisine, d'où elle revint avec un verre plein. Je nous allumai à chacun une autre American Spirit.

— Avant de t'endormir, recommença-t-elle, tu as été malade. En Europe. Tu ne te rappelles vraiment rien?»

Alors? Est-ce que je me rappelais?

Il y avait quelque chose. À la périphérie de mon esprit. Jusqu'à ce que j'essaie de me concentrer dessus… moment auquel le quelque chose se dérobait. Des courants de déjà-vu circulaient dans le bureau. Une reconnaissance saisissante rôdait, toute proche, véritable à-pic que je ne verrais pas avant d'en tomber.

«C'est là-dedans quelque part, répondis-je. Continue.

— Bon. On était en Angleterre. Je suis restée à Londres pendant que tu allais en Crète.»

Chaque nom de lieu constituait un test de reconnaissance. Jusque-là, rien.

Ou, plutôt, presque rien. Un élancement synaptique imperceptible. Londres. La Crète.

« Qu'est-ce que je trafiquais en Crète ?

— Tu… Je n'en sais rien. Tu ne me l'avais pas dit. Je t'ai attendu à Londres plusieurs semaines. Quand tu es revenu de Crète, on a passé un moment ensemble en Angleterre, mais tu es tombé malade. Tu ne te rappelles pas ? Il a fallu que je te ramène à la maison.

— D'Angleterre ?

— On avait Damien. Et le jet.

— Seigneur.

— Tu ne t'en souviens vraiment pas ? » Malgré son incrédulité, quelque chose d'autre transparaissait. Le soulagement. « Je t'ai ramené ici, continua-t-elle. Tu n'arrivais pas à boire. Tu avais de la fièvre. Et mentalement… tu oubliais des choses. Tu t'en rappelais d'autres. Tu disais que si tu te rappelais tout ce qui s'était passé… Enfin bon, tu étais dans un état lamentable. Tu n'arrêtais pas de me répéter les mêmes choses. On aurait dit que tu avais la maladie d'Alzheimer.

— Je suis désolé.

— Arrête avec ça.

— J'ai du mal. Tu as souffert. »

Elle secoua la tête, agacée. Elle s'était apitoyée sur son sort, seule ici à Las Rosas pendant mon sommeil, mais ce souvenir la dégoûtait. C'était son défaut, elle se montrait brutale avec elle-même. Lorsque je l'avais vue plantée près de la benne à ordures, cette nuit-là, à Manhattan, j'avais reconnu en elle quelqu'un qui ne pouvait trouver de consolation dans le monde que quand il n'en avait évidemment pas à offrir.

« Bon, dis-je. Je ne me souviens pas de l'Europe. Ni de la Crète ni de Londres. Je ne me souviens pas d'avoir été malade. Ni d'avoir perdu la tête. Que s'est-il passé après notre retour à L.A.?

— Ton état n'a fait qu'empirer pendant une bonne semaine, donc mon flip aussi. Tu avais des poussées de fièvre. Tu ne pouvais pas te nourrir. Tu ne pouvais *rien* faire du tout. Tu étais très affaibli, et tu délirais. Tu étais carrément vert.

— J'étais vert?

— Et puis ça s'est calmé. Tu allais mieux. Tu étais plus cohérent. Tu te rendais compte que tu avais été malade. On regardait des films. Jusqu'au jour où tu es descendu dans la crypte et où tu n'es plus remonté, bordel.»

Ces mots firent resurgir sa solitude. Ses yeux s'emplirent de larmes, qu'elle se retint de verser car elle ne se pardonne pas de pleurer. Voilà pourquoi je la trouve irrésistible. Rien ne m'attire plus chez les humains que l'absence d'attendrissement sur eux-mêmes. Le silence s'installa, rompu par le *boouuiip* d'une sirène de police, à quelques centaines de mètres. J'aurais aimé parler du rêve, mais ça n'aurait pas aidé. *Il ment à chaque mot* me bourdonna une fois de plus à l'oreille, avant de s'éloigner.

Je me levai. Sans le vouloir. Pas plus que je ne voulais me souvenir de la fausse note dont j'avais eu conscience quand Justine avait décidé qu'il lui fallait un autre verre. Je ne sus ce que j'allais dire qu'au moment où j'ouvris la bouche.

«Tout va bien. C'est moi. Je sais qui je suis.

— Qui es-tu?

— Je m'appelle Remshi, et je suis le plus vieux vampire du monde, déclarai-je avec un accent prétendument transylvanien. D'après la datation au carbone 14, le petit oa que je porte au cou date de dix-huit mille ans

avant Jésus-Christ. Je me rappelle avoir regardé mon
père le sculpter. »

La dernière phrase dépouillée de mon accent de
comédie. Je revoyais mon père à la clarté du feu, ma
mère creusant le trou des offrandes. Deux humains à la
peau sombre, aux longs cheveux, aux yeux noirs brillants, aux muscles fins. J'étais assis entre eux. En paix.
C'était la dernière fois que je me rappelais m'être senti
en paix.

« Mais ce ne sont peut-être pas des souvenirs,
ajoutai-je. Je suis peut-être malade. Ou ce sont des
souvenirs, ou ce n'en sont pas. D'un côté comme de
l'autre, je ne veux pas mourir. Pas tant que tu es là. »

Ce petit discours la rasséréna. Elle me regarda, allé-
geance fugace.

Je sus alors sans l'ombre d'un doute qu'elle me tai-
sait quelque chose.

« Je reconnais que j'ai des trous de mémoire »,
repris-je, pendant que le Fouet allumait autour de sa
tête l'auréole de la tromperie, « mais je sais qu'on vit
ensemble, toi et moi. Que tu es ce que j'ai de plus précieux au monde. Je sais qui tu es, *toi*.

— C'est vrai ?

— Oui. »

Sa finitude se concentra, compacta les détails de sa
mortalité : petit corps, tête aux yeux sombres, pouls.
Vous, les humains, vous n'avez aucune idée de la profondeur et de la finesse avec lesquelles la fugacité de
votre vie s'inscrit dans le moindre de vos instants.

« Je croyais que tu ne reviendrais pas, dit-elle tout
bas.

— Je suis là. Je ne vais pas m'en aller.

— Tu n'en sais rien. Si tu redescends maintenant, tu

peux très bien ne pas remonter avant cinquante ans. Je serai peut-être morte, bordel. »

J'ignore ce que j'aurais répondu — car elle avait raison —, mais je ne pus répondre, de toute manière.

Quelque chose de pointu me frappa par-derrière. Une douleur spectaculaire explosa sous mes côtes.

6

Je baissai les yeux. Dix bons centimètres d'un javelot en bois soigneusement taillé en pointe dépassaient
de mes entrailles. *Lignum vitae*. Le seul arbre plus dur
au monde, l'*Allocasuarina luehmannii* d'Australie,
n'est autre que le célèbre «chêne-taureau». La seconde
qu'il me fallut pour me retourner me laissa le temps de
me dire : Je ne sais pas qui m'a planté, mais ce salopard ne prend aucun risque. Déjà, je m'*étais* retourné
(s'il y avait eu quelqu'un à côté de moi, je l'aurais
bousculé avec le manche qui me sortait du dos, tel un
idiot de comédie portant une échelle). Je savais qu'il ne
s'agissait pas d'un, mais de trois salopards, dont deux
femmes.

Un quadragénaire à la grosse tête massive de mon-
gol et aux sourcils de hibou, flanqué d'une jeune rou-
quine élancée aux yeux verts et aux cheveux tirés en
arrière, elle-même flanquée d'une brune musclée d'une
vingtaine d'années, défigurée par la cicatrice de brûlure satinée qui lui dévorait le quart inférieur gauche
du visage. Ils portaient tous un treillis de combat léger
et un armement impressionnant : une sorte de clouteuse, des mini-arbalètes, des munitions, des pieux —
la rousse maniant en plus une épée.

«Raté», dit-elle à la brune avec calme.

Il se passait trop de choses. D'abord, la douleur. On ne m'avait pas planté un pieu dans le cœur, mais le cœur n'est pas idiot; il hurlait que c'était passé à un cheveu. Sa panique retentissante m'assourdissait les nerfs et accroissait l'incendie qui me dévorait les entrailles, où s'était enfoncé le javelot. Une large part de ma conscience s'obstinait pourtant à examiner bêtement le rêve, *Il ment à chaque mot, De quoi te souviens-tu?* et ce que Justine ne m'avait pas dit, pendant qu'elle s'approchait de moi et que la rousse s'avançait de deux pas dans le bureau. Il y régnait une ambiance tropicale. Les livres étaient sous le choc.

«Va-t'en, dis-je à Justine.

— Je vais te le retirer», répondit-elle.

Elle n'en eut pas le temps. Je me passai le bras dans le dos (en pensant, comme on pense follement dans des moments pareils, à une femme qui dégrafe son soutien-gorge) et tirai de toutes mes forces sur la hampe du javelot. Épouvantable violation. Rugissement neural. L'arme se dégagea dans un gargouillis de comédie, aussitôt suivi du sifflement intérieur de la régénération moléculaire et du regroupement cellulaire furieux. (Douleur? Oui. Mortelle? Non. Un pieu dans le cœur. La décapitation. Le feu, s'il est assez ardent. Rien d'autre. Avec n'importe quoi d'autre, vous avez intérêt à prendre vos jambes à votre cou.)

«Va-t'en», répétai-je à Justine.

Elle ne bougea pas. Ce fut bien la seule.

Au mépris des traditions hollywoodiennes, les intrus attaquèrent de concert. La clouteuse tira quatre fois, me blessant à l'épaule — des balles en chêne-taureau dont deux me traversèrent, pendant que les deux autres déchaînaient à nouveau le klaxon de mon cœur.

Une joie sournoise ne m'en envahit pas moins. Parce qu'ils ne savaient pas, ces optimistes suréquipés. Ils ne savaient *absolument* pas.

Faux.

Je ne savais absolument pas.

La brune fonça sur Justine, et je perdis l'équilibre en me jetant sur elle pour l'intercepter au passage. J'aurais dû avoir tout mon temps. Nous aurions dû opérer dans le respect de la différence comique habituelle. (Je regarde les humains qui cherchent à me tuer comme McEnroe regardait Connors chercher à le battre en finale à Wimbledon, en 1984, avec une sorte de pitié incrédule.) Rien de tel en l'occurrence. En l'occurrence, quelqu'un avait dispensé à mes assaillants un entraînement d'un niveau inégalé. Je fis tomber la brune, oui, mais pas avant d'avoir reçu une grande entaille en travers du torse et d'avoir pris quatre balles de plus dans la jambe gauche. Elle se débattit à coups de pied pour s'éloigner de moi, pendant que l'odeur de Justine persistait, dans mon dos. Je plongeai sous l'épée de la rousse et lui cassai le fémur gauche d'un seul coup du tranchant de la main. (Un *haito uchi*, pour être plus précis. Ça me faisait du bien de sentir mes options de combat prêtes à servir, vicieuses ; bref retour au terrain d'entraînement d'Atsutomo, à Kikaijima, avec ses matins chauds et humides, ses montagnes évocatrices de poids lourds avachis.) Elle sentait délicieusement bon : sueur à l'adrénaline et crème pour les mains à l'abricot, plus le vague parfum de tissu propre du treillis. Et, bizarrement, l'encens. Son haleine m'informait aussi qu'elle avait mangé une salade niçoise au thon cinq heures plus tôt. Elle tomba en silence, bouche bée, reflet de lumière sur ses cils. La main du type passa à toute allure devant mon visage, armée d'un pieu. Il était rapide malgré son poids — l'expérience intégrée aux muscles et une habitude utile de la violence. AB moins, si j'en croyais mon odorat (qui se contentait de faire son devoir, indifférent), oignons frits, gel douche Radox à la noix de coco, cigarettes roulées main… et, là aussi, encens. Des poils sombres parfaitement nets piquetaient la main aux doigts épais crispée sur le pieu. Une main qu'on aurait trouvée provocante, une Rolex au poignet, dépassant d'une manchette blanche amidonnée.

La rousse roula rapidement hors d'atteinte, sans lâcher son épée. Son visage m'intriguait, traits de Celte aux pommettes imposantes, à la bouche généreuse et aux yeux vert laiteux, aperçu du royaume des elfes. Pendant qu'elle s'éloignait, je donnai un coup de tête à l'homme par-dessous, en remontant brusquement de manière à lui casser la mâchoire inférieure (claquement absurde des dents qui s'entrechoquaient) et à lui enfoncer le cou dans les épaules. Il ne tomba pas, mais ma tactique me donna le temps nécessaire. Je lui arrachai son pieu pour le lui plonger dans la gorge avec une rapidité brutale, sentis se fendre le cartilage de sa trachée et se rompre trois ou quatre de ses carotides. L'odeur incorrigible du sang me caressa, impudique, mais je débordais encore de Randolf. Même si elle n'avait pas porté jusqu'à moi une note de dégoût, il aurait été dangereux de boire si vite une seconde fois. (Un pieu dans le cœur, la décapitation, le feu… et l'overdose.) Les événements n'empêchaient pas les grouillots de la conscience de vaquer à leurs occupations en se demandant qui étaient ces gens, sans grande conviction cependant. Il y a toujours quelqu'un pour essayer de tuer un vampire. En fin de compte, peu importe qui et pourquoi : ce qui compte, c'est que quelqu'un essaie.

La brune était sortie de mon champ de vision quand je lâchai l'homme, qui tomba d'abord à genoux, ensuite sur le flanc, cramponné des deux mains au pieu planté dans sa gorge. Un léger gargouillis déprimant s'échappait de ses lèvres. Parallèlement aux calculs que nécessitait le combat — à un autre niveau, peut-être —, je me disais que Justine et moi devrions profiter de la fin de la nuit pour nous Débarrasser des Corps et protéger la maison des Experts réels qui manquaient satiriquement de charme. Je pivotais afin de vérifier qu'il ne lui était rien arrivé… quand un carreau de lignum vitae me frappa à la poitrine.

Pas au cœur. Mais, cette fois, à moins de deux centimètres. Retranchée derrière un des Thomasville, la brune me tenait dans son viseur.

Le cœur, saisi, s'arrêta.

Déclenchant quelque chose en moi. Un simple bond me permit d'emporter le fauteuil et son utilisatrice six mètres plus loin, jusqu'à une bibliothèque contre laquelle ils s'écrasèrent. Les livres basculèrent, tombèrent. Je tirai l'intruse de sa cachette par les cheveux, pendant qu'elle se débattait avec une énergie si extraordinaire que je faillis lâcher prise — deux fois. La chaleur qu'elle dégageait à présent trahissait pourtant la résignation. Son âme, tournée vers la fin, chuchotait déjà les premiers mots d'une prière.

Mais non : c'était la *fille* qui chuchotait une prière. Le Notre Père. En latin.

«*Pater noster, qui es in caelis*», disait-elle, pendant que son nez pissait le sang, «*sanctificetur nomen tuum, adveniat regnum tuum, fiat voluntas tua, sicut in caelo et in terra.*

— Qui êtes-vous? m'exclamai-je.

— *Panem nostrum cotidianum…*

« — Qui êtes-vous, bordel ? Parle, ou… »

Je me demande comment elle fit. Je la tenais par les cheveux. Elle se cambrait, les pieds au sol. Puis elle se rejeta en arrière contre moi, son poids se déporta… et ses jambes se retrouvèrent nouées à mon cou.

Je n'avais que très peu de temps, je le savais. Déjà, elle attrapait — car elle avait les mains libres — un pieu dans son fourreau. Il émanait d'elle des vagues de chaleur brutales. Elle avait les aisselles trempées. Sa minuscule réalité frénétique m'inspira une grande tendresse, surtout accompagnée de la pensée inévitable que nous nous trouvions dans la position du 69, quoique à la verticale, suivie de l'intuition qu'elle était vierge.

Il n'empêche que je lui brisai le cou, proprement, rapidement, puis la laissai glisser à terre, une main coincée sous le corps, l'autre sur un des livres renversés. Ouvert, la couverture en l'air. L'édition de 1894 des *Œuvres complètes* de Browning. Près d'un autre volume, la première édition du *Colosse*, de Sylvia Plath. Je te parie qu'il s'est ouvert à « Freux noir par temps pluvieux », me dis-je.

Ce fut alors que la lumière changea et que Justine hurla.

7

Elle gisait sur le dos, devant le bureau. D'où elle avait fait tomber la lampe Tiffany en la tirant par le fil électrique. La rousse se tenait au-dessus d'elle, appuyée sur son épée comme pour soutenir sa jambe cassée.

Sauf que l'épée était enfouie dans le ventre de Justine.

Un unique bond me ramena à l'autre bout de la pièce, me laissant cependant tout le temps nécessaire. Le temps nous rend le service pervers de l'expansion quand nous n'avons pour le remplir que l'horreur. J'eus donc le temps de calculer le temps qu'il restait à Justine, celui qu'il faudrait à une ambulance pour arriver et celui qu'il me faudrait, à moi, pour changer la blessée de pièce — ou, mieux, la porter dehors : *Je l'ai trouvée comme ça sur la pelouse en rentrant à la maison.* Il y avait aussi le temps que mettrait la police à réagir, car il s'agissait d'une blessure par arme. Et le temps des questions — que deviendrais-je si Justine mourait ? supporterais-je la solitude ? où irais-je puisque, à mes yeux, Las Rosas mourrait avec elle ? Le temps pour ce qu'elle ne m'avait pas dit, quoi que ce fût, pour cette lacune qu'elle emporterait peut-être dans la tombe ; pour le rêve ; pour les prémices de l'impression que je savais quelque chose, je le *savais*, si seulement j'arrivais à l'atteindre… Le temps aussi — comment aurait-il pu en aller autrement ? — pour l'éternelle option, Transformer Justine, et l'ironie associée : elle avait remis ça à plus tard tellement longtemps, et si elle se décidait maintenant, peut-être y perdrions-nous tous deux la vie.

La rousse avait un de ses propres pieux fiché dans la cuisse. Bravo, Justine. L'artère fémorale était touchée : la fille s'effondra à genoux avant même que je lui tombe dessus, mais je voulais m'assurer de l'épée, pour éviter qu'elle ne s'incline et n'aggrave la blessure. Je m'aperçus alors qu'elle avait transpercé ma brave petite de part en part avant de s'enfoncer profondément dans le parquet de noyer.

« Ne bouge pas », dis-je.

Je retirai le pieu de la cuisse de la rousse — dont les yeux vert pâle s'étaient fermés et qui ne produisit pas un son — puis le lui plongeai dans le sternum vite et fort, jusqu'au cœur. La bouche de l'intruse s'ouvrit, aperçu de langue rose crevette et de dent chevauchante attendrissante, puis elle s'en fut. La mort embrumait la pièce. Je m'imaginai Sylvia Plath, témoin de la scène grâce au portail du *Colosse*, pas le moins du monde surprise. Alors que Ted Hugues serait bouleversé, lui, malgré ses faucons, ses renards et ses corbeaux.

« Fais-le », dit Justine quand je relevai les yeux vers elle.

La vie s'était affaiblie dans son visage. Un pouls équivoque battait à ses poignets, son cou, son entrejambe.

« Je peux t'emmener à l'hôpital.

— Je veux que tu le fasses. »

J'examinai le sang qu'elle avait perdu. Aucun moyen

d'en déterminer la quantité. La distance qui nous séparait était saturée du dialogue pour lequel le temps nous manquait.

«Je veux», répéta Justine, avant que la douleur ne crispe ses traits. Lorsqu'ils se relâchèrent, elle me regarda. «Je suis sérieuse, Nounours.

— Ça ne marchera peut-être pas.»

Et ça risque de me tuer, n'ajoutai-je pas. Toutefois, le mouvement était lancé. L'avenir alternatif — ambulances, médecins, faux témoignages élaborés, séparation, fuite possible — s'évanouit en nous avec l'équivalent mental d'un soupir. Chacun de nous le laissa s'évanouir. On avait toujours su que ce moment-là arriverait, et il était arrivé. Elle avait eu dix ans pour en débattre en son for intérieur ; cette nuit, le hasard avait imposé sa réponse. Le hasard est fait pour ça. Comme toutes les redditions de ce genre, ce fut un véritable soulagement.

Ça ne veut pas dire qu'elle n'avait pas peur. Une peur dont j'avais conscience. Elle renonçait à ce qu'elle possédait de plus important pour plonger dans la nuit. Voilà à quoi elle avait pensé, seule à Las Rosas pendant près de deux ans.

«Promets-moi de ne pas me quitter.

— Je ne te quitterai pas, mon ange.

— Promets.

— Je te promets de ne pas te quitter.»

La pièce nous servait de témoin. Le monde enregistre les promesses.

«Tu es prête ? demandai-je.

— Vas-y.»

Elle détourna la tête, comme un patient avant que l'aiguille ne le pique.

Je la contemplai une dernière fois. Je contemplai celle qu'elle ne serait jamais plus.

Puis je retirai d'un geste vif l'épée plantée en elle et me mis à boire.

8

C'était affreux. Autant que je l'avais pensé. La suroxygénation commença alors que je ne lui avais pas encore pris le quart de son sang, sang qui se concentra en moi, se solidifia, devint douloureuse palpitation d'avertissement : *Arrête. Arrête. Arrête.* Mais je ne pouvais que continuer, continuer à faire croître la douleur, à l'endurer. Mes yeux énormes s'étaient transformés en œufs durs brûlants. Ce genre de pensée me traversait la tête. Un capillaire s'y déchira, douce explosion intérieure. Le sang suffoqué par le sang. Tu ne vas pas y arriver. Tu ne vas pas y arriver. Arrête. Arrête tout de suite. Tu ne peux pas continuer, alors tu continues. Je pensais à la scène où Paul Newman mange des œufs dans *Luke la main froide*, George Kennedy les poussant entre ses lèvres serrées, ces petits œufs, *des œufs de caille*, en réalité… Des œufs, encore et toujours, le symbole de l'âme… Ou on emploie la méthode Hemingway, on se promet de tenir une seconde de plus, juste une, puis la suivante… et les secondes deviennent des heures, qui deviennent des jours. Oui, fais comme ça, une succion de plus, une gorgée de plus. Trompe ton courage, ta pleutrerie. Le Vieil Homme et le Sang.

Je vis ce que je ne voulais pas voir. La fillette de

cinq ou six ans, au visage brûlant. La pièce basse de plafond, où une petite lampe renversée posait sur un mur taché une ellipse de lumière étirée. La femme et les hommes, tous ces géants. Je n'aime pas ça, maman. La concentration densifiée des hommes, leur détermination. Le monde enfantin contenait les distensions et les chutes d'un super train fantôme qui n'avait rien de super, les miroirs invisibles qui transformaient les gens en monstres. Le visage moite de la mère, parfois affecté d'un froncement de sourcils irrité, parfois d'une incrédulité égarée — qu'elle s'inspirait elle-même ; que lui inspirait ce dont elle était capable. Viens là, disait un homme. Je vis ce que je ne voulais pas voir. La grande fille, l'adolescente, la jeune femme, la haine de soi religieuse, les hommes, ceux qu'il ne fallait pas, toujours, délibérément. Le contrat éternellement renouvelable avec ses propres fêlures. Le réconfort profond de leur mépris. T'aimes ça, hein ? Dis-le qu't'aimes ça, espèce de salope. *J'aime ça.* D'autant plus facile à dire que c'était plus mensonger. Une inversion parfaite à laquelle se cramponner comme à un talisman.

La destruction était pourtant incomplète. Il subsistait des fragments éclatants. Elle se tenait seule à la lisière d'un bois, le visage levé vers les flocons sacramentels tombant du ciel. Assise chez elle, les mains nouées autour d'un mug de thé brûlant, elle connaissait un instant de paix ou de quelque chose qui y ressemblait, peut-être juste une suspension de l'identité, une transcendance accidentelle. Elle ouvrait subitement une porte d'entrée, faisant sursauter la fille de Federal Express, et elles éclataient toutes deux de rire. Le rire, grand absent de sa vie. À moins qu'il ne fût stratégique ou triomphant, parce qu'elle avait réussi à atteindre des profondeurs insondables. Un arbre dépouillé se découpait sur fond de ciel, lui rappelant la coupe transversale d'un poumon... Les arbres produisent de l'oxygène, les poumons en consomment, oui, bien sûr... Pensée emportée par son moi habituel, dont le travail consistait à souiller ce genre de pensées. Je lui apparaissais sur le parking glacial. Un faux pas puis un bond fugace, intuitifs, et elle savait ce que j'étais. Elle déposait les brûlures invisibles qui la marquaient, une à une, avant de venir à moi flamboyante, balafrée. Ayant tout dépassé de si loin que la peur lui était étrangère...

Je ne pouvais continuer.

Je continuais.

Mohamed Ali a dit que jamais il n'avait frôlé la mort de plus près que lors de son troisième combat contre Frazier, à Manille. Que, à son avis, on ne pouvait la frôler de plus près sans mourir. Les humains nous appellent les morts-vivants. Ils se trompent. Nous naissons. Nous vivons. Nous pouvons mourir et donc frôler la mort. Je la frôlais. Le sang, totalité assourdissante. Le hurlement de Dieu. Je n'allais pas pouvoir continuer. J'allais mourir.

Je continuais.

Dix battements de cœur. Sept. Cinq. Quatre...

Je voulus lui dire de boire, mais il n'y avait plus de place en moi d'où tirer les mots, il ne restait plus de place où il aurait pu s'en trouver. Le sang était pierre. J'étais pierre. Le noir total m'engloutit, brièvement. C'est donc ça? me demandai-je. C'est ça, la mort? Puis j'en sortis. Je m'ouvris le poignet gauche sur le tranchant de l'épée et pressai la plaie contre les lèvres de Justine.

La pause avant que ne se crée le lien, avant que l'aimant oscillant ne se colle brusquement au métal.

L'obscurité faillit m'engloutir une seconde fois. Si j'y sombrais à nouveau, je n'en sortirais plus, je le savais.

Puis je sentis. Non pas la petite bouche dentue, non pas le visage brûlant, mais le premier minuscule ajustement de poids, l'afflux de sang devenant perte de sang. Au Kenya, deux cents ans plus tôt, j'avais vu un médecin inciser le pied infecté d'un patient, qui avait fondu en larmes à la première expression de l'infection. La joie de passer de la douleur au soulagement. Il avait pris dans les siennes les mains du praticien pour les embrasser, faisant fleurir entre eux l'intimité de deux frères aimants.

Justine buvait. Avidement. Accélérant la conversion de tout le poids de son besoin, comme les infirmières pressent la poche de la perfusion pour hâter l'arrivée du fluide. Les veines réceptrices souffrent, vous vous en doutez, mais il s'agissait là des veines émettrices. Les miennes. Et elles ne souffraient pas, elles saignaient littéralement du verre pilé.

La progression m'emporterait du relatif soulagement au soulagement, au soulagement profond et à la béatitude de l'équilibre sanguin. Puis, Justine continuant à boire, il faudrait recourir aux grands moyens pour l'arrêter. L'équilibre sanguin deviendrait relatif inconfort douleur torture et, enfin, peur, vaste nuit douce de plus en plus proche — peur que ma compagne ne me tue en me vidant de mon sang.

Si je me débrouillais bien, si je l'arrêtais quand elle aurait assez bu pour que ça la transforme sans me tuer, il nous resterait toujours trois corps à cacher — en moins d'une demi-heure de nuit.

Ces pensées étaient là, mais frêles, faibles, comparées à l'autre.

Celle que m'avait inspirée la découverte faite en Justine quand elle avait frôlé la mort.

Une vérité qu'elle m'avait tue, mais que son sang ne pouvait me dissimuler : Talulla Demetriou la lycanthrope abritait l'esprit de ma bien-aimée Vali. Il attendait, sain et sauf, que j'accomplisse la prophétie.

9

Je me rappelais.

J'avais déjà fait le rêve de la plage déserte. Je le faisais même depuis Cette Nuit-Là, près de trois ans plus tôt, à Big Sur. (J'y possède une maison, un des quelques bunkers de luxe à la sous-Frank Lloyd Wright autrefois achetés, mais rarement occupés, par l'adorable Natalie Wood, morte dans des circonstances mystérieuses.) Je me rappelle que je m'étais réveillé tard, Cette Nuit-Là aussi, peu après le lever de la lune…

… La pleine lune.

Il n'y a pas de coïncidence.

Le rêve m'avait bouleversé. Bien sûr. La plage. Le crépuscule. Le maigre semis d'étoiles. Mon mystérieux compagnon de promenade, derrière moi. *Il ment à chaque mot.*

Cette Nuit-Là, quand je remontai de la cave, Justine se vernissait méticuleusement les ongles des pieds en bleu pâle. L'écran plasma montrait *Un jour aux courses*. Mes mains tremblaient, ce qui m'incita à les fourrer dans mes poches.

«La vache, Norm, tu verrais ta tronche de déterré, lança-t-elle.

— Ça va, répondis-je. J'ai mal à la tête parce que j'ai trop dormi, c'est tout. Je vais prendre l'air un moment. Je n'en ai pas pour longtemps. »

Je ne pouvais pas lui dire. En partie parce que le rêve m'avait causé un choc trop immense et trop cru pour être formulé aussi vite — je tenais à peine debout, sans parler de discuter de ça —, mais surtout parce qu'elle se serait inquiétée. Je m'étais donné tellement de mal pour qu'elle se sente en sécurité dans notre monde. Une chose pareille ne lui plairait pas. Un rêve. Nounours, *rêver*? Elle trouverait ça inquiétant. C'*était* inquiétant.

« N'y passe pas la nuit. Je veux te parler. De la boîte de nuit. »

Je partis à pied. En trébuchant, une fois hors de vue de la maison, débarrassé du besoin de dissimuler. Je traquai les images du rêve, sans jamais vraiment… jamais *vraiment*… Mes mains, mes pieds, mon visage en proie à de discrètes poussées de fièvre. Les engrenages du monde avaient tourné pendant mon sommeil. Un rêve! Toutes ces années. Toutes ces *années*.

Le premier rêve depuis la mort de Vali.

Je te reviendrai. Et tu me reviendras. Attends-moi.

J'avais attendu.

Pas vrai?

Le film menaçait, le montage dense de ma vie, flanc de falaise défilant à toute allure devant les yeux du malheureux qui venait de faire un pas de trop et tombait, tombait vers le pied de l'à-pic en une chute écœurante. Plus écœurant encore, la chute s'interrompait parfois au hasard, brusquement, obligeant sa victime à affronter durant une fraction de seconde infinie une réalité éclatante — le cou tordu pour distinguer le pied nu de Michel-Ange éclaboussé de peinture dépassant au bord de l'échafaudage, les hauteurs contenues de la chapelle saturées de l'odeur des peintures et du plâtre ; une jeune servante aux boucles rousses coiffées d'un bonnet, équipée d'une chaufferette en cuivre, levant les yeux et me voyant, ses iris bleus fracturés par la compréhension que c'est là sa mort ; les drakkars sur la Volga noire aux petites heures, casques et lances au clair de lune, un des Vikings — un seul — me voyant les observer depuis la berge, échange de conscience curieusement tendre avant que la fenêtre de connexion ne se referme ; des soldats trempés dans une tranchée pleine de sang, la puanteur du cuir mouillé et de la décomposition, un rat en train de nager, rides en chevrons partant de sa ravissante petite tête ; des toilettes au Rwanda, un bébé tutsi coupé en deux fourré dedans. Puis elle était ramenée en arrière tout aussi violemment dans les griffes de la gravité, en proie à la nausée suscitée par le temps passé les aléas climatiques les extrêmes et approximations…

Je m'arrêtai et me couchai sur l'humus. Il arrive que se coucher soit la chose à faire. (Des millions de gens vivant une mauvaise journée la verraient s'améliorer s'ils cédaient à l'impulsion de s'allonger par terre quelques minutes sur la moquette du bureau, le carrelage de la salle de bains ou le trottoir agréablement froid. Les ivrognes et les enfants savent qu'il s'agit là d'une constatation pleine de sagesse, mais qui les écoute ?) Je me couchai sur l'humus. Les fougères moelleuses, les odeurs de terre et de conifères m'apaisèrent. *N'y passe pas la nuit*, m'avait dit Justine ; mais il m'était difficile de m'imaginer bouger sous peu. Des millénaires d'un sommeil de plomb, et maintenant ça : un rêve — maladie furieuse, épidémie inverse répandant la vie en une nuit sur tout mon continent intérieur. Je tournai la tête et écartai par caprice les broussailles pour plonger le regard dans la forêt, légèrement en contrebas (aucune raison ne m'y poussait, sinon l'insistance narrative ardente du moment).

Alors je la vis.

Ou, plutôt, je *les* vis.

Deux loups-garous, une femelle et un mâle, le mâle une dizaine de pas derrière la femelle. À trente mètres de moi, sous le vent…

Son odeur à elle me frappa. Élimina le temps et l'espace entre alors et maintenant. Fit pencher le monde comme un puzzle d'enfant monté sur roulement à billes. Me relâcha là où… quand ça avait… Oh, Seigneur. *Seigneur.*

L'odeur de Vali.

Impossible.

Je te reviendrai. Et tu me reviendras. Attends-moi.

Je pense que je perdis un instant conscience. Quelques secondes plus tard, j'eus en tout cas l'impression d'émerger d'une obscurité profonde, la saisissante impression d'une naissance soudaine. Ou, plutôt, d'une renaissance.

Je te reviendrai.

La femelle — Vali, Vali, *Vali* — s'arrêta et leva son élégant museau vers la lune. La lumière argenta son long cou, ses yeux humides, sa gueule.

Mon cœur faillit refuser. Malgré l'immensité de son tumulte, il connaissait l'enjeu et voulut refuser. Si ce n'est pas… Si c'est un faux-semblant, une illusion…

Mais un fil de sang se tendit dans mon sexe. Mon sexe ! Qui, depuis sa mort à elle, n'avait pas plus d'importance pour moi que les peluches au fond de mes poches.

Le désir. Le *désir.*

Était-ce possible ?

J'inspirai son odeur, portée par le vent, et mon sexe bondit. L'odeur ne pouvait tromper. C'était la sienne. La *sienne*. Mes yeux s'humidifièrent. Joie du retour, chagrin des années de deuil. Bonheur éviscérant qui me laissait vidé, fragilisé par l'espoir. Hormis pour l'incrédulité qui m'emplissait les mains, les pieds, les dents, qui emplissait la forêt et la nuit, le monde réel, matériel.

Le clair de lune adoucissait sa poitrine dure et son ventre plat, où son nombril creusait un puits d'ombre.

Exactement comme dans mon souvenir. Comme autrefois. Vali. Mon amour.

La joie me monta à la bouche, qui s'ouvrit malgré moi pour l'appeler.

Ce fut alors que le mâle la rejoignit et la prit dans ses bras. Elle pencha la tête en arrière pour que leurs museaux et leurs langues se rencontrent.

○

Je les suivis. De plus en plus tourmenté. Géant de tourment. Ils passaient leur temps à se tripoter l'un l'autre sans pouvoir s'en empêcher. Bien sûr. Je savais ce qu'elle éprouvait. Je le savais, parce que je l'avais éprouvé avec elle. Nous l'avions éprouvé. Tuer. Ensemble.

Leur victime était un de mes voisins, Drew Hillyard. Je grimpai à un platane pour regarder, tout près du grand mur de la propriété. Pris à deux mains ma tête géante et me flagellai. La télé à écran plat passait *America's Next Top Model* dans une pièce ensauvagée par le sang, où le canapé de cuir blanc servait de toile aux coups de pinceau rouges frénétiques d'Hillyard. Vali lui ouvrit la poitrine pour y enfouir le museau. Ses jambes frémissaient lorsque le mâle la pénétra en promenant les mains sur ses flancs, son ventre, ses seins. La poitrine ouverte était mienne. Le sternum à la cassure nette, coupé en deux, le cœur cueilli et jeté dans la poussière, chose de peu d'importance, négligeable — bouffonnerie.

Ce fut long. Pour moi. La pensée me vint que si le vent tournait à peine, mon odeur leur parviendrait. Tentation de la confrontation précipitée, de la reddition au chaos, soulagement de bousculer le mâle, de tuer ou d'être tué. Je me consumerais enfin, la masse indicible des détails s'effacerait, ces détails sordides éclatants, sa langue à elle courbée par un délice aussi martial qu'érotique, son sexe à lui, sombre et humide, imprimant un rythme étranger à ma souffrance, dedans, dehors, dedans, dehors, son corps à elle brûlant, débordant de ruse accueillante. Je savais ce que c'était. Je savais, je savais, je savais.

Il ment à chaque mot.

Les images du rêve bourgeonnaient et mouraient, encore et encore, imbibées des réminiscences de l'autre rêve, celui que m'avait envoyé Vali ou le menteur à chaque mot la nuit où elle était morte. *Je te reviendrai. Et tu me reviendras. Attends-moi.*

Elle était là, je l'avais attendue, et je devenais un géant de tourment ridicule. Parce que, au bout du compte, ce n'était apparemment pas à moi qu'elle était revenue.

○

Je les suivis, invisible, jusqu'à l'endroit où ils avaient laissé leurs affaires, accrochées en hauteur dans un arbre, sacs à dos bien remplis, produits d'hygiène, clés de voiture. Justine n'allait pas être contente — mais je ne pouvais rentrer sans avoir vu, sans l'avoir vue, elle, sous forme humaine. Il ne me resterait que peu de temps entre le coucher de la lune et le lever du soleil. Il faudrait que je fasse vite quand ce serait terminé, mais je n'y pensais pas. Je ne pensais pas, point. Pris que j'étais dans le sillage du rêve éveillé.

Ils s'allongèrent sur l'humus, non loin l'un de l'autre. Entourés de fougères frissonnantes, de campanules oscillantes, de racines d'arbres sortant de terre telles de grosses jointures. La scène offrait une familiarité effroyable. N'étais-je pas déjà venu en ces lieux ? Les trois petits rochers clairs, là, tachés de lichen jaune ? Les ombres mouvantes des feuillages ?

Elle retrouva forme humaine plus vite que lui. Images de synthèse contre image par image laborieux. Je ne perdis rien de la diminution fluide du squelette, du changement de taille impossible des muscles et de la peau, de la tête humaine à laquelle donnaient forme les implosions lupines comprimées. Les mains avaient la beauté qu'elles possédaient quand elles me touchaient, erraient sur ma poitrine, dessinaient les contours de mon menton, s'enfouissaient dans mes cheveux. Le corps m'était connu, ventre et seins pâles, épaules minces, genoux tendrement fonctionnels. Mollets humides de rosée. La dernière étape de la transformation la fit rouler sur le ventre dans les fougères. Sa colonne vertébrale ondula, se contracta — une demi-douzaine de vertèbres saillirent tels des bubons puis se figèrent, s'alignèrent, trouvèrent leur place, cessèrent la querelle. Je contemplais le dos lisse à la cambrure profonde sur lequel j'avais mille fois promené les doigts — un voyage dont je ne me lassais pas et dont le mystère se renouvelait à chaque passage explorateur —, l'évasement du sacrum et le beau derrière, fabuleux diptyque dressé en l'air comme il l'avait été pour moi, pour moi, pour moi.

Elle leva la tête. Son visage m'apparut. Ses cheveux sombres et ses yeux encore incertains. Sa bouche pleine.

Je la connaissais.

C'était Vali.

Vali.

10

Justine

Je m'éveillai dans la crypte, au lit avec un vampire.
Je m'éveillai dans la crypte — vampire.
Vampire.
On ne s'imagine pas ce que c'est.
Même si on a eu tout le temps d'en parler, tout le temps d'y penser, on ne s'imagine pas.
Le plus bizarre — comme s'il s'agissait juste d'un détail, comme si *tout* n'était pas le plus bizarre… Le plus bizarre, c'est qu'on sait instantanément que ça paraîtra normal super vite. Genre, la première fois que j'ai pris le volant d'une voiture : je savais que je trouverais ça banal dès la troisième ou la quatrième. Mes mains se rappelaient quelque chose d'une vie antérieure. Une seconde nature.
Voilà ma seconde nature.
Je n'aimais pas la première, alors j'en ai changé.
Vampire. Vampire. Vampire.
Vous savez ce qu'on dit, que si on répète indéfiniment le même mot, il se transforme en son pur, dépourvu de sens.
Impossible de retourner en arrière.
Jamais.
Les sachets de «repas hyperprotéinés» dispersés

autour de nous. Les taches brun-rouge sur les draps. Nounours me racontant un jour qu'autrefois on accrochait les draps sanglants de la jeune épouse à sa fenêtre pour prouver qu'elle s'était mariée vierge. Celles qui ne l'étaient pas trompaient les spectateurs en s'introduisant des boulettes de sang de chèvre dans le vagin.

Je m'assis lentement. Repensai à ce qui s'était produit. M'efforçai d'en tirer quelque chose de cohérent.

La nuit dernière, je m'étais réveillée dans le bureau, Schmoldu vautré sur moi. Blême, froid, pas mort… mais mourant, ça se voyait. Et pas seulement à la manière dont il respirait. Il y avait ce truc… on aurait dit que je sentais sa vie en moi. Ça me demandait un curieux effort, comme une image de «l'œil magique», où le truc consiste à regarder sans regarder, si l'on peut dire. C'est indescriptible — pour moi. L'impression qu'un grand corps tassé dans le mien risquait de s'en échapper n'importe quand en le déchiquetant, genre l'Incroyable Hulk avec ses fringues. Toutes mes sensations immenses, douces, pesantes. Tout — le fauteuil, le tapis, la lampe tombée par terre — tout trop intensément soi-même, si j'ose dire, à croire que quelqu'un avait fait monter de force tous les indicateurs au-dessus du maximum.

Je me levai sans avoir l'impression de me lever.

Et je le sentis.

Le soleil.

Il arriverait dans quelques minutes.

Je ne savais pas comment je savais, vu que les rideaux étaient tirés, mais je savais. On sait. On sent, au-dedans. Une ombre de lumière pure se ruant vers le cœur.

Il fallait lui faire boire du sang. Planquer les cadavres.

Aller sous terre. Il le fallait, mais je n'avais pas le temps. Non. Impossible.

À partir du moment où je me mis à bouger, il me sembla passer mon temps à rattraper mon corps, à le retrouver en pleine action : je me ruais dans le couloir, j'ouvrais le frigo, je jetais Nounours sur mon épaule pour l'emporter à la cave (il était léger comme une plume), tout ça pendant que le soleil arrivait. Je me voyais rattrapée par le jour à mi-chemin du garage, alors que je traînais trois cadavres vers les voitures. *Tu vas brûler.* La peau sait. La peau se met à hurler dès qu'on y pense.

Quatre sachets. Je le posai sur le lit. Remontai en courant — mes déplacements devenaient plus difficiles, ralentis par une atmosphère sirupeuse. On aurait dit un de ces rêves où on court, avec l'impression de patauger dans la mélasse. Le soleil aimait. Le soleil me préférait lente. C'était bizarre qu'il devienne instantanément mon ennemi, un véritable ennemi, un vieux salopard, un dieu haineux.

Deux minutes.

Une minute.

Trente secondes.

Ma tête, mes bras, mes jambes brûlaient, le contour des choses se brouillait. Je ne pouvais que jeter les corps dans le passage secret menant à la crypte, car je ne supportais pas l'idée de les descendre *dans* la crypte, où je passerais la journée en leur compagnie. Impossible de dissimuler le sang répandu dans le bureau. Il fallait espérer que personne ne viendrait fouiner.

Portes fermées à double tour. Lumières du système au vert, toutes. Jamais encore je n'avais perçu la crypte de cette manière, béton douillet et acier épais que le soleil le plus ardent ne traverserait pas. Jamais encore je n'avais senti comme c'était *bon*.

Sur le lit, je dus soulever Nounours pour lui verser le sang des sachets dans la bouche. Son haleine puait atrocement. Les quatre doses ne suffiraient pas — ça aussi, je le savais… et je sentais qu'il avait dérivé très, très loin. Il me semblait l'entendre : Non, mon ange, pas ça, je n'arriverai pas à m'arrêter. Mais j'étouffai sa voix, je me mordis le poignet — ruée du sang, impression qu'un gros élastique claquait dans mon cœur —, puis je portai les piqûres à sa bouche.

Après… une obscurité pesante, brouillée, où persiste une image : lui, cherchant à garder mon poignet contre ses lèvres ; moi, l'attrapant par le cou, serrant, l'étranglant jusqu'à ce qu'il lâche.

Je suppose qu'ensuite je perdis connaissance.

Assise dans le lit de la crypte, je le regardais à présent. Il dormait toujours, d'une immobilité malsaine. Ça rappelait ces films où un mec reste là, tranquille, souriant, sous le choc, alors qu'il vient de voir sa famille se faire réduire en pièces sous ses yeux. Je sentais en moi une sorte de pâle copie de ce qu'il avait vécu. Il était allé jusqu'aux portes de la mort, par-delà lesquelles attend la noirceur de l'espace profond, où les étoiles même se sont éteintes. Une peur momentanée me saisit : et si ça se passait comme la dernière fois et qu'il ne se réveillait pas avant des années ? Toutes les nuits où j'étais descendue le secouer. (Je lui avais brûlé le dos d'une main à la cigarette ; ça n'y avait rien changé. Sa peau avait juste guéri sous mes yeux.) Cette seconde passa. Il revenait. Je le sentais se hisser le long de mon sang à la manière dont on se hisse le long d'une corde, une main après l'autre. Mon sang. Notre sang.

Le sien avant de devenir le mien. Le mien avant de redevenir le sien.

Je le lui avais demandé encore et encore : Si un jour je veux que tu me Transformes, tu le feras ?

Il me l'avait répondu encore et encore : Si j'ai l'impression que c'est vraiment ce que tu veux, oui.

Si un jour je veux que tu me Transformes.

Pas si. *Quand.* La première fois, à New York, je suis restée là à le regarder. Je savais ce que je voyais, et la voix dans ma tête m'a dit : Voilà ton avenir. Le seul possible pour toi. Ce n'est qu'une question de temps.

Maintenant, c'est fait. Impossible de retourner en arrière. Jamais.

Impossible de retourner en arrière... Ça me rappelait quelque chose : la nuit dernière, dans le bureau, pendant que j'écoutais son message, juste avant qu'il n'entre, j'avais pris conscience du titre d'un des livres posés sur l'étagère la plus proche. *Ange banni.*

Était-ce ce dont il m'avait parlé ? Les liens qui se créaient entre les choses... les signes... les coïncidences. Il disait qu'il fallait y faire attention. Parce qu'il s'agissait d'un... C'était quoi le mot, déjà ?

Un ensorcellement.

Je levai les mains pour les regarder. Une peau plus blanche. Des ongles de verre gris. Le vernis turquoise avait disparu, alors que je ne l'avais pas ôté. Les ongles. Je l'ai vu ouvrir une conserve de cerises comme ça. On sent les possibilités de ses ongles. Des possibilités toutes neuves.

Je me passai la langue sur les dents. Faillis me mettre à rire. Des *crocs*. Les films. *True Blood.* Ce que les films et les séries télé ne montrent pas, c'est l'effet que ça fait d'avoir des crocs. De petites choses vivantes dans la bouche. Si jamais quelqu'un les arrachait...

Oh, Seigneur.

Folle accélération du sang. Envie de vomir. Hurlement piégé dans le crâne.

Je me cramponnai au bord du lit. Respirai longuement.

Bordel de merde. Première leçon : tu n'as aucune envie de te faire arracher les crocs. Ni les ongles — nouvelle accélération du sang, accompagnée d'une nausée naissante.

Je posai les pieds par terre. Me levai.

Une force idiote. *Démentielle.* Cette fois, je me mis à rire. Je la sentais dans mes mollets, mes cuisses, mes fesses, mes épaules. Une puissance folle. *Je pourrais soulever ça d'une main. Crever ça d'un coup de poing. Arracher ça comme un bouton.* Les objets me disaient ce que je pouvais leur faire, maintenant. Je pouvais faire tellement de choses, maintenant.

À partir du moment où ça ne me dérangeait pas d'être une meurtrière.

C'était là, en moi, à la seconde où j'avais ouvert les yeux. Quelqu'un d'autre dans mon corps, plus vivant que moi et que je cherchais à rattraper. Elle était là, et je m'apercevais que je l'attendais depuis… depuis tout.

Tout. Ça aussi, c'était là, en moi, à la seconde où j'avais ouvert les yeux.

Je pensais que ça disparaîtrait peut-être, mais non.

Je connaissais un junkie, un SDF, Toby Dreds. Complètement à l'ouest, mais inoffensif. Son truc, c'étaient les questions philosophiques. Admettons que tu aies une voiture, d'accord ? Une Lexus, tiens. De temps en temps, elle a un problème mécanique qui t'oblige à changer une pièce, d'accord ? Donc, tu changes les pièces usées. Pendant des années. Mais à un moment, quand tu en as changé assez, c'est une autre voiture, d'accord? Ça ne peut plus être la même, si tu as changé toutes les pièces. C'est toujours une Lexus, mais ce n'est plus celle du début. C'est *spéculativement* la même. Pas *matériellement*, d'accord? Il connaissait de grands mots. Spéculativement. Ça m'avait sciée. Je ne l'avais encore jamais entendu, celui-là, mais j'avais compris ce qu'il voulait dire. Une notion. Une idée.

J'avais été changée tout entière… à part cette chose. Elle était toujours là.

Un visage suant aux yeux écarquillés. Fixés sur moi, pour me montrer qu'elle ne me voyait pas.

Le corps redémarre gratuitement. Le reste, il faut se le gagner.

Je posai avec douceur la main sur le front de Schmoldu. (Je ne sais pas pourquoi je lui donne tous ces petits noms. Schmoldu. Nounours. Frankie. Norman. Ça ne le dérange pas. Il dit qu'il aime.) Sa vie vint à moi par le bout de mes doigts. La compréhension de l'espèce, m'avait-il dit. Une *sorte* de télépathie. Il faut apprendre à la contrôler, à devenir sélectif. À masquer les appels. Ça faisait partie des choses qui m'avaient toujours rebutée. Trop tard, maintenant. Au réveil, il verrait tout — il s'introduirait dans mon esprit comme un cambrioleur dans une maison dont le propriétaire impuissant le regarde faire, horrifié. Oui, il verrait tout.

À peine cette pensée m'était-elle venue que je compris qu'il avait déjà tout vu. En buvant mon sang. Peut-être m'étais-je imaginé que quand il aurait bu ça, ce ne serait plus en moi.

Peu importait. Il avait toujours su, de toute manière. Il se l'était toujours représenté. Tout le monde le sait. Je dégage ça comme une odeur. (L'un d'eux, celui qu'ils appelaient «la Pince», m'avait dit : Tu vas voir, ma jolie. Quand j'en aurai fini avec toi, tu seras tellement crade que tu n'arriveras *jamais* à te nettoyer.)

Je sais à quoi vous pensez. Vous vous dites : Et alors ? Tout le monde s'en fout plus ou moins, sauf les faibles et les inutiles, qui deviennent travailleurs sociaux ou thérapeutes pour côtoyer des cas grâce auxquels se sentir normaux et compétents. Mais la plupart des gens savent dès qu'ils me flairent quel boulet je vais être, parce que je suis tarée — forcément. La plupart des gens considèrent juste ce qui m'est arrivé comme une de ces choses qui peuvent arriver et qui arrivent. Ils ont raison. Ce n'est que ça. Quelque chose qui peut arriver et qui arrive. Tout ce qui arrive n'est jamais que ça.

Je portais toujours mes fringues de la veille, pleines de sang. Lui aussi. Je soulevai mon tee-shirt pour regarder l'endroit où l'épée de cette salope de Cate Blanchett m'avait transpercée. Rien. Parfaitement guéri. Aucune trace de cicatrice.

Les yeux de Nounours bougeaient sous ses paupières. Sommeil paradoxal. Celui où on est censé rêver. Il ne rêve pas, à ce qu'il dit. Aucun rapport avec sa nature de vampire, ce truc-là n'affecte que lui. Remshi, rêv' chim' ou rien — je le lui ai sorti un jour. Si jamais tu en arrives à me ressembler, Justine, il va falloir faire des progrès côté jeux de mots — voilà ce qu'il m'a répondu.

Je me demandais si j'allais cesser de rêver. Un sommeil sans rêve serait pour moi d'une fraîcheur apaisante, comme la main que l'infirmière sri-lankaise de la maternelle m'avait un jour posée sur le front. Je ne savais pas à quel point je brûlais avant que sa paume ne m'apaise.

Il m'arrivera de dormir plus longtemps que d'habitude. Au réveil, je serai désorienté. Il faudra me poser

des questions pour me rafraîchir la mémoire. Ne t'in-
quiète pas. Je vais te les noter. Je le sentirai arriver, tu
auras le temps de t'y préparer. Sauf que non. Il était là.
Une minute plus tard, il n'y était plus. Éteint comme
une lumière, pour deux ans. Deux ans seule à Las
Rosas. Des heures des jours des semaines des mois. Je
me roulais en boule par terre, dans la salle de bains. Je
me sentais plus en sécurité entre le pied du lavabo et le
flanc de la baignoire. C'est là que j'ai fini par dormir,
enveloppée d'une couverture. De jour. Je passais mes
nuits à la boîte. Deux mille inconnus. On se glisse en
eux, on imagine leur vie. Je ne sais pas combien de
temps j'aurais tenu s'il ne s'était pas réveillé.

Et maintenant qu'il s'était réveillé, j'allais de nouveau le perdre.

Soit parce que la garoute était bien celle qu'il croyait
et que, s'il la retrouvait, il ne voudrait plus de moi.

Soit parce que la retrouver le tuerait, comme ça avait
déjà failli le faire.

DEUXIÈME PARTIE

Le conte de fées

11

Talulla

Mon portable sonna. Sonnerie préréglée. « Bad Moon Rising » ou « Werewolves of London » ne nous amusaient plus.

« Talulla ? » demanda une voix d'homme.

Le soleil venait de se lever. Je me tenais, nue, dans la cuisine de notre villa de location décrépite, perchée sur une des collines de Terracina. La fenêtre donnait sur le jardin arrière, hautes herbes et pêchers où flottaient des graines de pissenlit illuminées par la lumière de l'aube. Mon téléphone était resté sur la table du dîner (Seigneur, femme, ressaisis-toi un peu), au milieu des assiettes, des cendriers, des restes de la blanquette préparée par Cloquet. Vision digne d'une ville post-apocalyptique.

Je me sentais affreusement mal. À moins de soixante-dix heures de la transformation, le *lukos* n'était que coups de poignard dans les muscles et claquements neuraux, violence pleine d'allant destinée à me rappeler, dans sa redondance, qui orchestrerait le grand spectacle lunaire tout proche. La veille au soir, Walker et moi nous étions déchirés à la tequila et à l'herbe pour nous calmer les nerfs. Je venais de descendre boire un verre d'eau, la tête endolorie par la déshydratation (et les rêves prévisibles d'inconduite).

83

Et voilà. Une voix inconnue. Un tsunami d'adrénaline emporta instantanément la gueule de bois. Malgré
la sueur qui apparaissait en étoiles au creux de mes
paumes, je me disais : Bien fait pour toi. Et encore, tu
mérites pire.

« Qui est à l'appareil ? demandai-je.

— Un paquet est arrivé pour vous. Allez dans le vestibule, vous le verrez sur le paillasson. »

Passage en revue des voix connues. Rien. L'accent
était peut-être né au Moyen-Orient, mais des promis-
cuités voyageuses l'avaient chargé d'inflexions tonales.

« Il passe par le trou du courrier, heureusement,
continua mon correspondant. Autrement, il aurait fallu
négocier une *logistique*, que Dieu nous en préserve. »

Le *lukos* se densifia dans mes poignets, tandis que
ses griffes fantômes me fendaient les ongles. *Il les
essaie.* Si près de la pleine lune, la moindre intensifica-
tion constituait une invitation.

« Allô ? » reprit la voix.

Je me précipitai vers l'escalier.

« Vous êtes dans le vestibule ?

— Mais fermez-la, bordel.

— Ah. Vous avez peur pour les enfants. Je comprends.
Mais est-ce qu'au moins, vous *voyez* le paquet ? »

À vrai dire, je venais d'entrevoir une petite enveloppe matelassée sur le paillasson, devant la porte
d'entrée, mais la panique me dominait tout entière.
Enfin, pas tout entière. Que ça me plaise ou non, la
voix avait conjuré Omar Sharif, des tapis persans, du
thé à la menthe, une moustache parfumée, une aisance
de grand mâle réconfortante, alors qu'elle émane juste
d'un ego habitué à être satisfait, branché sur le pilote
automatique. Des années plus tôt, à l'adolescence, ma
meilleure amie, Lauren, m'avait dit : Ma mère craque

sur cet acteur, là, Omar Sharif. Mais si, tu sais bien…
on dirait qu'une nana invisible lui taille une pipe en
permanence.

« Je vous laisse une minute, dit la voix. Mais si ça
peut vous rassurer, je me trouve en ce moment à des
milliers de kilomètres de chez vous. Et je vous promets
que nul, dans votre maisonnée, n'a rien à craindre de
moi. »

J'avais la langue sèche, les genoux liquides. Perdez
votre enfant une fois, et la peur que ça ne se reproduise
vous menace constamment d'insomnie. Mauvaise mère
un jour, mauvaise mère toujours. C'est comme l'alcoo-
lisme. On n'est pas *encore* retombé.

« C'que c'est ? » demanda Walker quand j'arrivai,
brûlante, au sommet de l'escalier.

Il se tenait — nu, lui aussi — sur le seuil de la
chambre, très occupé à gratter son ventre plat. La
lycanthropie n'avait pas entamé son charme humain, sa
blondeur enfantine aux yeux verts, sa tendance à rire de
lui-même. (Il m'arrivait de me demander quand j'avais
pris conscience de notre finitude, en tant que richesse
spécifique à dépenser. Dès le début, peut-être. En tout
cas, la nuit où le vampire était venu, deux ans plus
tôt. Le vampire était venu et reparti, laissant dans son
sillage des spores de tristesse, d'agacement, de désir.)
Derrière Walker, la fenêtre voilée de rideaux découpait
un ovale de soleil. L'odeur fatiguée de l'ivresse nocturne et du sexe silencieusement querelleur flottait dans
la chambre, mêlée à la puanteur paillarde de notre com-
munion dans le *lukos* imminent.

« Lu ? »

Je fonçai sans répondre vers la chambre des jumeaux,
la suivante. Zoë et Lorcan dormaient, chacun dans son
lit. Lorcan (dont les symptômes prétransformation

empiraient : cauchemars, crises de rage, méchanceté choquante envers tout le monde et n'importe qui, sauf sa sœur) dans une position figée qui n'avait rien d'enfantin, les bras le long du corps, Zoë les siens au-dessus de la tête, comme si quelqu'un venait de la débarrasser d'un haltère. Ils étaient là tous les deux. En sécurité. Dieu merci. Dieux. D'autrefois. Rien.

« Reste avec eux », dis-je à Walker — inutilement, puisque la télépathie de l'espèce lui permettait de saisir l'essentiel.

Il prit le Beretta caché sous notre matelas, alla se poster à la fenêtre entre les lits des enfants, l'entrouvrit à peine afin de flairer l'atmosphère extérieure puis parcourut le jardin du regard, caché derrière le rideau. Un ciel bleu palpitant et un chœur de chants d'oiseaux anarchique. Rien à signaler. Hochement de tête : Je vois. Sois prudente. Le téléphone coincé entre l'épaule et le menton (la conscience ne peut pas s'en empêcher : je me fis la réflexion que les violonistes devaient vraiment se bousiller la nuque), j'enfilai le jean et le corsage de la veille, avant de récupérer le Smith & Wesson dans mon sac à main.

« Qui est à l'appareil ? lançai-je alors dans le portable. Si vous ne me répondez pas, je raccroche immédiatement. »

Autrefois, je me serais demandé comment un inconnu avait bien pu se procurer mon numéro. Fini. La vie privée est une illusion. Dans mon univers, ce n'est qu'une question de temps. Dans le vôtre aussi, si vous voulez la vérité.

« Je m'appelle Olek. Je suis un vampire... mais essayez de ne pas retenir ça contre moi, s'il vous plaît. Moi, je n'ai rien contre vous. Je voudrais juste vous soumettre une proposition d'affaires mutuellement profitable. »

Je descendais l'escalier d'un pas rapide, collée au mur, mes pieds nus contractés. Je restai d'ailleurs collée au mur jusqu'à la porte d'entrée — au chêne assez épais pour arrêter une balle, en argent ou pas. L'enveloppe était juste adressée à «Talulla», en italiques tracées au marqueur noir. Des lettres dessinées à la perfection.

«Vous avez le paquet? s'enquit mon interlocuteur.

— Vous croyez vraiment que je vais le ramasser et l'ouvrir, comme ça?»

Silence. Il allumait une cigarette. L'image d'Omar Sharif s'imposa à nouveau, tête carrée, gros yeux noirs, sourire aux dents du bonheur.

«Ma foi, répondit-il enfin en exhalant, c'est vous qui voyez. Je suppose que votre intuition est fiable. Consultez-la. Ce n'est ni une bombe ni un objet en argent, ni quoi que ce soit qui puisse vous faire du mal, à vous ou à vos proches. Je n'ai que ma parole à vous offrir, mais je suis assez âgé pour que ça représente quelque chose, croyez-moi. J'ajouterai qu'il s'agit d'un document, ce qui vous rassurera peut-être. Un document que Jake aurait voulu vous voir consulter. »

Lucy et Trish étaient apparues au sommet de l'escalier, Lucy en nuisette de soie vert pâle, Trish en short garçonnier et tee-shirt des Red Hot Chili Peppers. Réveillées par ma peur comme par une gifle. Cloquet, mon familier, le seul humain de la maisonnée, n'avait pas bougé.

Un document que Jake aurait voulu vous voir consulter. Jake Marlowe. Mon ex. Mon ex défunt. Mon ex garou défunt. L'amour à l'aune duquel se mesuraient tous les autres. Demandez à Walker.

« Prenez votre temps, continuait Olek. Je ne suis pas pressé. Vous trouverez dans le paquet un petit mot de ma main et un numéro où m'appeler quand vous serez prête à discuter. Et, je vous le répète : je vous promets que vous n'avez rien à craindre. »

La communication fut coupée.

Regardez-la, aurait dit tante Theresa avec dégoût. Elle est tout *excitée*. Comme quand les Twin Towers se sont effondrées. Comme pendant les émeutes de ces horribles villes anglaises. Elle entend parler par les journaux de la nouvelle victime d'un tueur en série, et elle en est tout excitée. Elle n'est vraiment pas normale. (Eh bien non, ma chère tante, elle n'est pas normale. Elle ne l'est *plus*.)

« Qu'est-ce qui se passe, bordel ? » demanda Trish en s'engageant dans l'escalier.

Elle a vingt-quatre ans — c'est la plus jeune de la meute, si on oublie les jumeaux —, des cheveux sombres coupés court, à la punk, de grands yeux verts et un petit corps souple, plein d'une énergie ravie, parfois catastrophique. Je lui fis signe de rester où elle était. Me surpris à penser : Ça ne ressemble pas à une bombe… puis à admettre aussitôt que je n'avais jamais vu l'ombre d'une bombe, à part dans des dessins animés ou des séquences de guerre filmées. Pour ce que j'en savais, on en fabriquait maintenant de la taille des timbres-poste. Un garou survit à des blessures importantes, mais j'aurais été surprise de guérir après avoir été réduite en pièces. Image très nette de mon corps en lambeaux, une main coupée partant sur les doigts en quête des yeux, tentative de me rassembler vouée à l'échec. Comme au début d'*Iron Man* ou dans *The Thing*… à moins que ce ne soit *The Faculty* ? En tout cas, j'avais déjà vu ça. L'effort qu'exigerait la recherche de quelque chose de neuf. Je voyais ce qui avait mené Jake où il en était arrivé : à une fatigue telle qu'il était prêt à mourir. Jusqu'au moment où il avait trouvé l'amour… et où la mort était prête à le prendre.

« Qui était-ce ? » s'enquit Lucy en se tenant frileusement les coudes, les os des hanches saillant sous le tissu de la nuisette.

C'est une Anglaise de quarante-trois ans aussi anguleuse qu'une lampe Anglepoise. Ses boucles auburn encadrent un large visage délicat, semé de taches de rousseur où ses traits menacent de se dissoudre, quand elle n'est pas maquillée. Toutes ses camarades de lycée (le Cheltenham Ladies' College) l'auraient élue élève la moins susceptible de devenir lycanthrope. Je l'ai vue crever d'un coup de poing le sternum d'un inconnu, lui arracher le cœur puis l'engloutir en deux bouchées sanglantes. C'est quelque chose de dire une chose pareille de la manière la plus littérale.

« Lu ? » appela-t-elle car je restais figée, les yeux rivés au paquet. « Qui était-ce ?

— Un vampire, répondis-je. Personne ne fait rien pour l'instant, s'il vous plaît. On réfléchit. »

12

Il se produit un événement de ce genre, et on s'aperçoit qu'on s'attendait à un événement de ce genre. Les choses ne pouvaient pas continuer comme ça, on se le disait bien, et on le reconnaît. À partir de là, ou on laisse tomber, ou on se bat. Ce genre de choses peut marquer le début d'une guerre. Certaines cultures prennent le pari que la décadence et la mort leur permettront une renaissance; elles se regardent sombrer, conscientes de jouer à quitte ou double. La nuit précédente, en changeant de position de manière à ne pas regarder Walker en face, je l'avais senti se demander pourquoi je gâchais chaque jour un peu plus les choses.

Une demi-heure après le coup de fil, je fumais une Camel, assise sur la marche inférieure de l'escalier. L'enveloppe se trouvait toujours à l'endroit où elle était tombée, sur le paillasson. Le vestibule silencieux et frais, conscience délicate : parquet blanc, miroir rond convexe, portemanteau. J'avais évacué le reste de la maisonnée en lieu sûr — Cloquet, Lucy, Trish et les jumeaux (Lorcan protestant et rejetant violemment les mains secourables des adultes) —, du moins me le semblait-il, au fond du jardin, à soixante-dix mètres de la maison. Walker aurait voulu rester avec moi. Calme dispute qui se terminait toujours de la même manière : non. Elle est à mon nom. Quoi qu'il y ait à l'intérieur, je n'y expose personne d'autre. Certainement pas toi. Surtout que… Je n'avais pas besoin de terminer la phrase. *Surtout que si je suis réduite en charpie, qui s'occupera des enfants ?* Ce n'étaient pas les siens (c'étaient ceux du défunt Jake Marlowe), mais ils n'avaient jamais rien connu de plus proche d'un père. Cet amour-là s'était tissé sans problème, contrairement au nôtre. Voir les jumeaux en sa compagnie m'apportait un plaisir profond — ils trébuchaient, râlaient, le tiraient de toutes leurs forces par la main pour qu'il vienne *voir* ceci ou cela. Ils ne l'appelaient pas papa, mais Walker — comme tout le monde, y compris moi.

Je suis un vampire… mais essayez de ne pas retenir ça contre moi.

Espèces antagonistes. Détestation mutuelle assurée au niveau cellulaire. Pour un garou, disait Jake, un vampire a l'odeur d'une cuve de lisier et de viande pourrie. Dieu sait quelle odeur a un garou pour un vampire. Les circonstances ne m'en avaient pas moins obligée à côtoyer l'ennemi un certain temps. Deux ans plus tôt, une secte de sangsues lunatiques avait kidnappé mon fils pour l'utiliser dans un rituel idiot. En cherchant à le récupérer, j'avais été capturée, incarcérée puis torturée non par ses ravisseurs, mais par les humains de l'OMPPO (l'Organisation mondiale pour la prédation des phénomènes occultes) ; un jeune vampire, Caleb, Transformé à douze ans, avait alors partagé ma prison. Nous avions vécu vingt-quatre heures de nausées violentes, dues à notre puanteur mutuelle, mais le problème s'était atténué au fil du temps.

Il y avait aussi l'*autre* vampire, bien sûr. Oui. Celui qui m'espionnait en Alaska la nuit où j'avais donné naissance aux jumeaux. Celui qui était venu me voir deux ans plus tôt, brièvement, puis avait disparu. Celui qui vivait, prétendait-il, depuis *vingt mille ans* (difficile d'y penser sérieusement ; y penser revenait plus ou moins à refuser d'y croire). Celui qui, à en croire l'antique prophétie (rédigée de sa main), connaîtrait l'apothéose — je cite, ce n'est pas une blague — « lorsqu'il s'unit au sang du loup-garou ».

Celui que je n'oubliais jamais.

Remshi.

J'avais rêvé de lui la nuit précédente. Une fois de plus. Toujours le même rêve : une séance de sexe d'une longueur et d'une transcendance impossibles, se muant en promenade à deux sur une plage déserte, au crépuscule. Avec l'impression d'assister à la chute ratée d'une plaisanterie interminable.

J'avais cru une seconde avoir affaire à lui, au téléphone, mais ce n'était pas sa voix. Je me la rappelais très clairement. Je me le rappelais très clairement tout entier : sa peau café au lait, ses yeux sombres, ses cheveux emmêlés, la malice primaire inscrite sur ses traits, ses vêtements usés — on aurait dit qu'il descendait de moto après avoir parcouru des milliers de kilomètres —, ses belles mains aux ongles sales. (À quoi penses-tu ? me demandait Walker, à mon grand ennui. C'était trop facile de mentir. J'avais répondu deux fois, « À Jake », fascinée par mon don pour la banqueroute la plus banale. Ça avait marché. Fini. Un moment. Walker a beau m'aimer, l'époque de la révérence est terminée. Tôt ou tard, il en aura assez des fantômes. Des ombres. Des secrets. De la conviction croissante que je ne lui appartiens pas et ne lui appartiendrai jamais tout entière. *La tragédie et le triomphe de l'amant,* a écrit

Jake, *c'est qu'il est toujours plus grand que l'amour.*
L'amante aussi, Jacob. Oui, l'amante aussi.)

Le vestibule avait figé sa portion de lumière et de silence.

Dissonance cognitive parce que, autrefois, une enveloppe matelassée était synonyme de cadeau, commande Amazon, friandises grecques (mon père).

Ma cigarette terminée, je l'ouvrirais.

Je terminai ma cigarette.

Il n'y eut pas de décision. Les choses se passèrent de manière abstraite, comme toujours dans ces cas-là. Je me retrouvai debout sur mes pieds nus (aux ongles vernis la nuit précédente de «Scarlet Vamp», de L'Oréal, car on entretient avec soi-même une complicité de mauvais goût infinie), faisant une dizaine de pas, me penchant et, le bout des doigts à peine frémissant de delirium, ramassant l'enveloppe.

Plutôt légère.

Un livre?

Je la déchirai en quelques secondes, presque sans pensée.

Un livre.

Ou, plutôt, un journal intime. À l'ancienne. Ancien, réellement. Reliure en veau pâle et souple, tachée, égratignée, pages déformées par l'humidité, marbrées de vert. Il en manquait, l'espace séparant la dernière feuille du dos de la couverture le prouvait. L'excision avait dénudé la reliure. Mon nez, prêt à la moisissure et à l'âcreté du vieux cuir, me signala à la place une odeur pharmaceutique. Médicale. Chimique.

Un document que Jake aurait voulu vous voir consulter.

Je restai quelques instants figée en Pause, l'esprit vide.

Puis ma distraction se réduisit à une brusque concentration, dense et rebelle. Ma peau s'anima. J'étais très consciente des dimensions occupées par mon corps dans le vestibule, la villa, la ville, les collines, la botte de l'Italie, sur la vaste courbe douloureuse de la planète, dans l'espace et le temps qui se dissolvaient autrefois en Dieu, mais se perdaient maintenant au sein d'un néant cyclique sans but, en passant par le grand collisionneur de hadrons. J'étais très consciente du *lukos* figé en moi, les yeux écarquillés, presque parfaitement adapté à mon corps, pour une fois.

Parce qu'un bond intuitif m'avait révélé de quel journal intime il s'agissait (la vie, accro à l'intrigue, surexcitée, dansait d'un pied sur l'autre).

13

Le journal de Quinn.

Impossible.

J'aurais voulu m'asseoir, mais je n'en fis rien. Je restai juste plantée là, tenant le volume à deux mains, comme pour le présenter à un dignitaire invisible.

C'est évidemment une histoire ridicule, avait écrit Jake, *mais l'Histoire fourmille d'histoires ridicules.*

L'histoire d'Alexander Quinn, archéologue amateur parti en 1883 pour la Mésopotamie, où le hasard lui livra le compte rendu le plus ancien des origines d'un mythe quasi mondial — celui des hommes devenus loups. Ce compte rendu émanait d'un agonisant, dont le guide des voyageurs traduisit les propos. Quinn les coucha dans son journal, lequel disparut à sa mort, quand des bandits le tuèrent en plein désert. Jake avait consacré quarante ans à la recherche de ce document, avant de renoncer. En se disant que, s'il le trouvait, ça n'y changerait rien : *Admettons que je mette la main dessus et que, à l'en croire, les loups-garous soient tombés du ciel dans un vaisseau d'argent, il y a de cela cinq mille ans,* avait-il écrit dans son propre journal, *qu'un sorcier sumérien les ait tirés de terre par un trou plein de feu ou encore qu'ils descendent d'une femme fécondée par la semence d'un loup... et alors ? Quelles que soient les origines de mon espèce, elles ne lui donneraient pas davantage de sens cosmique que n'en ont les autres. L'époque où il était possible de donner un sens, cosmique ou non, est depuis longtemps révolue. Pour le monstre, le ver de terre ou l'homme, le monde est vraiment sans amour, sans joie et sans lumière, sans paix ni certitude, la douleur y est reine. Nous semblons être au soir tombant sur une plaine...*

On s'est connus à une époque où cette opinion s'était fossilisée en dogme : Ne te fatigue pas à chercher un sens à tout ça, Lu, il n'y en a pas. Dogme dont j'avais hérité, avant de le transmettre mot pour mot à Walker, quand il découvrait juste la Malédiction.

Mais dès que j'avais sorti le volume de l'enveloppe matelassée, j'avais su. Le livre de Quinn. La vérité, peut-être, sur la manière dont tout avait commencé. La vérité, peut-être, sur le *sens* de tout ça. Une poussée d'adrénaline étourdissante et, sous cette poussée, l'ennui : la vie s'obstinait, elle cherchait à vendre les liens, le dessein, la structure — bref, l'intrigue. (Le syndrome de la Tourette réprimé de la vie : des mois, des années, des décennies de papotage aléatoire... puis une soudaine explosion ordurière de coïncidences, de symboles, d'accroches narratives classés X, une prétention aussi ridicule que frénétique à l'*histoire*.) Mais, je le répète : l'ennui se devinait *sous* la poussée d'adrénaline, qui n'en était pas moins réelle. Mes mains riches de nerfs, mon visage gonflé d'une chaleur douce. J'avais été élevée dans la religion catholique. La Malédiction avait beau nous transformer tous en existentialistes (le meurtre mensuel s'en charge ; regarder s'achever la vie de nos victimes, sentir leur lumière s'évanouir dans les ténèbres, leurs espoirs de paradis mener à… au vaste silence mathématique), mon moi enfantin s'obstinait à entretenir cette flamme. Admettons que le livre de Quinn rouvre la question ? Admettons qu'il existe une architecture magique, une transcendance, un ordre surnaturel des choses ? Un dessein, une intention, un sens. Une moralité. Admettons qu'il y ait, après tout, des *conséquences* ?

Un bout de papier plié avait été glissé au tiers du texte environ, à la manière d'un signet. J'ouvris le volume à cet endroit précis et me contraignis à ne pas scruter les pages (mais enregistrai toutefois la belle écriture inclinée, ainsi que les mots « Enkil », « tentes » et « sacrifiés aux dieux ») pour me concentrer sur le message de l'expéditeur :

Chère Talulla,

Croyez-le ou non, vous tenez entre vos mains le dernier tome du journal d'Alexander Quinn, qui y a consigné le récit le plus ancien (à notre connaissance) des origines de votre espèce. Ce récit n'y figure pas tout entier. Comme vous pouvez le constater, j'en ai retiré et gardé par-devers moi certaines pages — pour des raisons que vous comprendrez quand nous en discuterons. Vous le savez maintenant, j'ai une proposition mutuellement profitable à vous faire, mais elle n'aura guère de sens tant que vous n'aurez pas lu le document ci-joint.

Il est possible que vous mettiez en doute son authenticité — même si quelque chose me dit que vous n'en ferez rien. N'importe quel antiquaire vous confirmera au moins après un examen superficiel qu'il correspond à l'époque considérée, et une analyse plus rigoureuse ne fera que renforcer sa crédibilité. Mon instinct me souffle cependant que vous n'aurez aucun besoin de ce genre de vérifications. Permettez-moi néanmoins d'ajouter que la précédente propriétaire du volume, Mme Jacqueline Delon (que vous connaissez bien, je le sais), ignore totalement qu'elle en a été délestée. Je ne la porte pas dans mon cœur, mais c'est une autre histoire. Et, si vous ne me croyez pas en ce qui concerne le journal, pourquoi me croiriez-vous par ailleurs ? Permettez-moi aussi d'ajouter que le document est accompagné d'une tablette de pierre, la seconde partie de l'étrange héritage de Quinn, qui se trouve également sous ma garde. Heureusement pour vous et moi.

Écoutez-moi donc ! On jurerait un solliciteur. Dieu sait pourquoi. Il est permis de supposer que le fond détermine la forme. Quoi qu'il en soit, je ne m'exprime pas de cette manière, en règle générale. Vous vous en rendrez compte quand nous ferons connaissance, si jamais nous faisons connaissance.

Appelez le numéro ci-dessous après avoir lu le journal. Gardez ce que je vous ai dit pour vous. Nul autre n'est censé en être informé. Du moins, pas encore.

Bien à vous,

Olek

Gardez ce que je vous ai dit pour vous.

Impossible. Tout le monde avait vu l'enveloppe. Et même si tel n'avait pas été le cas, la télépathie du *lukos* n'en laisse pas échapper autant. Les détails, oui, mais pas la *réalité* de la chose. Sans oublier Walker. J'aurais peut-être réussi à tromper la conscience de la meute, mais jamais je n'arriverais à le mener en bateau, lui. Quand on couche avec un garou, l'intimité en souffre.

Mais pourquoi ces considérations sur l'intimité, la tromperie et autres bateaux, ma chère Lu ? me demandait Jake en mon for intérieur.

Bonne question, monsieur Marlowe, merci. Parce qu'il fallait que ce soit moi qui contrôle les événements. Quels qu'ils soient. Car il y avait quelque chose. J'avais le nez creux en ce qui concernait l'addiction de la vie à l'intrigue, et mon odorat était formel : il y avait quelque chose, de dangereux, dont les effets s'étendraient comme les bras d'une galaxie spirale. Sois prudente. La connaissance, c'est le pouvoir, a dit je ne sais qui. (Jake aurait su.) *La connaissance, c'est le pouvoir.* Oui. Et s'il y avait du pouvoir à gagner dans cette histoire, autant qu'il me revienne, à moi.

Il y avait pourtant autre chose. Autre chose d'irrationnel, d'incohérent, mais *autre* chose. Il me semblait — pourquoi ? Oui, *pourquoi ?* — que ce qui se passait était lié à Remshi. Je prenais mes désirs pour des réalités. Désespérément. Parce qu'il m'avait dit *À la prochaine*, mais que je ne l'avais pas revu. Deux ans, le rêve récurrent, ça. *Il est concerné.* Mon moi rationnel plein de jugeote et mon moi plus vaste considérions avec ironie notre partenaire intuitive (encombrée de l'astrologie, la radiesthésie, la guérison par la persuasion, les cristaux), mais n'en savions pas moins qu'elle allait l'emporter, sur ce coup.

Mon téléphone sonna, une fois de plus.

«Alors ? s'enquit Walker.

— Ce n'est pas une bombe.»

Lorcan se débattait en fond sonore.

«Super. On arrive.

— Attendez.»

Walker ne me demanda pas pourquoi. Il savait, à ma voix. L'appel à la collusion. À la complicité dans le crime. Mon cœur s'adoucit. Nous n'atteignions pas à la perfection, lui et moi, mais ce n'en était pas moins très, *très* bon. Il fallait une âme aussi perverse que la mienne pour ne pas s'en contenter. Pensée qui fit éclore dans mon esprit l'image de Jake et de ma mère secouant la tête, souriants, sans cesser de m'observer depuis l'au-delà (lequel ressemblait fort en ce qui les concernait à un casino de Las Vegas, dont le personnel composé de fausses blondes faisait le service dans les boxes des clients, où résonnait le murmure des heureux parieurs). Une âme perverse ? Franchement, Lu !

« Quoi que je dise aux autres, soutiens-moi, ajoutai-je. Je t'expliquerai plus tard.

— Si tu le dis, Miss D. »

Miss D. Il m'appelait comme ça, autrefois. Cette fois, mon cœur se serra. Pas assez.

14

Ce n'était pas facile. C'était même d'autant plus difficile que je mêlais vérité et mensonges.

« Il s'agit du journal intime de Jake, déclarai-je. Je croyais en avoir récupéré la totalité, mais il semblerait que je me trompais. Il y a au moins une demi-douzaine de tomes supplémentaires. »

La réunion se déroulait dans ce qu'on appelait la salle de musique, parce qu'il s'y trouvait un vieux piano désaccordé. Deux canapés tendus de velours et un fauteuil à bascule en osier, des murs coquille d'œuf, une cheminée en fer forgé noir, une odeur de patchouli, de poussière et d'air frais. La grande baie vitrée donnait sur le jardin de façade, aussi échevelé et exubérant que celui de derrière, mais plus attirant encore avec son étang vert sombre à l'eau épaisse, sur lequel veillaient deux Néréides de pierre moussue agenouillées — dont une sans nez —, pleines de fausse modestie. Zoë avait calmé Lorcan, qui restait toutefois assis sous le piano, visiblement en proie à une rage contenue. Deux nuits plus tôt, une crise de colère lui avait fait donner un coup de son pied nu dans la porte de la serre. Il avait fallu que je le maîtrise pendant que Walker le débarrassait à la pince à épiler des éclats de verre.

« J'ignore comment cet Olek a mis la main dessus, mais il me propose un marché. Un échange, je ne sais pas encore contre quoi. J'imagine qu'il veut de l'argent, tout simplement. Il a l'air assez désespéré. Il veut me voir, aussi. »

Le *lukos* en Lucy et Trish cherchait à se saisir de ce que je taisais, du reste… du non-dit… mais je gardais mon secret en mouvement, juste hors d'atteinte. L'atmosphère était dense.

« Tu ne vas évidemment pas accepter », dit Lucy.

Installée dans le fauteuil à bascule, où elle se penchait en avant sans se balancer, les coudes sur les genoux. Elle avait enfilé un jean noir et un corsage vert olive. Le vert, quelle qu'en fût la nuance, mettait en valeur sa chevelure auburn et ses yeux noisette. Elle arborait aussi eye-liner, mascara et rouge à lèvres pêche ardent. La Malédiction avait revivifié l'intérêt qu'elle portait à son apparence, parce que le vieillissement extérieur lui serait épargné.

« Non, pas encore.

— Pas encore ?

— J'y réfléchis. »

Trish se tourna vers nous, renonçant au spectacle des deux chiots à moitié sauvages qui se bagarraient dans le jardin (la propriété en était infestée, à cause de nos vibrations canines). Le tee-shirt des Red Hot Chili Peppers avait cédé la place à une *kurta* en étamine blanche et un Levis 501 coupé. Malgré la charmante pâleur gaélique de ses jambes nues, l'irritation du *lukos* avait rougi son petit visage (mes non-dits étaient aussi agaçants que le savon de comédie qu'on n'arrive pas à attraper).

« Je ne comprends pas que tu y réfléchisses. Tu veux vraiment aller voir un vampire ? C'est un piège. *Forcément*.

— Je n'en suis pas sûre.» Je n'avais pas lâché le journal de Quinn, et ma main palpitait ; ça se voyait certainement. Un de mes auditeurs allait m'arracher le volume d'une minute à l'autre… «Écoutez, je ne veux pas en faire un plat. Ce n'est pas… Je ne suis pas obligée de me décider tout de suite. On va d'abord laisser passer samedi.»

Samedi. La pleine lune. La mise à mort… et tout ce qui l'accompagnait. La quatrième fois seulement que nous opérerions en meute. C'était devenu une nécessité occasionnelle qui ne s'imposait pas chaque mois, ni même régulièrement, mais que nul ne contestait quand elle s'imposait. À part Madeline, qui se débrouillait de son côté en enchaînant les partenaires de baisetuemange, car elle avait les raisons les plus honorables de ne pas nous approcher ces nuits-là, Walker et moi. Elle ferait étape chez nous le lendemain, en route pour l'Espagne, où elle avait pris ses dispositions. Après avoir atterri à Rome en début de matinée, elle passerait la journée en notre compagnie puis la nuit au lit à épuiser Cloquet (c'était devenu pour elle un rituel prétransformation, une dernière bouffée de chaleur humaine avant que la bête ne se libère) et repartirait le vendredi. Il ne fallait pas qu'ils se voient trop longtemps. Il était déjà amoureux d'elle, malheureusement, et si elle tombait amoureuse de lui, elle finirait par le tuer et le manger. Parce qu'elle ne pouvait rien faire de pire à un humain. Parce qu'on fait ce qu'on peut faire de pire aux humains. Je vais vous donner un bon conseil : si vous êtes un humain et que vous couchez avec un garou, rompez. Tout de suite.

«Ça ne me plaît pas non plus, *ma belle*», me dit Cloquet, les deux derniers mots en français.

Toujours vêtu de son pantalon de pyjama vert en soie

et de son peignoir noir, il soignait sa gueule de bois du Bordelais au bloody mary et à la Gauloise. Son visage osseux à la grande bouche et aux yeux noirs était pincé par la souffrance des lendemains difficiles. À voir ses cheveux sombres, une souris avait dû y passer une nuit agitée.

« Il t'a appelée, reprit-il. Il t'a fait livrer un paquet. Il sait où nous trouver. Il va encore falloir *bouger*. *Eh merde.* »

La conclusion en français aussi. Walker, lui et moi avions l'intention de passer six mois dans cette maison. On en avait plus qu'assez des vols perpétuels, des salles de transit, des hôtels, des contrôles aux frontières, des fuseaux horaires, des langues, des monnaies ; l'ajustement continuel enfante une fatigue profonde, mais l'équation reste inchangée : l'immobilité, c'est la mort. Si on persiste à tuer dans une zone donnée, l'enquête resserre son nœud coulant. Rudy Kovatch, le spécialiste des papiers officiels hérité de Jake, nous avait fourni des faux passeports américains, mais aussi européens, qui nous donnaient un beau territoire de chasse, des deux côtés de l'Atlantique. Le bon sens nous conseillait l'Europe, où il était possible de traverser trois pays par jour. Difficile de remonter une piste, dans ces conditions.

« C'est complètement débile, Lu, insista Trish. Je n'arrive pas à croire que tu veux aller voir un putain de vampire après ce que tu t'es pris… après ce qu'on s'est *tous* pris à cause de ces salopards de merde. »

Ce qu'on s'est tous pris. Oui. Quand ces crétins de sangsues fanatiques avaient enlevé Lorcan, Lucy et Trish — entre autres — m'avaient aidée à le récupérer. Au péril de leur vie. En partie à cause de la force gravitationnelle de la meute (personne ne parlait jamais de moi comme de la chef ou de la dirigeante, mais la constellation s'était mise en place autour de moi ; j'en retirais quelque chose, une sorte de pouvoir latent), en partie aussi parce que c'étaient tous des êtres généreux. Sauf avec leurs victimes, aux yeux desquelles la générosité n'était pas la plus évidente de leurs qualités.

« Dis donc, intervint Lucy, tu ne te demandes pas un peu comment il a eu ton numéro de portable, tant qu'on y est ? »

Walker négociait un tourment silencieux, quoique rageur. Il savait que Remshi le vampire m'avait rendu une nuit une visite ambiguë, deux ans plus tôt. Il le savait parce que je le lui avais dit. Je le lui avais dit parce qu'il ne s'était rien passé. Il ne s'était rien passé et je n'avais rien à confesser. Il ne s'était rien passé et je n'avais rien à confesser, sinon la vague attente qui, depuis cette fameuse nuit, avait crû en moi jusqu'à devenir tumeur mentale persistante. Et voilà qu'un autre vampire voulait me voir. Un autre… ou le même ? *Lorsqu'il s'unit au sang du loup-garou.* Ça aussi, je m'étais forcée à en informer Walker. J'en avais plaisanté, amusée par la solennité de série B de la formule, par son archaïsme sans doute artificiel. On avait essayé une ou deux fois d'en faire un idiome privé désignant ce qui n'arriverait jamais, genre *quand les poules auront des dents*, mais les mots étaient restés bizarrement en suspens autour de nous, et on avait arrêté.

« Mike et Natasha nous aideront », déclara-t-il, se forçant à passer aux questions pratiques. « Si on s'engage dans cette voie-là, il nous faut leur soutien. »

Je n'y avais pas pensé, mais il avait raison. Mikhail Konstantinov, son ancien collègue, et Natasha Alexandrovna, la femme de Mikhail. Quand elle avait été Transformée malgré elle en vampire, il lui avait demandé de le Transformer à son tour pour éviter la séparation. Dehors, à trois mètres les uns des autres, on supportait tous l'odeur. Il le fallait. On était amis. Ils nous aideraient *réellement*.

«Pas question de s'engager dans une voie pareille, protesta Trish. Tes enfants, Lu, d'accord. Mais je ne vais pas me jeter dans la gueule du vampire pour une demi-douzaine de bouquins, y compris le journal de Jake. Désolée.

— S'il vous plaît, dis-je. On ne peut pas oublier ça cinq minutes? Je ne demande rien à personne. Je ne vais *sans doute* pas aller plus loin. Si vous n'aviez pas tous vu cette saleté d'enveloppe, je n'en aurais même pas parlé. Sérieux. Laissez tomber. C'est mon problème à moi.»

Sauf si on nous espionne. Lucy n'eut pas à le dire. Pas la peine.

«Ce n'est pas le moment de se laisser distraire. Vu ce qui se passe sous nos fenêtres.»

Voilà ce qu'elle dit.

Sous nos fenêtres, ou encore dans le vaste monde qui, grâce à la multiplication de notre population, n'était plus ce qu'il avait été. À en croire les commérages circulant sur Internet, personne ne pouvait plus ouvrir un placard à la pleine lune sans qu'un garou lui saute dessus. Le virus qui avait amené l'espèce au bord de l'extinction était mort en moi... et en Jake aussi, au bout du compte. Tous les lycanthropes actuels descendaient en droite ligne de lui ou moi. Le bon, ou mauvais, vieux temps était de retour : survivre à la morsure signifiait qu'on avait automatiquement droit à la Malédiction. *A priori*, il rôdait maintenant sur terre de six cents à dix ou vingt mille monstres. Personne ne savait vraiment. YouTube débordait de transformations.

Playboy affirmait que la demande augmentait «à un rythme exponentiel» pour le porno garou, donc snuff — car invariablement centré sur baisetuemange. Les gouvernements avaient cependant décidé de nous classer dans la même catégorie que les cercles de fées et le monstre du Loch Ness. Les administrations états-unienne, britannique, allemande et russe avaient posté en ligne des vidéos contradictoires, «prouvant» que les soi-disant transformations étaient en réalité basées sur des effets spéciaux et des accessoires manipulés avec soin. Des «menteurs» avaient avoué. Deux semaines plus tôt encore, les Églises chrétiennes soutenaient les politiciens, mais le Vatican venait d'opérer à la stupéfaction mondiale une véritable volte-face : non seulement les loups-garous et les vampires existaient, affirmait-il à présent, mais Rome entraînait en secret une armée de guerriers vouée à leur destruction. Cette déclaration avait marqué le lancement d'une campagne publicitaire tous supports, véritable assaut télé, papier et Internet sur la crédulité des fidèles. On y trouvait les témoignages de nombreux croyants — et, plus important, d'anciens *non*-croyants convertis — attaqués à un moment ou à un autre par une de ces abominations, mais «sauvés» par l'intervention des saints soldats de Dieu, les *Militi Christi* ou encore «les Anges», puisque tout le monde les appelait comme ça (à part l'Église catholique elle-même, du moins officiellement).

«Je sais, dis-je. Je comprends. Ne vous inquiétez pas. Je n'ai pas l'intention de faire quoi que ce soit sans vous en parler. Mais je propose qu'on oublie ça jusqu'à dimanche, d'accord?»

La meute finit par laisser tomber — un renoncement abrasif. La tentation était forte de modifier les dispositions prises pour le samedi, mais Walker fit remarquer que si quelqu'un nous espionnait dans l'intention de nous suivre, il nous suivrait où que nous allions. Changer de victimes ne ferait aucune différence. Sans oublier qu'il ne nous restait que deux jours et demi, ce qui ne nous permettait pas d'orchestrer une alternative. La seule alternative consistait donc à renoncer au meurtre de meute, à tuer chacun de notre côté et à accepter les risques inhérents aux proies de hasard. Aucun de nous n'en avait envie.

Lucy prit le train régional pour Rome, où elle comptait passer la journée à la Villa Borghese. Trish alla à la plage. Cloquet, en proie à une seconde gueule de bois (à moins que la première n'ait juste empiré), retourna se coucher.

Dès que je me retrouvai seule avec les enfants et Walker, je lui dis la vérité : le journal de Quinn. Les possibles origines de l'espèce. Le message d'Olek.

Il n'en fut pas particulièrement impressionné.

«À ta place, je ne m'exciterais pas trop là-dessus.»

On était à la cuisine, Zoë et Lorcan sous la table, où il coloriait agressivement une image des Trois Petits Cochons (Dieu est mort, l'ironie en pleine forme) pendant qu'elle construisait une tour précaire avec des bobines de fil vides dénichées je ne sais où. Il m'avait fallu environ six mois pour prendre conscience de la discordance excitante qui séparait des choses comme les bobines de fil et la Xbox.

«Que je ne m'excite pas trop ? Tu es sérieux, là ?

— Ce n'est pas parce qu'il y a une histoire qu'elle est vraie.»

Je réussis à me retenir de dire que Jake y avait cru. Jake était trop présent, ces derniers temps. Je l'évoquais trop.

«Je sais, dis-je à la place. Mais tu ne crois pas qu'il

vaut mieux connaître l'histoire et ne pas y croire que ne pas la connaître et passer ta vie à t'interroger ?

— Je ne passerai pas ma vie à m'interroger. Ce n'est pas mon genre.

— Les éléphants ne mangent pas de haricots», dit Zoë.

Ça n'avait rien à voir, sauf que pour une enfant de trois ans, ça a toujours quelque chose à voir.

Zoë n'aime pas les haricots, surtout les rouges. Elle parle de «bêtes».

Cette déclaration nous fit rire, Walker et moi, malgré ce qui se passait à ce moment-là. Puis elle nous fit penser qu'un instinct particulier avertissait les enfants quand les adultes avaient besoin d'aide, et cette pensée raviva notre tristesse.

«Quelles que soient nos origines, reprit-il, on est là maintenant, avec deux bras, deux jambes, une pleine lune par mois, une vie à vivre. C'est différent pour toi. Tu as été élevée dans le catholicisme. Tu es programmée pour croire qu'il y a forcément quelque chose là-haut, là-dehors, je ne sais où, et que tout ça a un sens. Tu peux bien citer Jake aussi souvent que tu veux, ça n'y change rien. Moi, je n'ai pas eu la religion dans mon enfance. J'ai eu le McDo et les petites bêtes qui font des trucs dingues à la télé.»

Quand il se lançait dans ce genre de déclaration, je m'apercevais que j'avais tendance à oublier son passé et la tumeur autour de laquelle s'était forgée sa personnalité. À sept ans, il avait tué son père, un flic new-yorkais. *Je l'ai abattu avec son propre flingue. Il était en train d'éclater la tête de ma mère contre la télé.* Je me souvenais de la manière dont il m'avait raconté ça. Sur un ton qui admettait que son histoire d'horreur — n'importe quelle histoire d'horreur — n'avait rien de plus exceptionnel que les autres. Surtout à mes yeux de meurtrière récidiviste, de dévoreuse d'êtres humains, de lycanthrope. *Ça n'a aucune importance pour toi. Ça ne peut pas en avoir,* avait-il ajouté. Ça avait de l'importance. Et ce n'était pas sa seule histoire d'horreur, juste celle qu'il racontait. Il y avait aussi celle qu'il ne racontait pas. Ce qui lui était arrivé quand il avait été capturé avec moi par l'OMPPO, deux ans plus tôt. On nous avait séparés dans le complexe de détention, mais il ne m'avait jamais parlé de ce qu'il avait enduré. La torture, bien sûr, et le viol — mot qui n'avait pas franchi nos lèvres. C'était avant sa Transformation. Il avait embrassé le *lukos* dans l'espoir (entre autres) de se débarrasser de sa mue souillée. *Il faut t'attendre à l'absurde,* m'avait dit Jake. *Tel est le lot du garou.* Il avait raison : devant moi se tenait quelqu'un qui avait choisi une monstruosité pour en effacer une autre, selon le principe de l'éclipse violente. Éclipse partielle. Le gamin de sept ans était toujours là, l'homme violé — facettes fantômes qui se faisaient encore entendre par moments, malgré le tumulte du sang né de la Malédiction. Je plaignais Walker, je ne l'en aimais que davantage — mais mon cœur abritait aussi une approximation effroyable, une générosité déviante, une place pour autre chose.

Le journal se trouvait toujours dans ma main gauche, car je ne l'avais pas posé de tout ce temps. J'en étais incapable. Il fallait que je sache. Vrai ou pas.

Lorcan était passé du «coloriage» au transpercement des pages, quand il se leva brusquement et quitta la cuisine comme une furie.

«Vas-y, lis-le, me dit Walker. Je garde un œil sur eux. Tu me le prêteras quand tu l'auras fini.»

15

Il y a de cela bien longtemps, bien avant l'Akkad, l'Assyrie et le Sumer, avant que les Pharaons n'érigent leurs pierres démesurées, l'ombre des palmiers dansait sur les eaux d'Itéru que contemplaient les dieux. Je veux parler des anciens dieux, qui précédèrent Râ et Horus, Zeus et Héra, le jeune Yahweh et le doux Yeshoua. Qui précédèrent An et Enlil, Ninhursag et Enki, et jusqu'à Tiamat et Abzu, lesquels n'étaient pas les premiers. Avant ceux-là, tous ceux-là, un peuple nomade se reposa une saison au bord d'Itéru, qui ne deviendrait Nil que des milliers d'années plus tard. Ces gens ne dressaient pas de pierres, mais vivaient dans des tentes de peau et de fourrure. Hommes et femmes, minces et vigoureux. Ils aimaient le ciel nocturne du désert, où les dieux traçaient des signes d'étoiles qui effleuraient la terre. Ils se nourrissaient de la chair des chèvres et des porcs, de la pulpe des dates et des figues. Ils sacrifiaient aux dieux.

Ils s'appelaient Maru.

Leur roi, Edu, avait pris pour épouse Liku, sa reine. Ils avaient un fils de trois ans, Imut.

À cette époque, il existait des portes entre le monde du Milieu et les mondes Inférieur et Supérieur. Certains Maru recevaient en partage le don de les ouvrir grâce au chant, au sang du vivant, à la fumée et au feu brûlants. On les appelait dans leur langue les Anum, ou Gardiens. Le plus puissant d'entre tous avait nom Lehek-shi.

Lehek-shi s'était épris de Liku, la reine, qui lui rendait son amour. Ils devinrent amants, et Lehek-shi concocta une boisson à base d'écorce d'arbre aho et de baies de nauhar, sucrée aux dattes et au lait de coco. Le soir, Liku servait cette potion à Edu, son époux, avant de lui faire l'amour. Puis, lorsqu'il s'endormait, elle quittait leur tente en cachette et partait dans la nuit retrouver Lehek-shi.

Ainsi en alla-t-il cinq lunes durant sans que le roi se doute de rien. Sa femme prenait grand soin de lui donner du plaisir, et son sommeil était profond. Il confia à ses amis proches qu'il était le plus heureux des Maru, avec une épouse aussi dévouée et un sommeil aussi serein.

Mais l'insatisfaction rongeait Liku et Lehek-shi. Les heures volées par la grâce de la drogue et de l'obscurité ne leur suffisaient pas. Leur passion était bien réelle, rare, aussi ardente que le feu sacrificiel ; elle ne supportait plus le secret. Voilà pourquoi ils résolurent entre les baisers qui unissaient leurs lèvres de tuer Edu. La période de deuil écoulée, Liku serait libre de prendre un nouvel époux — et choisirait évidemment Lehek-shi.

Le Gardien était en proie à de sinistres pressentiments. Il connaissait les voies des royaumes Inférieur et Supérieur. Lorsqu'un Maru au cœur pur mourait, les dieux du monde Supérieur envoyaient sur terre un de leurs serviteurs — un Kamu — poser sa bouche sur celle du cadavre afin d'en aspirer l'âme, qu'il rapportait à ses maîtres. Une fois relâchée, elle leur racontait son histoire. Les dieux se vengeraient forcément des assassins.

« Il y a une autre voie », dit Lehek-shi à Liku, qu'il serrait contre lui dans l'obscurité. « Une voie dangereuse.

— Laquelle ? » demanda Liku.

Ses cheveux embaumaient l'orange.

« Il faut envoyer son âme dans le monde Inférieur. Amaz la prendra. Mais c'est un dieu avec qui il est difficile de marchander.

— Amaz représente un risque, dit Liku en s'installant à califourchon sur son amant, mais la colère des dieux Supérieurs ne fait aucun doute. »

Lehek-shi la pénétra. La décision était prise.

Lehek-shi fit un sacrifice, alluma le feu, inspira la fumée de la branche qui donne la vision, chanta le chant qui ouvre la voie jusqu'au monde Inférieur et envoya son esprit demander audience à Amaz.

Au seuil du royaume du démon veillaient trois de ses messagers, les Izul, doubles obscurs des saints Kamu, invisibles sur notre terre, mais terrifiants dans leur domaine.

Lehek-shi avait beau être un devin, un Anum possédant de naissance le droit de parler aux créatures des autres mondes, il se trouvait au seuil du royaume d'Amaz, et il avait peur.

Un des Izul transmit son message au dieu démon, qui finit par venir le trouver en personne.

« *Je ferai ce que tu demandes* », déclara Amaz quand Lehek-shi lui eut expliqué ce qu'il voulait, « *en échange du produit de ton premier accouplement avec la reine, après la mort du roi. Comprends-moi. Si un enfant vous naît, il faut que son âme vienne à moi. Je considérerai alors le pacte comme rempli.* »

Lehek-shi se jura qu'il n'y aurait pas d'enfant — car il existait déjà, à l'époque, des moyens d'amoindrir les chances de voir naître une vie nouvelle, et il suffirait aux deux assassins d'éviter la conception une fois. Aussi accepta-t-il les termes du marché. (D'ailleurs, se dit-il, même s'il nous naît un enfant, Liku y renoncera, puisque notre bonheur est en jeu.) Le pacte scellé, son esprit quitta Amaz et retourna en son corps, dans le monde du Milieu.

Les amants durent attendre. Malgré le marché conclu avec le dieu obscur, le meurtre d'Edu ne devait avoir aucun témoin terrestre. Aussi Liku entreprit-elle d'ensorceler son époux.

« *Je ne t'ai jamais à moi seule, se plaignit-elle suavement. Il y a des gardes autour de la tente qui nous écoutent, nuit et jour.*

— *Ils sont là pour notre sécurité* », répondit Edu, stupéfait. « *Ce sont nos lances et nos boucliers. Ils ne nous écoutent pas ! Et, en admettant qu'ils le fassent, quelle importance ? Ce sont des serviteurs !*

— *Ne comprends-tu donc pas que je te veux parfois tout simplement en tant qu'homme et époux ?* s'obstina Liku. *Juste toi et moi, seuls sous les étoiles.* »

Edu prit un moment la chose à la légère, mais les suppliques de Liku finirent par l'emporter. Il accepta *de passer une nuit avec elle à l'extérieur du campement, homme et femme, époux, seuls sous les étoiles.*

Lehek-shi avait prévenu Liku :
« L'âme comprend. Si elle sent approcher la mort, elle se précipitera dans la tête afin d'être prête pour le baiser du Kamu. Il faut donc la surprendre. Veille à la distraire. »

Liku y veilla en effet. Elle prit même ses dispositions en faisant allonger Edu sur le dos, face à la pleine lune, pour que Lehek-shi s'approche de lui dans l'ombre par-derrière, le long silex aiguisé à la main, sans provoquer de fluctuation lumineuse.

À l'instant du bonheur, l'âme d'Edu ne sut rien du destin qui la rattrapait.

Lehek-shi fut aussi énergique que rapide. Trois coups lui suffirent pour séparer la tête du roi de ses épaules.

Amaz, souverain du monde Inférieur, envoya un de ses serviteurs chercher l'âme d'Edu. L'Izul ne l'aspira nullement par la bouche, car l'âme, dans sa bienheureuse ignorance, n'avait eu aucune chance de s'enfuir, mais par l'orifice inférieur, réservé aux souillures. Elle n'avait pas le choix : elle ne pouvait s'attarder dans un cadavre ni résister à l'aspiration. L'Izul l'avala et l'apporta à Amaz.

Une lune plus tard, les amants étaient mariés. La jeunesse d'Imut l'empêchant de monter sur le trône,

Liku allait régner — avec Lehek-shi pour consort —
jusqu'à ce que son fils fût d'âge à la remplacer.

Dans le monde Inférieur, l'âme d'Edu se lamentait
interminablement.

Quand Lehek-shi parla à Liku du marché conclu
avec le dieu démon, elle n'en fut guère impressionnée.
Le cycle de ses saignements n'avait pas de secret pour
elle ; elle savait quand elle avait peu de chances de
concevoir. Lehek-shi et elle attendirent. Et, lorsqu'ils
s'unirent pour la première fois depuis la mort d'Edu, le
devin fit une offrande à Nendai, le dieu de la prudence,
et porta en outre sur sa virilité un boyau de porc séché,
afin d'empêcher sa semence d'atteindre la matrice de
Liku.
Mais une écharde du bois coupé pour le feu de l'offrande s'était logée sous l'ongle du pouce de Lehek-
shi. Elle égratigna le minnan, qu'elle perça d'un trou
imperceptible. Contre la volonté des amants, Liku
devint grosse.

Dans le monde Inférieur, le dieu démon Amaz sentit
tressaillir cette vie nouvelle.

Quand Liku prit conscience de ce qui s'était passé,
la peur l'envahit. Puis, au bout de trois lunes sans
saignement, elle comprit que son amour enveloppait
maintenant l'enfant qu'elle portait. Jamais elle ne
renoncerait de son plein gré au bébé à venir, ce dont
Lehek-shi était conscient. D'ailleurs, le ventre de la
jeune femme ne tarda pas à s'arrondir. Lorsqu'elle
invita son compagnon à y poser les mains pour sentir
les premières ruades de la vie nouvelle qui croissait

en elle, il découvrit qu'il ne supporterait pas non plus d'envoyer son fils ou sa fille chez Amaz, dans le monde Inférieur. Les amants avaient assassiné ensemble, ils avaient passé marché avec un dieu démon — la passion et la compréhension qui les unissaient étaient plus fortes que jamais.

On comptait un peu plus de deux mille Maru, parmi lesquels une douzaine de femmes au même stade de leur grossesse que Liku. Hélas, elles donnèrent toutes naissance avant la reine, malgré les potions et les chants des sages femmes. Le bébé de Liku — un garçon, qu'on appela Tahek — vit le jour près d'une lune après le dernier-né de la tribu.

La substitution n'en eut pas moins lieu. La mère fut soudoyée (Lehek-shi se chargerait d'elle si elle se révoltait) et l'enfant de remplacement décapité en lieu et place de Tahek — après avoir été frotté aux fins de déguisement avec le sang et les fluides expulsés par Liku lors de son accouchement.

L'Izul s'en vint aspirer l'âme du jeune mort par le petit orifice inférieur pour l'apporter à Amaz.

Trois ans passèrent. Liku et Lehek-shi ne doutaient pas de la réussite de leur stratagème. Tahek, leur fils, était un garçon vigoureux. Les Maru partirent vers le nord, talonnés par le froid.

Un jour, une grande tempête de neige les rattrapa. L'obscurité tomba à midi, tandis que le vent se déchaînait. Liku et Lehek-shi avaient été séparés de la tribu, quand s'éleva dans la pénombre le hurlement des loups.

Les souverains erraient en plein néant. Pas un arbre,

*pas un rocher, terre et ciel confondus, neige drue cou-
vrant la terre d'un épais matelas. Le vent cruel arra-
cha ses fourrures à Liku et les emporta dans le ciel, où
elles disparurent, malgré les efforts du couple pour les
rattraper. Lehek-shi donna les siennes à sa compagne.*

*Ils luttèrent contre la tempête pendant des heures
indénombrables, pendant des jours, peut-être, sans
savoir où ils allaient, avec le seul espoir de trouver un
abri. Le froid affaiblit Lehek-shi au point qu'il finit par
s'effondrer, épuisé.*

*Lorsque Liku s'agenouilla pour le réchauffer de son
mieux, elle poussa un cri. Devant elle, à moins de vingt
pas, se dessinait la lisière d'une forêt.*

*Le peu de force qu'il lui restait, elle le rassembla
afin de traîner Lehek-shi à l'abri des arbres. Le vent
mourut soudain. Les amants restèrent un moment
allongés l'un contre l'autre, incapables de bouger. La
nuit descendit sur eux.*

o

*« Venez, dit une voix, suivez-moi. Si nul ne vous offre
chaleur et nourriture, vous êtes perdus. »*

Liku ouvrit les yeux.

*Un homme très brun, drapé dans une peau de loup,
la dominait de sa haute taille. Il tenait à la main une
lance sanglante. Un grand collier de dents d'animaux
entourait son cou. Une tache de naissance rouge couvrait la moitié de son visage.*

*« Viens », reprit-il, à sa seule adresse. « Je vais le
porter. Dépêche-toi. Il ne lui reste guère de temps. »*

*Elle suivit l'inconnu en se demandant si elle rêvait :
il marchait, Lehek-shi sur son épaule, comme si le*

Gardien était aussi léger qu'un enfant. Quant à elle, la faim et le froid l'avaient également menée aux portes de la mort.

« Là, reprit son guide. J'ai de la nourriture et de la chaleur à vous offrir. »

Sous deux arbres imposants gisait le corps d'un loup gigantesque. Trois guerriers n'auraient pas été plus massifs. La bête avait été ouverte de la gorge aux reins puis éviscérée avec soin.

« Je n'ai pas de quoi faire du feu, poursuivit l'inconnu, mais si vous payez le prix modique que j'en demande, je vous laisserai manger la viande de ma proie et vous abriter dans sa peau. Au matin, la tempête passée, les vôtres vous retrouveront. Ils viennent dans cette direction, mais n'arriveront qu'après le lever du soleil. »

Glacée, affamée, affaiblie, Liku tendit la main vers la carcasse... mais le chasseur l'arrêta.

« Il faut payer de votre plein gré le prix modique que je demande.

— Combien veux-tu ? s'enquit-elle. Je suis reine parmi mon peuple. Je peux te donner tout ce que je possède ! »

Il secoua la tête.

« Il ne m'en faut pas tant. Une goutte de ton sang, une goutte du sien, et je vous cède la viande et la chaleur de la bête. Faites-moi de votre plein gré cette offrande de politesse, et vous verrez le soleil se lever. »

À cet instant, les nuages se déchirèrent, à peine ; la pleine lune apparut, voguant sans entrave sur un océan de nuit.

Malgré la crainte qui lui serrait le cœur, Liku savait que, faute de nourriture et d'abri, la prédiction de l'inconnu se réaliserait avant l'aube.

« *Très bien, haleta-t-elle. Une goutte de notre sang à tous deux. Mais hâte-toi ! La mort est proche, je le sens !* »

L'homme prit une des dents qu'il portait au cou et la lui tendit.

« *Fais-le de ton plein gré, insista-t-il. Parce que ta vie et celle de ton bien-aimé te sont précieuses.* »

Elle saisit la dent aiguisée et, trop gelée pour enregistrer la douleur, s'infligea aussitôt au pouce une coupure minuscule, avant de faire de même avec Lehek-shi.

« *Très bien* », dit le chasseur.

Il ouvrit le ventre du loup pour y couper plusieurs morceaux de viande. Liku mangea, poussée par la faim, et fit manger son époux. Il avait peine à garder les yeux ouverts et semblait toujours errer aux portes de la mort. La suavité et la tendreté de la viande la surprirent.

« *Hâte-toi, lui conseilla son sauveur. Réfugie-toi dans la bête. Une seconde tempête arrive, contre laquelle l'abri des arbres ne sera pas suffisant.* »

Elle traîna en titubant Lehek-shi jusque dans le cadavre du loup, où elle s'étonna, une fois de plus : nulle odeur de mort ne l'y attendait, juste la chaleur et le réconfort. L'inconnu regardait. Les souverains installés, il reprit la parole, souriant :

« *Je vous apporte les salutations d'Amaz, dieu du monde Inférieur. Vous venez de manger de la chair humaine, et votre sang s'est mêlé à celui de la bête. Dorénavant, à chaque pleine lune, le loup se blottira en vous, et une envie insupportable de chair humaine vous tourmentera. Ceux qui survivront à votre morsure seront également affligés de la malédiction. On ne trompe pas mon maître sans en subir les conséquences. Adieu !* »

Sur ces mots, il s'éloigna. L'obscurité l'engloutit.

Ainsi les espèces de l'homme et du loup se conju-
guèrent-elles. Par la suite, bien des victimes tentèrent
de se libérer de la Malédiction, mais il fallut attendre
le retour sur les berges d'Itéru pour

J'interrompis ma lecture. Je n'avais pas le choix. Le
bas de la page avait été arraché, de même que la suite
du récit.

... mais il fallut attendre le retour sur les berges
d'Itéru pour

L'implication — l'implication de la coupure décidée
par Olek — était claire : quelqu'un avait fini par trouver comment guérir la Malédiction.

16

Walker referma le volume et le posa sur la table de nuit. On avait regagné la chambre au lit défait (à l'*amour* défait, disait ma petite voix intérieure mesquine) et aux deux grandes fenêtres pleines du soleil de l'après-midi. De l'autre côté du couloir, les jumeaux s'acharnaient à réveiller Cloquet, qui ne trouvait pas l'expérience franchement agréable.

«Alors?» demandai-je.

Assise par terre près de la porte ouverte, face à Walker, une Camel filtre à la main. La gueule de bois de la veille s'était persuadée qu'il lui fallait un verre. Mon exemplaire du *Don Juan* de Byron reposait ouvert, retourné, devant le pied nu de mon compagnon. Je me rappelais parfaitement où je m'étais arrêtée la nuit précédente, avant une séance de sexe très semblable à une dispute.

Il y a dans les détails domestiques quelque chose qui forme l'antithèse parfaite de l'amour.

Il secoua la tête.

«Que veux-tu que je te dise?»

Attends. Compte jusqu'à cinq. Ne l'envoie pas sur les roses.

« Ma foi, pour commencer, tu crois qu'on peut s'y fier ?

— Tu me demandes si je crois que c'est vraiment le journal de Quinn ou si je crois que cette histoire a une base factuelle ? »

Recompte jusqu'à cinq. Ça ne servait à rien, puisque mon irritation contenue était aussi évidente que si je l'avais explicitée.

« Bon », reprit-il en exhalant, car il avait conscience de mon exaspération. « À mon avis, le bouquin a toutes les chances d'être le journal de Quinn. Quant à l'histoire… »

Il se mit à rire en secouant la tête, une fois de plus. Non.

« Comme ça, tout de suite, dis-je. Étonnant.

— Seigneur, Lu, tu es sérieuse ? *Les dieux du monde Inférieur* ? Tu me fais marcher ou quoi ?

— Je sais que ça a l'air idiot.

— Apparemment non, puisque tu prends ça au pied de la lettre. Je ne savais pas que les démons aspiraient l'âme des malheureux damnés par le trou du cul ! »

J'avais le visage en feu. Parce que, bien sûr, il avait raison. Bien sûr. Bien *sûr*.

« Je t'en prie, reprit-il. Je t'en *prie*, dis-moi que tu n'es pas… »

Il ne put achever. L'incrédulité l'en empêcha.

« Ça n'éveille pas un écho en toi ? m'enquis-je. Je ne parle pas des détails, pas forcément. Mais du… de… Je ne sais pas. »

Cloquet, de l'autre côté du couloir :

« Non, Zoë, *mon ange*, ça me dérange vraiment. Je ne me sens pas bien. »

Gloussements ravis des jumeaux. Zoë avait un drôle de rire de petite vieille.

«Non», répondit Walker, avec un calme forcé, lui aussi. «Ça n'éveille aucun écho. C'est un putain de *conte*, bordel.

— Et nous, qu'est-ce qu'on est? Un putain de conte, oui.»

Silence gêné. À cause du double sens de ma réponse. Je voulais dire que les loups-garous étaient un conte, mais le subconscient opportuniste ne dort jamais. Walker avait compris *on* comme lui et moi. Un conte. Une relation à laquelle personne ne pouvait croire une seconde.

«Attention, *mes petits*, gémit Cloquet. Si ça continue, je vais me fâcher.»

Gloussements diaboliques des enfants. Quand Lorcan piquerait-il la crise de rage suivante? Quand ferait-il le cauchemar suivant ou se planterait-il devant un adulte pour le fixer, impassible, jusqu'à le rendre fou furieux?

«Tu sais ce qui t'énerve? me demanda Walker. Le fait que ça n'éveille aucun écho. Tu t'attendais à une grande révélation, et tu te retrouves avec cette merde. C'est une histoire, une de plus. Je veux dire, pourquoi celle-là plutôt qu'une autre? Si c'est une histoire qu'il nous faut, autant prendre Jésus, la petite souris et le père Noël.»

Je ne répondis pas. Parce que, une fois de plus, il avait raison. Il se leva du lit, s'approcha de la fenêtre et, les mains dans les poches arrière, regarda le jardin aux doux flamboiements. J'avais tellement aimé sa silhouette mince, aux muscles économes. Son beau profil. J'avais aimé. Au passé. Qu'était-il arrivé? Qu'arrivait-il?

Un visiteur vampire.

« Je vais te poser une question, dis-je. S'il nous était possible de guérir, tu essaierais ? »

C'était aussi ça qui le vexait, bien sûr. L'idée du retour en arrière. Parce qu'il n'y avait rien à quoi retourner, elle ne faisait que le souligner.

Il resta silencieux, visage serein doré par le soleil, avant de répondre enfin :

« On ne peut pas retourner en arrière. Pas moi. »

À cet instant précis, mon téléphone sonna. Une fois de plus.

17

«Pardonnez mon impatience, mais je suis sur des charbons ardents, dit Olek. Vous avez lu le journal de Quinn?»

Je me levai et sortis dans le couloir. Walker se retourna pour me suivre des yeux, sans chercher à m'emboîter le pas. La porte d'en face, ouverte, dévoilait la chambre de Cloquet. Les jumeaux avaient déniché dans le placard du rez-de-chaussée un assortiment de chapeaux, gants et chaussures qu'ils essayaient à mon familier, toujours à moitié endormi. Il portait pour l'instant un casque de cycliste, une manique et de vieilles chaussures chics usées, beaucoup trop grandes.

«Oui, dis-je. Et alors?

— Alors, Talulla, je sais ce que savaient les gens qui regagnèrent les berges d'Itéru… ou du Nil, puisque tel est son nom aujourd'hui. Je sais comment échapper à la Malédiction.

— Je vous le répète : et alors?»

S'il est possible d'entendre un sourire, j'entendis le sien.

«Je savais que vous diriez ça.

— Qui êtes-vous, bordel de merde?

— Je vous l'ai déjà dit. Olek. Un vampire. Passionné

de science. Et je vous le répète, moi aussi : j'ai une proposition mutuellement profitable à vous faire.

— Et si ce que vous proposez ne m'intéresse pas ?

— Vous n'en voudrez peut-être pas pour vous, mais pour vos enfants, oui. Vous avez accès à un ordinateur ? »

Pour vos enfants. Ça ressemblait à une menace. Puis les problèmes de Lorcan à l'approche de la pleine lune me revinrent à l'esprit. Le vampire en était-il informé ?

« Oui », répondis-je.

Ce qui subsistait entre Walker et moi continuait à se déchirer. Il se tenait toujours devant la fenêtre. S'autorisant à imaginer un avenir sans moi.

« Ne quittez pas. Allez-y. Ouvrez votre navigateur. »

L'ordi — un portable — se trouvait dans notre salle de bains privée, à moitié enfoui sous un tas de linge sale. La lycanthropie ne m'avait pas rendue plus ordonnée. Quand je retraversai la chambre, Walker me jeta un regard interrogateur, auquel je répondis en levant les deux mains — Attends. Je m'assis par terre à côté de l'appareil, que j'allumai.

« C'est bon, je suis en ligne.

— Parfait. Il faut que vous voyiez quelque chose. Allez sur Google puis sur gmail, à l'adresse que je vais vous donner. Ne vous inquiétez pas, c'est un compte créé par mes soins pour cette unique occasion. »

Suivit une série de lettres incompréhensible en anglais, à gmail.com. Le mot de passe, composé de chiffres et de lettres, n'avait aucun sens non plus pour moi. La pensée que la connexion allait être remontée ou craquée me vint, bien sûr — et celle que j'allais déclencher en pianotant le compte à rebours d'une bombe posée sous la villa —, mais je l'écartai. Sans aucune bonne raison, par simple impatience. Je voulais aller jusqu'au bout, même si je ne savais pas de quoi.

Une boîte de réception s'ouvrit, où ne se trouvait qu'un unique courrier.

«Ouvrez le courrier et cliquez sur le lien, reprit Olek. Je vous assure que vous n'aurez aucun problème. Quand la page associée va s'ouvrir aussi, il va vous falloir un autre mot de passe. Vous y êtes?

— Oui. La page est ouverte.»

Nouvelle énumération de chiffres et de lettres.

Je cliquai ensuite sur «Enter».

«Ce que vous allez voir s'est réellement produit, déclara Olek. Je reste en ligne. Regardez. Ensuite, je vous expliquerai.»

Une vidéo. Très haute résolution. Pas de son. Durée restante affichée dans le coin inférieur gauche. Série de chiffres dans le droit.

Ciel bleu. Soleil. Longue file de gens — des Chinois, semble-t-il —, entrant dans un bâtiment bas isolé, sans fenêtre, entouré d'une pelouse bien entretenue. Partout, des militaires lourdement armés.

Coupure, plan séquence d'intérieur.

Les gens, plus des militaires installés à des bureaux. Les arrivants présentent un à un permis de conduire, passeport et autres documents — on leur remet alors un bracelet de papier numéroté comme ceux des festivals de musique.

Coupure, plan en plongée d'une salle de la taille d'un terrain de foot, occupée par des rangées de cabines en béton — plusieurs centaines, toutes comportant à la place d'un mur et du plafond de gros barreaux d'acier.

Les gens qui les occupent sont manifestement morts de trouille. Certains en larmes. Des familles enfermées ensemble, des célibataires isolés. Un soldat en armes pour trois ou quatre cellules. Des civils, hommes et femmes, équipés d'iPad et de talkies-walkies.

Coupure, plan fixe d'une grosse horloge digitale de stade. Compte à rebours.

Coupure, plan grand angle montrant vingt ou trente cellules. Brusque crise d'activité silencieuse, soldats et personnel aux iPad en mouvement, prisonniers hurlants — la terrible intimité visuelle du muet.

Zoom tressautant.

L'occupante d'une cellule, une femme d'une vingtaine d'années, commence à se transformer en loup-garou.

Car, je m'en aperçois alors, le compte à rebours a atteint le zéro. On ne la voit pas, mais la pleine lune s'est levée.

Les soldats vident leurs chargeurs sur la jeune femme.

Les balles sont manifestement en argent, car elle s'écroule aussitôt.

18

« Cette vidéo a été tournée en secret il y a trois mois à Zhangye, dans la province du Gansu, en république populaire de Chine, m'apprit Olek. Le gouvernement chinois a mené des dizaines d'actions de ce genre. Ils commencent petit. »

J'étais toujours absurdement assise par terre, dans la salle de bains. Trois pensées m'occupaient. Premièrement, cette vidéo n'avait rien d'un fake. Deuxièmement, il serait impossible d'organiser une extermination ouverte de ce genre au niveau national — de l'industrialiser. Troisièmement, j'étais naïve de penser une chose pareille. Ça avait déjà été fait. Plusieurs fois. D'où un quatrièmement : en Chine, d'accord, mais pas chez nous, aux États-Unis.

Faux. *Ça n'arriverait pas ici.* La pensée même grâce à laquelle ça pourrait arriver ici. Quoi que recouvrent le « ça » et le « ici ».

« Vous vous dites peut-être que si ces événements se sont bel et bien produits, ce genre d'horreurs restera cantonné aux endroits comme la Chine. Des endroits où ce que l'Occident appelle liberté n'a pas cours, continuait Olek.

— Je suis un peu en avance sur votre programme, merci.»

Un rire qui trahissait un véritable plaisir me répondit.

«Une pupille de M. Marlowe. Bien sûr. Voire de son homonyme chez M. Conrad. *Ici aussi se sont concentrées les ténèbres du monde.* Très bien. Voilà qui nous fait gagner du temps. Nous avons une sensibilité commune. J'ai grand-hâte de faire votre connaissance.

— Maintenant, c'est *vous* qui êtes en avance sur votre programme.

— Vous ne voudriez pas épargner l'extermination à vos enfants?

— Ils ne courront aucun danger avant un certain temps.

— Vous avez le temps, oui. Tous. Quatre cents ans, plus ou moins. Mais les choses sont là pour qui veut les voir : ceux qui s'intéressent à l'ennemi le plus évident les verront. La logique permet d'extrapoler à partir de cette vidéo. Sur vingt ans. Cinquante. Cent. Votre espèce — comme la nôtre — vit ses derniers jours liminaux. La Chine n'est que le premier murmure discret de la nouvelle Inquisition, un murmure qui va bientôt devenir fier rugissement global. Les génocides ont toujours reposé sur le fait que les gens ne voyaient pas l'ennemi en frère de race. Simple redondance, lorsqu'il ne l'est réellement pas.»

Walker venait d'apparaître sur le seuil de la salle de bains. Je relançai la vidéo et lui tendis le portable.

«Je vous offre une issue, disait Olek. À vous, à vos enfants, à tous ceux de votre espèce qui veulent l'emprunter. Vous êtes trop intelligente pour me tourner le dos sans réfléchir.

— Vous croyez vraiment qu'on se mettra tranquillement en rangs ? Que ce genre de choses arrivera sans qu'on se batte ?

— Bien sûr que non. Je suppose que vous rassemblerez une armée. Que vous transformerez le plus de monde possible. Peut-être même gagnerez-vous. Peut-être deviendrez-vous la nouvelle espèce dominante. »

Vision de la meute traversant avec moi une ville après l'autre, mordant et griffant tous ceux qui croisaient son chemin. Bulletins d'information sur la panique croissante. Carte du monde montrant l'explosion de la population lycanthrope. Suivie d'une vision du modèle chinois transformé en spectacle de prime time avec paris — simple soupape de sécurité supplémentaire à l'ennui déjà fasciné du monde en contemplation.

« Peut-être préférerez-vous tenter la chance dans une guerre totale, poursuivait Olek. Si quelqu'un peut diriger une espèce entière… Bon, vous allez me traiter de vil flatteur. Enfin… à mon avis, vous savez qu'ils gagneraient. Ils ont… quelque chose. La durabilité collective… une sorte de stupidité, à vrai dire, un manque de raffinement qui leur permet de continuer. »

Je me sentais soudain très fatiguée. Agacée et claustrophobe. Les questions que je n'avais pas voulu me poser se posaient enfin, que ça me plaise ou non, pétitionnaires bien décidées à ne pas repartir maintenant qu'elles avaient été introduites. Le soleil et la somnolence du jardin eux-mêmes me donnaient l'impression de matérialiser le doux tranchant du danger naissant que représentait le monde. Il vient te chercher. Ils viennent te chercher. Ce n'est qu'une question de temps.

« Pourquoi ne pas me dire ce que vous voulez de moi ? demandai-je. Je suis prête à parier que je refuserai de vous le donner, quoi que ce puisse être.

« — Je vous promets que ça ne vous fera aucun mal, Talulla. Mais je ne veux pas que vous preniez de décision avant d'avoir vu la preuve de ce que j'avance.

— La preuve de quoi ?

— La preuve qu'il y a bien une guérison possible.

— Et que vous pouvez la dispenser.

— Et que je peux la dispenser. Il faut que vous veniez voir. »

La vidéo terminée, Walker posa l'ordinateur ouvert sur le lit et retourna monter à la fenêtre une garde inutile. Ça n'y changerait rien pour lui, je le savais. Il ne reviendrait pas en arrière, jamais, quoi qu'il arrive.

« Bon, dis-je à Olek, je vais y réfléchir. J'ai votre numéro. Ne me rappelez pas.

— Mais il faut que vous… »

Je raccrochai.

« Je ne veux pas en parler », dis-je à Walker.

Il resta silencieux, planté à la fenêtre, à regarder dehors. J'avais beau me dire et me répéter de me lever, je n'y arrivais pas. La salle de bains empestait le linge sale et les égouts, à cause des canalisations mal fichues de la villa. C'est symbolique, me dis-je… juste avant de m'en vouloir à mort de me dire une chose pareille. J'avais pris l'habitude agaçante de chercher des signes, des correspondances, des métaphores. Ce tic stupide me persuadait qu'il y avait des choses derrière les choses, des choses associées, des choses *dans* les choses. *Ne te fatigue pas à chercher un sens à tout ça, Lu, il n'y en a pas.* Mais depuis que le vampire était venu me trouver… depuis le rêve récurrent…

Le dégoût de moi-même finit par me permettre de me lever. J'allais m'approcher de Walker, me poster derrière lui, le prendre dans mes bras, hisser du fond

de mon cœur ce qui y restait d'amour, avec reconnaissance, quand il prit la parole :

« Tu me dis ça de plus en plus souvent.

— Quoi donc ? » m'enquis-je, car la rêverie m'avait
fait perdre le fil.

« Je ne veux pas en parler. »

19

Le lendemain matin, j'allai chercher Madeline à Fiumicino dans la Cherokee de location. J'étais fatiguée. Lorcan avait passé une mauvaise nuit, peuplée de rêves qui le réveillaient hurlant, en nage. Il se réveille, et il ne me reconnaît pas. Il se *bat* avec moi. Il faut que j'aille chercher Zoë et que je la couche contre lui pour le calmer. Alors il se concentre, il s'aperçoit que c'est moi qui suis là — moi, sa mère décevante, pour le meilleur ou pour le pire. Je n'avais pas beaucoup dormi, après. *Vous n'en voudrez peut-être pas pour vous, mais pour vos enfants, oui.*

«C'est officiel», dit Madeline, avant même d'avoir attaché sa ceinture de sécurité. «L'OMPPO est dans les choux.»

J'étais nerveuse. On est tellement proches, elle et moi, que je doutais d'arriver à lui dissimuler mes pensées. Elle était comiquement attirante, évidemment : queue-de-cheval blonde, petit visage de chat aux yeux verts, maquillé avec précision, manucure française de haute volée, tee-shirt rose moulant, jean Prada seconde peau et bottines Giuseppe Zanotti. Sa modeste aura de Shalimar, de Guerlain, se déchirait par moments — pour mon odorat de sœur — devant le *lukos* qui apparaîtrait d'ici deux jours. Fergus et elle avaient gagné beaucoup d'argent en deux ans grâce aux ventes sur saisies, car j'y avais investi dix millions de dollars à trente pour cent d'intérêts. C'étaient des capitalistes nés. Une fois résigné à tuer et manger un être humain par mois, on ne voit pas trop pourquoi on serait autre chose.

«Apparemment, l'organisation est à sec depuis trois ans, continuait-elle. Ça n'a pas aidé non plus que les chefs soient prêts à tout pour se remplir les poches, évidemment.»

Elle pêcha un paquet de Winston souple dans son sac à main (un petit Chloé à lanière en python qui valait dans les deux mille dollars) et nous alluma deux cigarettes. *À sec. Prêts à tout. Se remplir les poches.* Jake aurait fait la grimace à tous ces clichés… puis laissé l'irritation se muer en désir. La ruse sexuelle est infinie. Qui le savait mieux que moi? Madeline et moi n'avions pas couché ensemble, mais la possibilité était là en permanence, courant marin sinueux qui s'enroulait autour de nous tel un serpent fasciné. Dans sa vie humaine, Madeline avait été la call-girl londonienne préférée de Jake. Il avait fini par la Transformer, sans le vouloir, en la gratifiant d'un suçon un peu plus violent que les autres. Avant de faire ma connaissance. Maintenant, elle et moi l'avions, lui, en partage obscène. Et pas que lui. Madeline avait Transformé Walker. Parce qu'il était amoureux de moi et moi de lui, plus ou moins. Parce que j'avais peur de m'en charger moi-même, peur qu'il en vienne à me détester de l'avoir fait. Oh, arrête, m'avait-elle dit quand j'avais voulu la remercier et qu'on s'était toutes les deux retrouvées en larmes ridicules. Tu te serais torturée pour rien je ne sais combien de temps. Il en avait envie. Tu en avais envie. Je pouvais le faire, donc je l'ai fait. Et voilà, tout le monde est content. Maintenant, il ne vous reste plus qu'à vivre votre vie de couple, d'accord ?»

Chaque fois que je pensais à la générosité sans artifice de son comportement, une grande tendresse m'envahissait. Suivie depuis peu d'une pointe d'égoïsme attristé car, après avoir reçu en cadeau ce que je croyais vouloir, j'avais découvert que je voulais davantage.

«Ça ne fait aucune différence, franchement, continua-t-elle en exhalant une bouffée de fumée. Pas avec les cinglés de bigots qui ont repris dans la foulée. Tu as vu le cardinal sur Sky ? Ils sont pires que des cochons dans la boue.»

Elle parlait de l'Église catholique, ravie de l'influence qu'exerçait sur ses portefeuilles d'investissement l'existence avérée de créatures diaboliques.

«Ils ont déjà levé près de cinquante millions, enchaînait Madeline. Sous cette ambiance ! La stupidité des gens, c'est incroyable… sauf que non, bien sûr, c'est tout à fait croyable.»

Elle entrouvrit sa fenêtre, par laquelle se rua l'odeur de l'aéroport, asphalte cuit, carburant pour avion, repas tout prêts. Le ciel était turquoise. J'avais beau être arrivée en Italie deux mois plus tôt, l'histoire négligemment accumulée du pays faisait toujours tourner ma tête d'Américaine. Le Colisée, gâteau géant à moitié mangé aux odeurs fantômes de grands félins, d'urine et de mort, de sang répandu sur le sable brûlant. À Rome, j'avais croisé un guide déguisé en centurion sortant d'un Burger King, bouffée de cuir et de sueur qui avait brièvement rendu sa place au passé. J'avais pensé à Remshi le vampire. *À vingt mille ans, on finit par croire qu'on a tout vu.*

«En ce moment, c'est les catholiques, poursuivait

Madeline, mais d'après Fergus, les orthodoxes russes et grecs ne vont pas tarder à s'y mettre aussi. Quand les fondamentalistes américains et africains se joindront à la fête, ils seront des milliards. Attention ! »

J'aurais dû savoir que je ne m'en tirerais pas comme ça avec elle. Sans doute avait-elle senti que je lui cachais quelque chose dès l'instant où elle était montée en voiture. Quelques minutes de mise à jour trompeuse sur l'OMPPO et le Vatican… puis une invasion rapide, efficace, dont j'eus aussitôt conscience : chatouillis ou effervescence inattendus dans le cuir chevelu et les épaules, impression incomparablement plus étrange que quelqu'un survolait mes pensées tel un courant d'air froid. La Cherokee faillit faire un tonneau. Le conducteur outré d'une Fiat se pendit à son klaxon, qu'il accompagna d'un flot d'italien où je remarquai, sans surprise, les mots *vaffanculo* et *pucchiacca*.

« Désolée », reprit Madeline, souriante. « Tu ne veux pas me raconter, plutôt ?

— Nom de Dieu.

— Désolée », répéta-t-elle — en riant, cette fois, et en récupérant ma cigarette sur le plancher de la voiture, car je l'avais laissée tomber. « J'aurais juste dû poser la question. Mais bordel, Lu, tu as intérêt à t'améliorer.

— Je m'améliore, ripostai-je. Avec n'importe qui d'autre. Merde alors.

— Qui c'est ce Quinn, à part ça ? »

Il n'y avait rien d'autre à faire. Je lui racontai. Tout.

« C'est quoi, alors, cette guérison ? » demanda-t-elle quand j'en eus terminé.

On filait vers le sud sur la route côtière, Lido di Capo Portiere à notre gauche, la plage en éventail et la Méditerranée ensoleillée à notre droite. Bleu et or, les couleurs de la Renaissance. Madeline n'avait pas l'air particulièrement intéressée.

« Je n'en ai pas la moindre idée, répondis-je. Et je ne sais pas non plus ce que veut Olek. C'est bien le problème. Il faut que j'y aille pour le savoir. Tu n'y crois manifestement pas. »

Elle cherchait je ne savais quoi dans son petit sac. Belles mains, blanches et vives. Quand je pensais à tous les hommes qu'elle avait touchés en professionnelle... Jake le premier, bien sûr. Il en parlait dans son journal intime : *La main de Madeline — ongles à la française, chaude, lotionnée, prometteuse de sexe commercial jusque dans la moiteur de ses empreintes digitales.*

« Ce n'est pas ça. » Elle n'accordait aucune attention à la timide chaleur partagée que mon évocation de Jake avait fait naître entre nous. « Autant que je sache, il dit peut-être la pure vérité. Mais bon, qu'est-ce que ça peut faire ? »

Ma capacité à la déchiffrer fluctuait, non parce qu'elle se protégeait, mais parce que j'avais du mal à me concentrer simultanément sur la conduite. Je captai « QUI VEUT DE LA GUÉRISON ? » puis plus rien.

« Pas moi », ajouta-t-elle, consciente de ce que j'avais lu en elle.

Elle s'était exprimée avec une franchise sereine qui touchait le néant où aurait dû se trouver le sentiment de culpabilité ou la honte. Après tout, ne pas vouloir guérir, c'était vouloir continuer à tuer et à manger des gens une fois par mois. Ma pensée lui parvint et la figea, une seconde d'honnêteté. Il restait en elle des vestiges à éradiquer par le feu, même s'il s'agissait d'une pure formalité. La nouvelle version de son être était là, en pleine forme. Le *lukos* se sentait parfaitement à l'aise en elle, athlétique, expansif, en sécurité, chez lui parmi les victimes babillantes de son sang. Il réveillait mes propres morts trahis, démangeaison glaciale de la chair, meurtrissure enflée.

«Je veux dire que, pour moi, il n'est pas question de retour en arrière, reprit-elle. Mon ancienne vie... je ne peux pas. Je ne peux tout simplement pas.»

La réalité pesait sur nous : fardeau humide et chaud de la viande à venir, cœurs frénétiques, visages lourds que nous connaîtrions à travers l'intimité obscène du meurtre. On cherche le dégoût, mais la Malédiction donne tout autre chose. Elle offre la ruse nécessaire pour qu'on lui trouve une place, qu'on l'accueille, qu'on l'aime. On se tortille, on manœuvre mais, malgré ces gesticulations, on se retrouve immobilisé par cette vérité répugnante : ce n'est le meilleur pour nous que si c'est le pire pour eux.

«On est vraiment dans le sujet, là ?» s'enquit Madeline, qui venait de mettre la main sur l'objet de sa quête — des lunettes de soleil enveloppantes Bulgari, gris métallisé.

«Comment ça ?

— C'est vraiment le changement qu'il te faut ?»

Elle pensait à Walker. Je me dis pour la énième fois que, puisqu'elle voyait si loin en moi, on aurait dû devenir amantes : c'était ce qu'on pouvait faire de plus intelligent. Il n'y a rien de tel qu'une vie intérieure secrète pour foutre une relation en l'air, et avec elle, je n'en aurais pas. Mes mains me semblaient lourdes, électriques et fatiguées sur le volant.

«Je sais bien que j'ai quelque chose qui cloche, dis-je.

— Tu n'as absolument rien qui cloche.

— J'ai tout ce que je veux.

— Tout ce que tu *voulais*. Ça change, forcément. Si ça ne changeait pas, tu pourrais aussi bien tomber raide morte. »

Elle posa un pied botté sur le tableau de bord en s'étirant les bras derrière la tête. Aperçu par la manche du tee-shirt d'une aisselle blanche épilée, parfum de déodorant floral, puanteur suave plus profonde du *lukos*. Élancement coquin dans mon clitoris. Le fantôme de Jake s'installant dans son fauteuil, la main tendue vers la télécommande. Elle le sentait, je le savais. N'y fais pas attention, lançai-je mentalement, je ne sais pas où j'en suis. Elle ferma les yeux derrière ses verres teintés. Chargés, je le comprenais enfin, de me faciliter la conversation au sujet de Walker. La gentillesse : un des nombreux oublis du portrait biaisé que Jake avait dressé de Madeline.

« Ce n'est même pas ça, répondis-je. Enfin, pas que. Je l'aime. Je veux dire, je l'aime *vraiment*.

— Mais tu penses toujours à lui. »

Lui.

Pas Walker.

Remshi.

J'expirai, alors que je n'avais pas eu conscience de retenir mon souffle.

« Ne te gêne pas pour rigoler. Je sais que c'est ridicule.

— Tu crois que cette histoire-là… ce qui arrive maintenant, ça a quelque chose à voir ? Le livre, la guérison et tout ce qui s'ensuit ? » Le bond logique prévisible : « Attends, attends. Tu crois que c'est le même ? Que Remshi se fait passer pour Olek ?

— Non. Ce n'était pas sa voix, et je ne vois pas pourquoi il se fatiguerait à se présenter sous une autre identité, maintenant que je le connais. Mais je ne peux pas m'empêcher de me dire qu'il y a un lien. Voilà ce que j'en pense, franchement. Oh, bordel, c'est encore plus gênant que de craquer sur un putain de vampire. Prête ? Bon. Depuis que je le connais, j'ai l'impression qu'il y a quelque chose. Une sorte de…

— De quoi ? »

C'était presque impossible à dire. Je regrettai un instant qu'elle ne lise plus en moi, ce qui m'aurait évité d'avoir à le formuler tout haut.

« Une sorte de sens à tout ça », complétai-je, vaguement écœurée.

« Là, tu as raison », admit-elle au bout d'un moment.

Ce n'est pas son rayon, voilà ce que je me disais.

« Ne te vexe pas, repris-je tout haut, ce n'est pas le mien non plus. Franchement, j'ai l'impression d'être en retard. Je croyais en avoir terminé avec ces âneries. Jake doit se retourner dans sa tombe. Sauf qu'il n'en a jamais eu. Je ne sais même pas ce qu'est devenu son corps. Mais qu'est-ce que j'ai, *bordel* ? »

Car je me retrouvais soudain au bord des larmes.

« Tiens. » Madeline venait de tirer de son sac une bouteille de vingt centilitres de Bacardi, qu'elle déboucha avant de me la passer. « Bois un coup, s'il te plaît. »

J'obtempérai. Le choc et le frisson (la tequila de la nuit précédente croyait qu'on allait la laisser reposer en paix) m'aidèrent réellement, en court-circuitant les larmes ou du moins en les privant d'émotion.

« Depuis que je le connais », répétai-je, décidée à vider mon sac calmement, « j'ai l'impression qu'il n'y a pas de hasard. On dirait que quelqu'un regarde ce qui se passe. Ou l'invente.

— Comme si on était dans une série télé.

— Exactement ! »

Elle but une rasade, elle aussi, réfléchit. Secoua la tête.

«Tu vois, c'est là où on est différentes, toi et moi. Je me fiche d'être dans une série télé, du moment qu'elle est bonne. Du moment que j'ai… disons, un rôle intéressant.

— Sérieux ? Tu t'en fiches ? Tu ne veux pas savoir ? »

Nouvelle réflexion.

«Pour moi, c'est… »

Madeline n'a pas l'habitude de filer la métaphore ou la comparaison, avait écrit Jake, *mais son éloquence est incomparable quand il s'agit de souffler sur son vernis à ongles.*

«Ça ressemble aux bonus d'un DVD, avec ce qui se passe en coulisse, tu vois. Moi, je ne les regarde plus. Ça me gâche le film. »

Ce n'est pas la même chose, protestai-je en pensée, on ne peut pas comparer… mais je laissai tomber. Peu importait la précision de l'analogie, je voyais ce qu'elle voulait dire. Il existait bel et bien entre nous une différence fondamentale. Comme à la fac, entre la bande des Malheureux Socrate et celle des Heureux Cochons.

«Quoi qu'il en soit, je n'arrive pas à me le sortir de l'esprit, ajoutai-je. Je *rêve* de lui, tu te rends compte ?

— Des rêves de cul ?

— Oui. Et après, on marche sur une plage au crépuscule, à la recherche de quelque chose.

— Quoi donc ?

— Je n'en sais rien. Je me réveille. »

Elle me repassa le Bacardi, dont je bus une seconde rasade fortifiante.

«De toute manière, on s'en fout, repris-je. Je ne vais pas me mettre à vivre ma vie en fonction de mes rêves.

Pas à mon âge. Dis-moi où en est le Dernier Repaire. Il doit être presque prêt, maintenant. »

Enchaînement peu convaincant, mais que Madeline entérina, momentanément.

« Tout sera terminé dans trois semaines. L'électronique est là. L'acier. Les sols. Tu ne le reconnaîtrais pas. »

Le Dernier Repaire — Fergus l'avait baptisé avec ironie, mais le nom lui était resté —, notre bunker croate, avait été conçu par Walker et Konstantinov, avant que Madeline ne prenne la gestion du projet en main. Une équipe triée sur le volet, bien consciente de ce que lui coûterait la moindre entorse à la confidentialité, construisait notre place forte privée, équipée des meilleurs systèmes de sécurité électroniques — que viendrait parachever un armement de taille à éliminer une petite armée. La fortune délirante héritée de Jake m'avait permis de financer cette folie. La meute était résignée à mener une vie de fuite plus ou moins perpétuelle, mais les événements survenus deux ans plus tôt m'avaient décidée à devenir propriétaire d'un endroit à moi où mourir, si on en arrivait là. Un endroit où se battre le dos au mur, comme disait Fergus.

« Les étages sont habitables, continua Madeline, mais il faut que je te prévienne : je n'ai pas tenu compte de ton idée idiote de tout peindre en blanc. Il y a tellement d'acier que ça aurait fait hôpital. Ne t'excite pas, quand même. Je n'ai pas mis de tapisserie à fleurs ni rien. C'est *sympa.* »

La Cherokee arriva à la villa juste après midi. Je parlais du voyage à moto que Trish comptait faire dans le sud des États-Unis, mais m'interrompis brusquement aussitôt garée au bout de l'allée. Ma passagère l'avait senti aussi.

144

Quelque chose clochait.

« Lu ! Attends ! Attends, merde ! »

Déjà, j'étais descendue de voiture, le sang tonitruant, les membres rêveurs. Je montais en courant les marches menant à la porte d'entrée, ouverte.

20

La mort vivifie les détails, malgré son floutage. Le parquet blanc du vestibule et le portemanteau en érable, le miroir convexe évoquant soudain celui des *Époux Arnolfini*, de Van Eyck, les tricycles vert et rouge achetés aux jumeaux à l'arrivée en Italie.

Les jumeaux. Les jumeaux. Les jumeaux. Mon cœur écœuré avait pris de l'avance, il explorait l'air figé par-delà leur perte/mort/mutilation, pendant que le reste de moi se jetait contre un mur noir en disant et en répétant *Non non non*...

La puanteur du sang était là, gigantesque, incontestable, mêlée au parfum de la sauce au vin. De la viande. Des oignons. Des pêches cueillies de frais puis coupées. De la cigarette. Plus une odeur humaine que je ne connaissais pas.

Tu aurais dû les emmener à l'aéroport. Mais ils en ont assez des aéroports. Ils sont morts, maintenant. Tu t'es donné tout ce mal pour rien. Rien.

Le sang était humain. Uniquement humain. Et la platine CD de la cuisine passait «Amsterdam», de Jacques Brel.

Je savais avant de voir.

Il aimait nous jeter dehors, tous, pour cuisiner tranquille en chantant sur le CD. J'avais une conscience précise de la petite portion de temps restante entre ma compréhension et celle à venir de Madeline. Sa visite s'expliquait en partie par une intuition collective. En partie aussi par ce qui attendait là, sur le carrelage, dans une mare de sang.

Cloquet.

Personne ne moufte. Personne ne s'écrie «Oh, mon Dieu!» Pas sur le coup. À la première seconde de pure compréhension, chacun se dissout tout simplement dans la réalité de ce qu'il voit. C'est une forme de transcendance.

Et puis cette même réalité le rejette, parfaitement distinct, contraint de négocier, d'accepter.

Je me précipitai vers Cloquet, consciente de l'arrivée de Madeline sur le seuil, derrière moi.

On l'avait abattu d'une balle dans la tête avant de le réduire en charpie, sans doute à la hachette ou à la machette. Ou alors on l'avait réduit en charpie avant de l'achever d'une balle dans la tête. Quoi qu'il en soit, c'était fini. Quoi qu'il en soit, il était mort. Ce fait brut — il est mort — se déploya, emplit la pièce, continua à se déployer. Mais, grâce à Hollywood, une partie de moi n'en attendait pas moins le râle, le hoquet, la toux, le retour hésitant à la vie. La vie partagée avec Cloquet se ruait en foule incrédule, incapable de concevoir que la porte allait lui être fermée. Que le spectacle pour lequel elle se déplaçait était déjà terminé. Je m'imaginais la tête des jumeaux quand je leur dirais. *Cloquet a été obligé de... Cloquet est parti...* Vieilles habitudes. Mes enfants n'avaient pas besoin d'euphémismes. En tout cas, pas pour la mort. Ils savaient ce que c'était. Ils voyaient leur mère la dispenser. *Cloquet est mort.* Zoë pleurerait. Elle l'aimait. Elle l'*avait* aimé. Lorcan ne pleurerait pas. Lorcan ne pleurait pas. Il était trop curieux. C'était ma faute. L'épreuve de ses premiers jours que je n'avais pas réussi à empêcher. Il avait découvert trop tôt la perte, la solitude, la trahison. Il avait découvert trop tôt qu'il ne pouvait compter sur personne, pas même sur sa mère.

Madeline posa son sac à main sur une des chaises, très prudemment, comme s'il contenait une bombe. Plantée derrière moi, alors que je m'étais agenouillée, elle regarda le corps, sans le toucher. Ils avaient été amants occasionnels pendant près de deux ans. Contre toute attente, quelque chose d'intense et de discret existait entre eux. *Avait* existé. Il me semblait qu'elle lui avait confié un fragment de l'ancienne Madeline, la Madeline humaine, pour qu'il le mette à l'abri. Il fallait un humain pour le mettre à l'abri. Pour le prendre.

J'appelai Walker sur mon portable.

« Salut.

— Les enfants sont avec toi ?

— Oui, on est à la plage. Que…

— Rentrez. Il s'est passé quelque chose. Quelqu'un est venu. » Une pause, pour donner à la réalité la possibilité de changer d'avis. Refus poli de sa part. « Cloquet est mort. »

C'était irréversible, maintenant. Je l'avais dit. Madeline l'avait entendu. Elle baissa involontairement le regard vers le visage inerte. Cloquet avait la tête tournée sur la gauche, les yeux fermés (Dieu merci), la bouche ouverte. Toutes les petites choses qu'il avait faites pour moi. Allumer ma cigarette, me tendre une tasse de café, nouer les lacets des enfants, les houspiller jusqu'à ce qu'ils se brossent les dents. Pendant les deux semaines par mois où on mangeait normalement, il tenait à préparer un petit déjeuner cuisiné, omelette aux fines herbes fraîches, rillettes de maquereau, œufs à la coque et mouillettes pour les jumeaux. Ça faisait du bien, le matin, de le trouver au rez-de-chaussée les cheveux en bataille, les sourcils froncés, pieds nus, en train de faire du café en fumant une cigarette. Parfois avec Zoë, assise sur le comptoir, en train de lui raconter les grands événements de sa vie.

« Lucy et Trish sont là aussi ? m'enquis-je.

— Lucy, oui. Trish fait les boutiques, répondit Walker. Seigneur. Madeline est avec toi ? »

Sa créatrice. Une seconde ou deux, je le détestai. Pour son lien avec elle. Pour l'amour que lui portaient les enfants. Pour ne pas me suffire, malgré notre amour.

« Oui. On arrive tout juste de l'aéroport. Il a été… »

Alors seulement je pris conscience de la cocotte Le Creuset retournée par terre, de la nourriture renversée, de la sauce qui limitait l'extension de la flaque de sang. Madeline leva le bras pour éteindre le brûleur de la gazinière.

« En revenant, repris-je, emmène tout de suite les jumeaux à l'étage. Il ne faut pas qu'ils voient ça.

— Vous avez visité la maison ? »

Quelle idiote. Quelles idiotes. On devrait être meilleures, maintenant.

« Mets Lorcan et Zoë dans la voiture. Restez avec eux, Lucy et toi. Appelle Trish, aussi. Ne bougez pas avant que je ne vous rappelle. »

Je raccrochai, sachant qu'il allait ajouter quelque chose, un conseil ou un avertissement, par habitude masculine. Madeline restait figée, les yeux rivés au corps. Le sang s'était accumulé autour de mon genou et du pied botté de ma compagne. Je me sentais brusquement fiévreuse. L'odeur du carnage avait animé le *lukos*, dont la faim vacilla puis battit en retraite à l'odeur du bœuf bourguignon.

Il faut visiter…, émis-je en me relevant.

Je sais.

Elle était soulagée d'avoir quelque chose à faire, car son allocation d'ajournement s'épuisait. La réalité lui revenait : *Plus jamais entendre tenir sentir sa voix son rire sa vie. Plus jamais. Fini. Perdu.* Son champ de force me pesait. Plus longtemps elle resterait figée, pire ce serait. Un Luger attendait sur la troisième étagère du placard à vaisselle, un colt derrière *Oncle Vania*, au salon. On passait d'une pièce à l'autre en silence.

Rien. À part le soleil sur les parquets cirés, les galaxies de poussière languides, les odeurs de vieux tapis, de crayons, de moisi, de vêtements d'enfants, du nouveau manteau en cuir de Lucy, sans oublier les traces infimes de Chanel N° 19 et les relents de la baise nerveuse partagée le matin même avec Walker, avant le réveil des jumeaux. Toutes les odeurs, toutes les couleurs de la vie à laquelle Cloquet n'appartenait plus, la vie qui ne lui était plus rien. La maison, le soleil, les collines menant finalement au tumulte du monde — tout cela persisterait sans lui. *Nous* persisterions sans lui. Ainsi honorions-nous et déshonorions-nous les défunts. Mais s'il existait une vie après la mort… un lieu de châtiment ou de récompense ? Ni l'amour qu'il nous avait voué ni celui que nous lui avions voué n'auraient d'importance. L'arrogance caractéristique du sommet de la chaîne alimentaire (place occupée par l'homme jusqu'à une date récente) avait empêché l'humanité de promulguer un code moral où figurait la trahison à son espèce, mais les cieux n'hésiteraient pas pour autant. Collusion et complicité de meurtre. S'il existait un enfer, Cloquet s'y rendrait. Réalisation qui, comme d'habitude, fit refluer en moi le fantôme de ma foi enfantine. Les Cloquet de ce monde étaient voués à l'enfer, ce qui signifiait qu'il n'existait pas.

J'appelai Walker pour l'informer que la maison était sûre.

«Regarde», me dit Madeline, de retour à la cuisine.

Elle avait posé la tête du cadavre sur un coussin et lui avait fermé la bouche. Avec des gestes précis. La proximité et la laideur de la mort rechargeaient sa beauté, ses perfections finies. Elle était entrée dans une autre phase du choc, où elle oscillait entre compréhension et déni. Où se faisait sentir une certaine légèreté. Je connaissais.

«Qu'est-ce que ça veut dire?» ajouta-t-elle, les yeux rivés au signe tracé sur un des placards, avec un doigt manifestement trempé dans le sang de Cloquet.

Un trait vertical couronné d'un petit cercle, juste à côté de ce qui ressemblait au symbole de pi. Plus une sorte de croissant de lune. Ça ne me disait rien.

«Je ne sais pas. Mais le salaud qui a fait ça sait qu'on n'ira pas à la police. Il y a des empreintes partout.»

La voix telle une offense, démonstration flagrante de ma propre vie continuée. Pensée, empreintes, causes, effets, stratégie, action. Vie. Conscience. Chaque fois que je m'en rendais compte, la mort de Cloquet prenait une réalité renouvelée. C'est en partie ce qui pousse à éloigner le corps, à le brûler, l'enterrer, l'offrir à la mer. Le cadavre rend le vivant obscène. C'est aussi ce qui explique qu'on lui ferme les yeux. Les morts ne devraient pas avoir à contempler la vitalité crapuleuse des vivants.

«C'est un symbole religieux, reprit Madeline.

— Ah bon? Comment tu le sais?

— À cause de ces putains d'Anges. J'ai vu ça dans leurs pubs.

— Les catholiques.

— Ils tuent les familiers. Pas seulement nous… tous ceux qui nous aident… »

Sa voix vacilla légèrement sur le mot *aident*. L'équilibre se modifiait entre compréhension et déni. Compréhension. Il est mort. Penser à ce que cette perte représentait pour elle retardait ce qu'elle représentait pour moi. *Ma belle. Mon ange.* Petits mots tendres négligents, tenus pour acquis. Vie tenue pour acquise.

« C'est ridicule, protestai-je. S'ils savaient qu'il était là, ils savaient qu'on était là. Pourquoi se signaler de cette manière ? »

Elle secoua la tête, laissant sombrer la théorie. La pensée. La vérité s'imposait.

L'AMOUR.

Elle ferma les yeux. Déglutit. Ne se mit pas à pleurer.

21

Walker dut passer un certain nombre de coups de fil pour trouver un bateau le plus vite possible. Haute saison. Pas de disponibilités. Il finit par dire à l'agence de location d'appeler quiconque pourrait éventuellement accepter de rendre son yacht en avance contre rémunération. L'agence obtempéra, en interprétant aussi la requête comme l'occasion de se faire vingt pour cent de plus. Malgré notre état, cette petite arnaque nous frappa, aussi fiable que lamentable, affirmation que le monde continuait, indifférent, souriant. Franchement, ça tenait de l'humour noir, si on voulait bien le voir de cette manière.

La première question pratique et les suivantes (emballer le corps avec soin, trouver des pierres et des cochonneries pour le lester, télécharger les coordonnées des couloirs de navigation puis chercher où le larguer) remplirent parfaitement leur office face à la mort : contraindre les survivants aux actions minimes qui les empêchent de s'abandonner tout entiers au chagrin. La réalité n'en persistait pas moins à remettre sa page à jour en ce qui me concernait, avec une nouvelle version sans Cloquet. La plus banale des choses peut exprimer l'absence soudaine : une cuiller à café, une pub télé, l'ombre d'un oiseau en vol. J'endurai brièvement une plaie à vif, car le meurtre irritait le deuil. Mes circuits vestigiels avaient beau dire que tuer et manger des gens me disqualifiait question chagrin, le *lukos* vaquait à ses affaires : insister, tout simplement. Transpercer de sa brûlure, tout simplement. Défier, tout simplement. Continuation indifférente, souriante. Telle est la nature de la vie. De la bête.

À minuit passé, le *Sirius* (un yacht de douze mètres, dont notre éducation aux séries policières soutenait qu'il abritait en principe des call-girls en bikini, très occupées à bronzer entre deux pipes à des barons de la drogue) nous emportait sur la mer Tyrrhénienne. Lucy pilotait habilement, en indigène de Henley-on-Thames, même si l'escroc de l'agence de location avait enseigné les bases à Walker. Trish, Madeline, les jumeaux et moi occupions en poupe le coin salon luxueux, tout de noyer ciré et de cuir crème, avec accessoires en chrome. Madeline n'avait pas officiellement annulé ses dispositions espagnoles, mais personne ne doutait qu'elle resterait avec nous pour la mise à mort. (La mise à mort ? Mais oui, ne vous faites pas d'illusions : la faim considère avec une indifférence égalitaire tout ce qui n'est pas sa propre satisfaction. Vous êtes déprimé ? Vous avez le cœur brisé ? Vous êtes en deuil ? Le *lukos* s'en contrefiche. La pleine lune se lève. Vous vous transformez. Il vous faut ce qu'il vous faut, vous faites donc ce que vous faites. La mise à mort continue — comme le spectacle.)

« Tu crois que ça le dérangerait d'être enseveli en mer ? » me demanda Madeline.

Il faisait nettement plus frais sur l'eau, à une demi-heure du port, une fois les petites îles obscures dépassées : Zannone, Ponza, Palmarola, Ventotene et la minuscule Santo Stefano. Le ciel noir et bas, débordant d'étoiles, avait l'air aussi artificiel qu'un planétarium. Sa soudaine proximité et l'odeur des flots nous avaient éveillés à la finitude vivante et honorable de notre corps, nos mains, notre gorge et notre visage nus, plongés dans l'air salin.

«Je veux dire, je sais bien que c'est le plus sûr, ajouta Madeline, mais il va se retrouver tellement seul, bordel.»

La même pensée m'était venue. Je ne me rappelais pas que Cloquet ait jamais exprimé de préférences funéraires, mais il me semblait que la mer ne lui convenait pas, allez savoir pourquoi. On a beau se dire que c'est idiot — les morts n'y attachent aucune importance, ils ne peuvent pas (sauf, bien sûr, ceux qu'on a mangés, qui trouvent en nous un curieux au-delà très exigu) —, on imagine certaines connaissances assez satisfaites dans un cercueil dont la terre et les bestioles prennent peu à peu possession, d'autres livrées au feu et se consumant rapidement, dans un soupir, d'autres encore enchantées de donner corps aux farces des étudiants en médecine, que cette approbation découle d'un robuste athéisme ou d'un humour très noir. Je n'imaginais pas du tout Cloquet jouissant de sa solitude dans des milliards de tonnes d'eau noire où il nourrirait les poissons, petits et gros.

Pensée qui me ramena au livre de Quinn. À la mort. Aux esprits. Aux dieux. Au monde Inférieur. À l'au-delà. À la possibilité que quelqu'un, quelque part, sache de quoi retournait tout ça. À l'espoir de retrouver Jake, fût-ce en enfer.

«Ça ne me plaît pas non plus, confiai-je à Madeline, mais on n'a pas le choix.»

Un enterrement aurait été trop dangereux. On retrouvait les corps. On ouvrait des enquêtes. On posait des questions. Et puis le temps nous manquait.

« Je sais que ça n'y change rien pour lui », reprit-elle en allumant une Winston, dans l'espoir de s'occuper. « Je le sais, mais… mais je n'aime pas penser qu'il va rester tout seul là au fond. Dans le noir. »

D'après Lucy, deux heures de trajet nous séparaient des coordonnées choisies par Walker, à distance quasi égale de la masse continentale italienne, de la Sardaigne et de la Sicile. Depuis midi, pourtant, la journée tout entière restait en suspens dans un rêve, un temps imaginaire. Après la brève excitation de l'embarquement — On va sur Un Bateau ! —, qui avait momentanément occulté l'autre réalité du moment, les jumeaux s'étaient calmés. L'humeur de la meute les avait ramenés à cette autre réalité. Quand je leur avais dit que Cloquet avait disparu — qu'il était *mort*, je m'étais forcée à employer le mot —, ils avaient demandé à le voir. Maddy et moi l'avions nettoyé et couvert de notre mieux, mais la violence qui lui avait été infligée n'en restait pas moins évidente. Zoë ne s'était mise à pleurer qu'en s'apercevant qu'il avait la main froide — car elle l'avait prise. Elle sait ce que c'est que la mort, bien sûr. Elle m'a regardée tuer. Elle a dévoré la chair, lapé le sang, rongé les os. Mais les *leurs*. Ceux des humains. Je doute qu'elle ait jamais rangé Cloquet dans cette catégorie, même s'il en faisait partie. On ressemble aux racistes qui font une exception pour leur serveur indien préféré : Mais non, Raj, pas *toi*. *Toi*, ça va. Lorcan m'avait sidérée en demandant : « Où il va, maintenant ? », mais j'avais fini par comprendre que la question n'avait rien de métaphorique. Il voulait savoir ce qu'on allait faire du corps. C'est un enfant extrêmement pragmatique, quoique pas réellement froid. Le déni passait par instants sur ses traits comme le soleil apparaît parfois entre les nuages.

Lorsque Lucy coupa le moteur et que le bateau s'immobilisa en dansant sur la houle, les jumeaux vinrent se serrer contre moi, plaqués chacun à une de mes jambes. Walker et Lucy descendirent du pont supérieur. Madeline jeta sa cigarette à l'eau. La comédie n'attend bien sûr que les instants les plus sérieux. En tirant le corps lesté sur le plat-bord, on sentait tous que les esprits de la farce mouraient d'envie de participer — l'un de nous, déséquilibré, lâcherait prise prématurément, à moins qu'une des pierres enchaînées au cadavre n'écrase un pied maladroit.

«Quelqu'un veut dire quelques mots?» demanda Walker.

Lucy, Trish et lui avaient reculé. Il ne restait que Madeline et moi pour tenir le cadavre. Qu'y avait-il à dire? *Nous livrons aujourd'hui aux vagues le corps de Paul Cloquet, ex-enfant battu, ex-top-modèle, drogué, devenu familier humain et complice de loups-garous meurtriers...*

«Je sais que ça n'y change pas grand-chose, mais au moins, c'est une belle nuit», fit remarquer Lucy.

Il s'avéra que notre ami n'avait pas besoin d'autre eulogie. Madeline et moi avions toujours les mains posées sur le corps puis, conscientes l'une de l'autre, sachant que c'était maintenant, maintenant, il faut le lâcher, oh mon Dieu, adieu, adieu, désolée, désolée, je t'aime (impossible en cet instant de fusion de distinguer ses sentiments des miens ou l'impression de fracture dans sa poitrine de la mienne), on le lâcha. On le poussa, avec douceur et fermeté, jusqu'à ce qu'il se mette à rouler, dépasse son axe de pivotement (vision d'horreur partagée de ses yeux s'ouvrant brusquement sous la bâche, hein, quoi ? Qu'est-ce qui se passe, bordel ?) puis tombe de trois ou quatre mètres à la mer.

22

Les deux jours suivants se passèrent tristement, inévitablement, obscènement sans qu'on parle de ce que
pouvait, allait, devait signifier la présence de Madeline
lors de la mise à mort. Elle essaya. Pas à voix haute,
pas même face à face. Je prenais un bain, le lendemain
des « funérailles » (le *lukos* m'y pousse en se débattant,
en soubresautant, en gesticulant), assommée par la
codéine, l'herbe et le scotch, quand je la sentis derrière
la porte, le dos et les paumes pressés contre le mur. Sa
taille mince serait si agréable aux mains de Walker.

Salut.

Salut.

Tu n'as pas à...

Je sais. Ça va. Pas la peine d'en parler.

Le problème, c'était qu'elle ne pouvait tenir aucune
promesse. Baisetuemange aspirait les promesses
comme un fourneau le papier. Elle resta là un instant,
immobile, à se dire *Je vais y aller. Je devrais y aller. Je
ne peux pas y aller.* Une boucle parcourue à n'en plus
finir. La force de gravité de la meute nous entraînait à
présent, indéniable. Sans le chagrin qui l'affaiblissait,
peut-être Madeline aurait-elle réussi à y échapper, mais

la mort de Cloquet l'avait profondément affectée. De même que moi.

○

«Qui te l'a dit? demandai-je à Fergus.

— Oh, allez, Lu, je ne prends pas de risques, fais-moi confiance. C'est du béton. Mais je reconnais qu'on est un peu obligé de s'interroger sur la manière dont ça se passait avant que les gens décident de vivre leur vie sur Facebook.»

Fergus, cinquante-trois ans, alcoolique fonctionnel, représentant de commerce pour Toyota, doté au moment de la Transformation d'un physique d'ours à la Baloo, avait ensuite perdu du poids et amélioré sa garde-robe. Ses fesses féminines et sa bedaine oscillante avaient disparu, de même que ses costumes lavables en machine. L'argent et la perspective de vivre quatre cents ans avaient boosté ses notions d'esthétique. Il fréquentait une salle de sport et un coiffeur branché, avait laissé tomber la barbe de trois jours permanente et portait des vêtements sport, sobres et chics qui lui allaient bien. Je suis passée chez lui à Fulham, l'autre jour, m'avait raconté Madeline avec un dégoût ravi. Tu devrais voir son armoire de salle de bains. On se croirait chez une représentante Avon. Sérieux, je t'assure. Il m'a demandé si les réducteurs de pores marchaient vraiment.

Comme prévu, on l'avait retrouvé à Grenoble. Pas comme prévu, il nous manquait un chauffeur pour assurer notre fuite. Cloquet. D'où la nécessité de tuer tard et de nous déplacer vite. Fergus qui, bizarrement, adorait la logistique, avait failli manquer de temps pour prendre d'autres dispositions.

«Je vous donne les grandes lignes, continua-t-il en dépliant une carte satellite Google imprimée maison. Notre cible est là, à huit kilomètres de Charmes-sur-l'Herbasse. On laisse le véhicule là…» Il désignait un point précis à l'aide d'un porte-mine, ce qui me permit de constater qu'il s'était fait manucurer. «… à l'endroit où ce sentier, là, part de la route et s'enfonce dans les bois. Un kilomètre cinq jusqu'au site de transformation. Vous connaissez la chanson. La lune se lève à 21 h 08, on reste donc assis sur nos culs pendant… disons quatre heures, par mesure de précaution. Il nous reste ensuite deux heures pour nous rendre à destination, tuer nos proies et regagner le site. Il faut bien viser. Quand on quitte la maison, pas question de traîner dans le coin plus longtemps que nécessaire.»

La réunion se tenait à l'arrière d'un camping-car Fleetwood de trois ans, sur une zone de repos, juste à l'extérieur de Chalon. (Je me représentais ses précédents propriétaires comme des retraités aux cheveux blancs en pantalon de golf. Ou une famille d'Américains moyens brisée par la fonte économique, dépouillée de ses barbecues, ses X-box, ses vélos pour enfants, ses bonus et ses assurances maladie, en proie à des irritations mineures magnifiées par le brusque manque d'argent. Moi qui en avais à présent — qui en avais *beaucoup* —, je pouvais affirmer une chose : quand on était riche et malheureux, on aurait été tout aussi malheureux pauvre, sans la consolation des draps de bain de qualité et des cocktails à trente dollars.) Les véhicules deux et trois se trouvaient entre Grenoble et Genève. De là… Bon, on n'avait encore rien décidé. Il aurait fallu être fous pour réinvestir la villa de Terracina, puisque quelqu'un — ces saletés de *Militi Christi, a priori* — savait qu'on la louait, même si mettre la main sur les assassins de Cloquet figurait évidemment en tête de nos priorités, à Maddy et moi. Sans les enfants, on serait retournées là-bas attendre que ces salopards réessaient. Fergus rentrerait à Londres superviser la vente d'une demi-douzaine de propriétés immobilières puis irait en Croatie accélérer l'achèvement du Dernier Repaire. Lucy avait à l'origine l'intention de regagner l'Italie en ma compagnie pour y passer une semaine supplémentaire (il lui restait deux ou trois galeries romaines à visiter ; c'était obsessionnel), et Trish comptait aller aux États-Unis, où elle avait loué une Harley qui lui permettrait de voyager deux semaines dans les États du Sud. *A priori* (nœud d'amour et de claustrophobie), Walker m'accompagnerait, où que j'aille. *A priori*. Un *a priori* d'avant. Lui et moi n'avions pas eu de véritable discussion depuis la mort de Cloquet. Il se disait qu'elle avait aggravé le mal qui nous rongeait. Qui *me* rongeait. La place en moi pour autre chose. *À la prochaine*...

Lucy gémit, sur la couchette supérieure gauche. Les dernières heures avant la transformation l'épuisaient. Trish aussi, recroquevillée sur la couchette d'en face, les genoux ramenés contre la poitrine, en nage quoique glacée, frissonnante. Walker refusait de s'allonger alors qu'il souffrait visiblement, le visage émacié, quasi grisâtre, les veines en principe invisibles dessinées sous la peau, traversé de crampes et de spasmes qu'il chevauchait, tremblant, les dents serrées. Je ne valais guère mieux. Des cloques de *lukos* enflaient et explosaient dans mon sang — l'insistance idiote du monstre tentant de contrevenir à la loi de la lune. L'énorme crâne semblait se former par moments tel un casque autour du mien. Je m'étonnais en levant la main de ne pas trouver un museau, de larges pommettes, un souffle de forge.

Les effets négligeables de la codéine et de l'ibupro-fène allaient et venaient. L'alcool m'aurait aidée, mais il m'aurait aussi saoulée, et il se jouait trop de choses pour que je renonce à la sobriété. Seuls Madeline, Fer-gus et Zoë — le hasard lui avait accordé cette chance — ne souffraient d'aucun symptôme prétransforma-tion. Le malheureux Lorcan gisait en position fœtale, parfaitement immobile, les yeux écarquillés, la main crispée sur celle de sa sœur. Il respirait soigneusement par le nez.

«Prêt, tout le monde?» conclut Fergus.

Son Chanel *pour homme* ne faisait aucun bien à notre odorat, à Walker et moi.

«Putain, Fergus, arrête, on a compris, répondit Trish. On n'a qu'à y aller tout de suite. Je ne supporte pas d'attendre.»

Une heure de trajet nous séparait de Charmes-sur-l'Herbasse, puis une demi-heure supplémentaire du sentier — par des routes trop étroites pour que deux véhicules s'y croisent, dotées de zones de dégage-ment mal placées. Lorsque le camping-car arriva à bon port, j'étais entrée dans ma phase agitée. C'est comme ça : les douleurs gastriques, osseuses et musculaires se muent en énergie démente, associée à la capacité d'attention d'un moucheron. La Malédiction est douée pour les contrastes : la frivolité, immédiatement sui-vie de l'homicide. J'étais installée à l'avant à côté de Fergus, qui tenait le volant. La faim palpitait violem-ment en nous. Elle s'exprime avec une sophistication décroissante : d'abord des aperçus, de petites touches, les échos des meurtres précédents, les multiples notes et accents fragmentés des vies englouties, filmées sous des angles artistiques, poème en prose complexe ou musique postmoderne. La lune tient cependant à la simplicité. L'épopée en vers libres devient sonnet, le sonnet limerick, le limerick babillage de bébé, le babillage de bébé battement de tambour. Au bout du compte, il ne reste que le rythme du besoin sourd et aveugle. La paix, une sorte de paix, le retour au silence originel.

Le camping-car garé au début du sentier, la meute s'équipa des sacs à dos contenant ses kits de nettoyage, lingettes et savon liquide. Puis, en pleine forêt, chacun se réfugia dans le coin de son choix. Walker nous accompagna, les jumeaux et moi, malgré la tension vibrante qui secouait notre couple. La soirée chaude et figée, au parfum d'arbre, évoquait une garde-robe labyrinthique mais accueillante. On s'installa en famille sous un énorme marronnier d'Inde qui me fit penser à un extrait de poème... pêché dans *1984*, peut-être : Sous le châtaignier qui s'étale, je t'ai vendu, tu m'as vendu...

La lune se lèverait dans un quart d'heure. Rien ne tournait jamais mal quand Fergus prenait ses dispositions. Il discutait tout bas avec Maddy d'un fabricant d'enduits qu'ils envisageaient de racheter.

Lorsque Walker ouvrit la bouche, je sus ce qu'il allait dire une fraction de seconde avant de l'entendre :

« Tu l'as revu ? »

Des semaines sans effleurer le sujet puis cette question, sortie de nulle part. « L' ». Remshi le vampire. Pourquoi faire mine de ne pas comprendre ?

« Non. »

Mon visage s'échauffait.

« Mais tu as hâte de le revoir. »

Une constatation plus qu'une question. Walker et moi ne nous regardions pas. Je pensais, entre autres, que c'était un soulagement d'en terminer avec le secret. Comme d'ôter une chaussure trop petite.

«Il me semble que c'est inévitable, répondis-je. Je sais que ça a l'air idiot.»

Lorcan et Walker passèrent un moment à se jeter une pomme de pin, aller-retour, en une parodie de dispute. Zoë avait grimpé dans les branches basses du marronnier. La lune me touchait, petit losange de chaleur froide sous la voûte de mon crâne — et entre mes jambes. Malgré les événements, je pensai à la sensation de sa lumière sur mes mamelons nus, séductrice, apaisante. Un circuit de plaisir s'alluma brièvement sur ma poitrine.

«C'est ça, alors?» demanda Walker.

Ça. L'attraction sexuelle.

Mentir? (Un aperçu du rêve.) Walker le sentit et s'en empara, alors qu'il cherchait à avoir une discussion honorable, à l'ancienne.

«Oui, mais ce n'est pas ce qui... ça n'a pas d'importance.»

Pour moi, si.

«On s'occupe de ça *maintenant*?» repris-je.

Soulagement ou pas, la lune était assez proche pour rendre absurde une conversation domestique à cœur ouvert.

Mon compagnon ne répondit pas, mais je le sentis tourner et retourner dans sa tête les possibilités émotionnelles comme autant de pièces de différentes monnaies : colère, jalousie, désir, curiosité, tristesse, libération.

«On n'est pas obligés de donner à une chose pareille plus de sens qu'elle n'en a», ajoutai-je. Mais la lune perdait patience. Un léger agacement s'emparait d'elle. «Zoë? Viens ici, ma puce. Toi aussi, Lorcan.»

Walker s'appuyait à l'arbre, le souffle laborieux. Les jumeaux, accroupis l'un près de l'autre, se touchaient presque. La transformation les rapprochait, peut-être en souvenir de l'époque où ils se blottissaient ensemble dans ma matrice.

Vous n'en voudrez peut-être pas pour vous, mais pour vos enfants, oui. Vous ne voudriez pas épargner l'extermination à vos enfants...

Walker tomba à genoux, puis à quatre pattes.

23

La demeure de nos victimes n'était autre qu'un manoir en T décrépit, commandant trois hectares de prés, bois, vergers et broussailles. Notre petite troupe se disposa plus ou moins en cercle autour des bâtiments. Zoë me suivait de près, comme je le lui avais appris (je la sentais à cinquante centimètres de mon pied gauche), mais Lorcan, désobéissant, préférait emboîter le pas à Walker. C'était juste un de ses petits gestes de mépris, un des petits châtiments qu'il m'infligeait : les vampires l'avaient kidnappé quelques minutes seulement après sa naissance, et je l'avais récupéré avant ses trois mois ; trop jeune pour qu'il se rappelle rien, sans doute. N'empêche que la grammaire des événements lui était restée : je lui avais fait défaut, je l'avais laissé enlever, le premier acte de sa Mère avait consisté à lui prouver qu'il ne pouvait pas compter sur elle. Les années à venir le verraient raffiner ses châtiments, je le savais. Il exercerait une violence rationnée que je subirais. Je la subirais, mais pas éternellement, mon cœur m'en avait déjà informée. Que ça me plaise ou non, j'avais un ego tel qu'il finirait pas y mettre le holà. Ou Lorcan me pardonnerait, ou il partirait de son côté. Le fantôme de

ma mère souriait. Colleen Gilaley, Madame la Dure —
c'était son surnom.

Le manoir abritait deux couples (renseignements
infaillibles de Fergus), Alan et Sue Yates, respectivement soixante-trois et soixante et un ans, leur fille, Carmel, et leur beau-fils, Rory, tous deux trente-quatre ans.

Sue aimait son mari, Alan. Ou, plutôt, Sue mourait
de peur qu'Alan la quitte. Alan aimait sa fille, Carmel.
Rory avait cru l'aimer aussi, au début, mais il ne l'aimait plus, maintenant, il en avait juste peur. Carmel
s'aimait, elle. Personne, hélas, n'aimait Sue, même si
Rory se surprenait parfois à caresser un fantasme étonnamment satisfaisant de triolisme avec la fille et la
mère (cette bonne femme avait *soixante et un* ans, bordel) ; la plupart du temps, Carmel obligeait Sue à lui
dispenser un cunnilingus, que Sue pratiquait (dans les
fantasmes de Rory) avec une répugnance visible des
plus excitantes.

C'était Alan qui avait eu l'idée de la Restauration
(avec une majuscule, puisqu'elle occupait toute leur
vie). Il disposait d'un petit pécule grâce à deux démé-
nagements londoniens réussis dans les années 1990 —
Denmark Hill et Balham —, à l'époque de la hausse
des prix. 400 000 livres de bénéfice, plus des centaines
d'heures de *Grand Designs*, l'émission consacrée aux
projets architecturaux intéressants, et de *A Place in the
Sun*, qui traitait des gros achats immobiliers à l'étranger, et voilà : Alan se voyait à présent en souverain
magnanime d'un Bed & Breakfeast français de luxe —
le mot *gîte*, dans la langue de Molière, montait facilement aux lèvres des quatre membres de la famille.
Cette vision n'aurait peut-être pas dépassé le stade du
fantasme paresseux si Rory n'avait pas perdu a) son
emploi, b) tout son argent dans une série d'investis-

168

sements catastrophiques. C'était bien sûr la faute à la débâcle économique globale — *tout le monde* perdait de l'argent (même la fortune satiriquement énorme de Jake avait fondu de trente pour cent) —, mais le problème de Rory, c'était qu'il n'avait pas grand-chose à perdre pour commencer, qu'il avait tout perdu et qu'il avait réussi en plus à s'endetter de cent mille livres. Dans un sens, il en était soulagé. Il avait peint à Carmel un tableau totalement faux de leur aisance, pour la bonne raison qu'elle tenait à une certaine aisance. Le salon contenait du Bose, le meuble à chaussures du Prada, le garage de l'Audi. Et les aisselles de Rory un incendie plus ou moins permanent, qui s'avivait à l'arrivée de n'importe quelle enveloppe à fenêtre. Franchement, Carmel aurait dû le larguer en découvrant le pot aux roses — le soulagement de Rory n'aurait plus connu de bornes —, mais elle n'en avait rien fait. Quant à savoir pourquoi… Curieusement, *Sue* le savait, au fond de son cœur timide et méprisé : parce que, sans jamais en avoir parlé, Alan et Carmel, le père et la fille, préféraient garder Rory sous la main un certain temps pour le torturer. Le Châtiment du Mensonge, telle était la rationalisation de Carmel, tandis qu'Alan (qui avait de lui-même l'image inattaquable d'un Brave Type et commençait la plupart de ses déclarations par « L'honnêteté m'oblige à dire… ») entendait Donner à son beau-fils une Seconde Chance. Alan avait donc *parlé* au coupable avec une sorte de magnanimité sévère. Il persistait à appeler Carmel « ma petite Carmel » et frôlait toujours l'émotion la plus intense quand il pensait à elle. D'où des larmes dont il n'avait éprouvé aucune gêne à la fin de la « discussion » entre hommes, bouleversé qu'il était par la férocité de son amour paternel et sa générosité, financière autant que spirituelle. Rory, qui s'attendait à des remontrances impitoyables, s'était retrouvé à la fin du discours dans les bras d'un Alan tremblant — et, franchement, terrifiant, vu sa taille et sa robustesse, malgré la chaleur protectrice qu'il irradiait à ce moment-là.

Ainsi avait commencé la Restauration. Rory n'assumait pas les responsabilités qui lui étaient échues et démontrait ainsi son incompétence, d'où les soupirs d'Alan, les moqueries de Carmel et les clins d'œil de Sue (en coulisse). Tout cela apportait du grain à moudre au moulin du père et de la fille. Non que rien d'inconvenant se fût jamais produit entre eux, bien sûr (Alan, frissonnant de dégoût, eût réagi par la violence au moindre sous-entendu de ce genre), ce qui était bien dommage; cette latence mijotante donnait la nausée.

À notre arrivée, Carmel se vernissait les ongles de pied sur son lit en écoutant Rihanna. Alan et Sue se trouvaient à la cuisine, où elle préparait le ragoût du soir pendant qu'il parcourait des papiers en détaillant les dernières erreurs de gestion de Rory, en secouant la tête avec un plaisir attristé et en travaillant mentalement son ton de patience qui a presque trouvé ses limites : Rory... Rory. Ce sont des erreurs de débutant, mon garçon. De *dé*butant... Rory, lui, restait tout simplement planté dans ce qui, après Restauration, serait baptisé la lingerie, en se demandant pour la énième fois comment sa vie était devenue aussi vite aussi merdique, quand viendrait le prochain sermon d'Alan et s'il avait lui-même rassemblé le courage de s'en aller après leur avoir dit à tous d'aller se faire foutre. Ou, mieux encore, de partir en pleine nuit sans un mot...

Sue nous vit la première, alors qu'elle passait de la cuisinière au comptoir.

Nous. Walker et moi. Deux loups-garous qui la *regardaient*.

«Je veux dire, franchement, Rory…», commença Alan, oubliant momentanément de répéter en son for intérieur, «on parle de quinze cents livres, mon garçon. Ce n'est pas comme si on avait les moyens de… Eh merde!»

Il avait fallu à Sue un temps extraordinairement long — de mon point de vue — pour laisser tomber sa cocotte, qui venait d'exploser sur le dallage. Elle ne criait pas. Étonnamment, la plupart des gens ne crient pas. Sa bouche s'était juste affaissée en laissant échapper un «Oooh» trémulant très discret qui, s'il ne se passait rien d'autre, se répéterait à l'infini, je le savais.

«Qu'est-ce qui…», reprit Alan.

Puis il se rendit compte qu'elle regardait derrière lui et se retourna.

À l'étage, Carmel cria, elle. Trish et Fergus (qui couchaient parfois ensemble sous forme lupine, mais jamais sous forme humaine) venaient de se présenter. Un tintement suivi d'un fracas me parvint de la lingerie (Rory avait dû heurter en reculant un seau et une serpillière) : Madeline et Lucy étaient là aussi.

24

C'est une chose de beauté que de voir sa victime dans une extrémité aussi parfaite. Elle ne pourrait être davantage elle-même, tous les détails oubliés de sa vie rappelés à elle en une ruée, comme si, pour la première fois depuis sa naissance, chacune de ses cellules était pleinement, vivacement attentive. Son odeur individuelle — votre odeur face à la mort — devient soudain cruellement suave, tension extatique avant le claquement qui nous lance à l'attaque.

Je bondis par-dessus la table, par-dessus la tête d'un Alan stupéfait, et, au terme de ma parabole, ouvris le ventre de Sue d'un seul geste à la négligence méprisante. Elle s'effondra à genoux — ses mains gantées de maniques tenant toujours bizarrement le fantôme de la cocotte — puis s'affala contre mes jambes comme pour une supplication brouillonne. Je l'attrapai par les cheveux, lui tirai la tête en arrière, me laissai tomber et plantai les crocs dans sa gorge. Lorcan me regardait de derrière la porte de communication, je le sentais — PAS ENCORE PAS ENCORE SÉCURITÉ RESTE OÙ TU ES —, de même que le petit frémissement d'excitation et de remords de Zoë, qui le suivait de près, le poing que Walker expédiait dans la poitrine d'Alan, bouche bée, les doigts géants qui se refermaient autour du cœur paternel, détraqué et brûlant, Fergus prenant Trish en levrette à l'étage pendant qu'elle plaquait Carmel au lit par la gorge (bras et jambes gigotants, visage gonflé de sang accumulé), Lucy soulevant Rory de terre par les cheveux. La maison s'emplissait de l'odeur commotionnée de la chair et du sang traumatisés, accompagnée de la discrète musique concentrée de la mort.

Ce n'est le meilleur pour nous que si c'est le pire pour eux.

La vérité centrale de la Malédiction, succinctement exprimée par un certain Jake Marlowe, aujourd'hui défunt. Personne ne veut que ce soit vrai, mais la vérité se fiche de ce qu'on veut. Elle est innocente. On ne peut rien lui reprocher.

Walker exhibait une érection énorme. (Oui, je crains que ce ne soit exactement le sens de *meilleur pour nous*. Il y a de cela bien longtemps, dans une cave fétide et mal éclairée de l'univers, un mariage lamentable a été célébré entre votre souffrance et notre libido. Dieu vous a laissés tomber. Pas de préparation au mariage : le divorce n'a jamais été au programme.) J'étais dans tous mes états, moi aussi, ce qui ne les empêchait pas d'être complexes. Les envies du *lukos* subsistaient, profondes, stupides, fiables, mais la tentation lugubre de conchier l'autel de l'amour, d'obliger la trahison à s'étaler, s'avérait également indéniable. Un jour de mon enfance, ma mère m'avait trouvée en larmes dans la cour, parce que j'avais à moitié écrasé un escargot en marchant dessus. Ce n'est pas compliqué, Lulla, m'avait-elle dit. Quand une créature est en train de mourir dans la douleur, tue-la. Sur ces mots, elle avait piétiné la bestiole avant d'aller répondre au téléphone.

La vie de Sue tirait à sa fin. J'avais dévoré son foie et ses reins, englouti de grosses bouchées de sa taille et de sa hanche, absorbé avec sa viande les éclats fragiles d'une vie vécue sur la pointe des pieds, semée de quelques grands moments qui faisaient figure de menhirs — la Sainte-Catherine où elle avait eu ses premières règles, en plein match de hockey, et où elle s'était enfuie du terrain en larmes ; le jour où elle s'était cassé la jambe chez Jane Radcliffe, dont la balançoire avait lâché ; l'après-midi surréel où, consciente de la folie de sa conduite, elle avait accompagné au bord de la rivière le garçon de la foire, qui s'était fâché parce qu'elle ne voulait pas au point de lui faire redouter un viol ; sa première fois — avec Alan, l'intuition consternée que ça pouvait être mieux, *beaucoup* mieux avec quelqu'un d'autre, idée qu'elle avait laissée s'envoler comme l'oiseau qu'on libère en ouvrant les mains et qui ne reviendra jamais ; la naissance de Carmel, le rayonnement solaire d'Alan la tenant dans ses bras ; son père fou à la maison de retraite, il ne la reconnaissait pas et l'accusait de lui avoir volé son cardigan. Le monde réduit aux infos d'ATN au *Daily Telegraph* aux gadgets électroniques de Carmel aux guerres avec des étrangers aux vieilles en burka édentées qui hurlaient toujours devant un cadavre et ç'avait beau être terrible, imaginez votre fils mort, elle regrettait que ces femmes crient et se lamentent de cette manière, sans dents, d'ailleurs les hommes ne faisaient pas mieux, ils braillaient s'agitaient serraient le cercueil dans leurs bras, Alan disait notre immigration est la risée du monde entier les Blancs ne font plus assez d'enfants parce que les femmes travaillent mais les musulmans se reproduisent comme des rats ils ne vont pas tarder à être dix fois plus nombreux que nous, ils étaient vraiment partout maintenant, il y avait une présentatrice *météo* en burka l'autre jour…

NON. JE NE PEUX PAS.

Walker, ensanglanté jusqu'aux coudes, avait posé les mains sur mes hanches.

JE TE VEUX.

JE NE PEUX PAS. LES AUTRES.

Va voir les autres, voilà ce que je voulais dire. Trish. Lucy.

Madeline.

TOI.

ÇA NE ME DÉRANGE PAS. JE VEUX QUE TU Y AILLES.

Lorcan et Zoë étaient là. Je ne les avais pas exactement appelés, mais la restriction mentale s'était relâchée, tant et si bien qu'ils attendaient à présent la permission de se nourrir. Quand je la leur donnai, ils n'hésitèrent ni l'un ni l'autre. Zoë se précipita vers les blessures qui ensanglantaient la taille de Sue, tandis que Lorcan sautait sur la table pour s'attaquer au corps d'Alan. Walker et moi ne pratiquions pas la politique du pas-devant-les-enfants (ils avaient vu ce que l'âge adulte ajoutait à la mise à mort sans le comprendre, ce qui n'empêchait pas la question de constituer d'ores et déjà une tumeur obsédante : que ferais-je au moment de leur puberté?), mais leur présence me conforta malgré tout dans mes choix.

JE NE PEUX PAS. ARRÊTE, S'IL TE PLAÎT.

Pause.

Qui me sembla très longue. Car je sentis qu'elle permettait à Walker d'intégrer totalement que je le quittais. Depuis des mois. Des années, peut-être. Deux ans. Depuis la nuit où le vampire m'avait rendu visite. J'en fus secouée. Tant que Walker n'y avait pas cru, il était resté en moi un peu de place pour le déni. Maintenant qu'il y croyait... il me semblait qu'un courant d'air glacé me soufflait dans le dos en remontant d'un à-pic vertigineux. J'eus aussitôt envie de défaire ce que j'avais fait, de lui dire qu'il se trompait, qu'on allait rester ensemble, que ce ne serait pas la fin de notre couple, quoi que ce soit, que je l'aimais, évidemment que je l'aimais, Seigneur, on parlait de *nous*...

Ce fut alors que la fenêtre de la cuisine vola en éclats sous une grêle de balles. Quelqu'un attaquait le manoir.

25

Walker avait mis Lorcan à l'abri. Bon, pas à l'abri, mais hors de portée des balles, dans l'escalier, entre deux murs. D'origine, les murs, quatre-vingts centimètres d'épaisseur. Je n'avais eu conscience ni d'attraper Zoë ni de me précipiter dans l'escalier sur les talons de Walker, mais on s'y trouvait toutes les deux. Quant à lui, il arrivait déjà sur le palier du premier avec Lorcan. Des fenêtres se brisaient. Des projecteurs s'allumaient. Un des services de mon cerveau passait des calculs en revue — *deux angles d'attaque, jusqu'ici; distance au camping-car? pourquoi ne pas avoir mis au point un rendez-vous en cas de problème?* — pendant que les gros moteurs de la panique touillaient mon sang en y déversant de l'adrénaline. Le mouvement se révélait d'une netteté aussi lente que délicieuse — mon énorme jambe de plomb se pliait pour me faire monter une marche supplémentaire… ma tête gigantesque progressait dans la mélasse du néant… Le château exhalait son odeur de plâtre humide et de poussière, avouait dans un silence attristé son existence inoffensive de deux siècles — charmant vieillard forcé de contempler dans la rue l'obscénité moderne. Le sang répandu et le ragoût de bœuf à l'oignon de Sue me rappelaient la mort de Cloquet, amenant la certitude qu'on avait affaire aux mêmes assassins. Dans toute cette immédiateté physique, je m'agaçais que le monde interfère, qu'il ne puisse pas nous ficher la paix.

Mais, bien sûr, en ce qui concernait le monde, nous ne connaissions ni ne méritions la paix.

Walker envoya Lorcan me rejoindre dans l'escalier pendant qu'une explosion endommageait gravement le bâtiment, quelque part à l'étage. Je regardai, incrédule, un pied humain coupé frôler en vol l'épaule de Walker, frapper le mur à côté de moi puis descendre les marches. Les ongles vernis (une couleur très proche de «Scarlet Vamp», constata mon ironiste indifférent) ; Carmel.

Madeline, le museau, les mains et les bras ornés de joyaux sanglants scintillants, apparut sur le seuil de la cuisine. Une énorme écharde de verre dépassait de son dos, mais elle n'en semblait pas consciente.

Lucy ?

Perdue. Trop nombreux. Argent argent argent.

Je le sentais, moi aussi, sur ma langue et contre mon palais. Lorcan et Zoë se bouchaient les oreilles sans comprendre qu'il était trop tard, que la menace, la promesse du métal était dans l'air, dans leur tête, leurs poumons, leur sang.

Madeline tendit la main comme pour parer un coup invisible, négligeable… puis tomba à genoux.

Les deux hommes postés derrière elle m'apparurent alors.

Jeunes, minces, blonds, en pleine forme, musclés par l'entraînement. Leur léger treillis gris terne était astucieusement coupé pour accueillir leurs gadgets mortels en argent. L'un d'eux tenait une sorte de cimeterre. Pas en argent (il faudrait être idiot pour fabriquer une épée en argent), mais peu importait, puisqu'il était censé séparer les têtes de garou des corps de garou, les vies de garou de l'univers.

Ne bougez pas walker les enfants ne bougez pas...

Madeline étant condamnée si je ne bougeais pas, moi, l'ordre/conseil resta en suspens dans mon sillage telle une piste éclatante, car déjà je volais — au ralenti, toujours au ralenti, ce qui me laissa le temps de sentir trois, quatre, cinq balles en argent traverser mon aura mais pas ma chair, le temps de voir les entrailles humides de Sue comme quelque chose que son corps aurait expulsé avec ses dernières forces et la tête d'Alan quasi tranchée, les yeux ouverts, la langue coincée entre les dents, la fenêtre brisée et les silhouettes en mouvement de l'autre côté, le temps d'entendre une voix féminine braillant *Gloria Patri! Et Filio! Et Spiritui Sancto!...* le temps d'intégrer tout ça (et d'examiner sous tous les angles ce qui serait peut-être la forme ultime de ma vie : amoureuse d'un vampire; cruelle avec mon amant; oublieuse de mes enfants; infectée, une fois de plus, par l'impression qu'il existait une intrigue et simultanément un peu fatiguée de moi-même, de mon avidité, de ma curiosité frivole, de ne jamais rien trouver suffisant, mais c'est peut-être ce qui te donne le courage d'affronter la mort). Tout cela me fut permis puis, dans une explosion de sang qui fit reprendre au temps et à l'espace leur cours normal, j'atterris les mains en avant sur le type au cimeterre, dont la lame, avec une aisance extraordinaire, avec le plaisir d'accomplir ce pour quoi elle avait été faite, plongea dans mes abdominaux inférieurs gauches puis ressortit dans mon dos — glace qui, je le savais, deviendrait feu d'ici quelques secondes.

Je n'y prêtai aucune attention. Le premier contact avait enfoui les griffes de ma main droite dans la gorge de l'inconnu juste au-dessus de sa pomme d'Adam. Je resserrai ma poigne et tirai. Arrachai la trachée et une poignée de vaisseaux sanguins. Assez de dommages… mais pas le temps de m'en féliciter. Ni de retirer l'épée de mes entrailles. Je levai les yeux vers l'autre type, planté devant moi. Il venait d'apprendre une précieuse leçon : on ne perd pas de temps à essayer de couper des têtes quand on dispose d'un saint Magnum .44, chargé à bloc de balles en argent. Le Magnum en question était pointé droit vers mon front.

26

Le cerveau est un organe honnête. Il entama les calculs d'évitement — temps, masse, vitesse, énergie, angles, trajectoires — sans parvenir à se cacher leur inutilité. Le doigt du tireur avait déjà poussé la détente jusqu'à mi-chemin. J'allais mourir. L'avenir m'apparaissait comme un vaste paysage obscur où se dressaient de grosses silhouettes coupantes et où la bourrasque envoyait rouler mes enfants, seuls et perdus.

Je suis désolée, leur communiquai-je. Tellement…

Ce fut alors que quelque chose frappa le tireur en pleine figure, le projetant à terre.

Un débris de mur de la taille d'une boule de bowling, lancé par Walker : l'explosion de tout à l'heure avait détruit la pièce de l'étage en face de l'escalier. D'un seul geste, je retirai le cimeterre — hurlement de mes tissus — et le plongeai dans le ventre du jeune homme jusqu'à le planter dans le parquet.

Dehors ! Tout de suite !

Madeline avait réussi à se relever. Walker, redescendu au rez-de-chaussée, lui retira la gigantesque écharde de verre pendant que les jumeaux se blottissaient entre eux. C'est ça, la bonne image, me souffla mon moi le plus pervers. Voilà à quoi devrait ressembler la vie. Walker, Maddy et les petits. Tu n'aimes assez personne. Tu ne connais pas l'amour. Juste la curiosité. Comme ta mère.

TOUT DE SUITE !

Mais nos assaillants avaient placé les issues sous surveillance. Une trentaine d'Anges, minimum, encerclaient la maison, *tous* équipés de munitions en argent. Ils nous toucheraient forcément, malgré notre rapidité. Les bois environnants présentaient une obscurité de toute beauté et une vaste conscience indifférente.

MERDE ! MERDE ! *MERDE !*

LE TOIT. ILS SONT ASSEZ PRÈS. ON PASSE AU-DESSUS.

Si on atteignait le toit, on avait en effet une chance de franchir d'un bond le périmètre ennemi. Ça ne nous empêcherait peut-être pas d'être touchés, mais les intrus surveillaient sans doute davantage les issues évidentes du manoir que le ciel au-dessus de leur tête.

Retour à l'escalier, Zoë sur ma hanche, Lorcan cramponné au dos de Walker. Madeline s'était remise de ce qui l'avait affaibli. La poussière de brique et de plâtre tourbillonnait autour de nous.

MON DIEU.

La chambre de Carmel et Rory avait perdu la moitié de son mur de façade, soufflée par l'explosion. L'odeur fraîche de la nuit s'y engouffrait, mêlée à la puanteur de la poudre. Le corps de Carmel avait été déchiré en deux, mais je n'aurais su dire s'il fallait en accuser les Anges ou Trish et Fergus.

MON DIEU.

On en avait tous eu conscience une seconde avant de le voir. Le cadavre de Trish. Étendu, un bras bizarrement plié, coincé sous sa masse, le cou tordu vers la gauche, la bouche ouverte, une langue épaisse pendante. Trente ou quarante blessures par balles, l'éther toujours douloureux aux endroits où l'argent avait pénétré la chair, la terrible réaction qui s'imposait à nous dans la bouche et les narines, amertume de la salive, entrailles retournées.

Le temps nous manquait. La réalité de la mort était là. Tout ce qui était Trish, tout ce qui l'*avait été*, entamait la course, le rassemblement précipité en nous pour nous faire prendre conscience de ce que nous venions de perdre, mais le temps, le temps, le temps, un semis de balles éclaboussa le mur derrière moi, le rayon d'un projecteur pivota...

PAR ICI !

Un autre escalier, partant du palier, menait à un autre étage. Quatre chambres supplémentaires, une salle de bains à la plomberie inachevée, de minuscules toilettes, des échelles et des bâches, du plâtre nu, un vélo d'appartement, une tringle à rideau en cuivre... Zoë, cramponnée à moi, essayait de trouver en elle une place pour Trish gisant de cette manière, la langue pendante, ça voulait dire ça voulait dire, cette chose qui arrive aux humains qui arrive mais où va-t-elle aller...

LÀ. MONTEZ.

Walker avait repéré la trappe du plafond donnant sur le grenier. Il posa Lorcan, fléchit les genoux, bondit à la verticale. La trappe s'ouvrit violemment, il trouva aussitôt une prise et se hissa au niveau supérieur.

LES ENFANTS.

D'abord Lorcan, lancé par Madeline, puis Zoë, pleine d'adrénaline babillante. TOUT VA BIEN, MA PUCE, ON REPART.

Trois lucarnes. Il nous restait très peu de temps. Pas

de temps du tout, en réalité. Trois ou quatre secondes, peut-être, avant que le premier tireur ne nous repère.

Madeline sortit la première. Je lui passai Zoë (perçus METS-TOI À PLAT VENTRE, MA PUCE) puis Lorcan.

VAS-Y !

Walker. Pas question de discuter. Une seconde plus tard, je rejoignais Madeline et les enfants, prostrés sur les ardoises froides. La situation aurait pu être pire, puisque deux des six cheminées du manoir nous abritaient de deux côtés. Il fallait y aller tous en même temps. Vite, haut, brutal. À trois (plus les jumeaux), on serait plus déconcertants. Les tirs se diviseraient. Rateraient leur cible. Les mensonges qu'on se raconte. Nécessaires.

TENEZ-VOUS *VRAIMENT* BIEN TOUS LES DEUX. COMPRIS ?

Walker reprit Lorcan. Zoë me grimpa sur le dos, m'enveloppa de ses bras. Un bond de quinze ou vingt mètres. Toucher terre en courant. Quatre-vingts mètres jusqu'aux arbres. Et là… *là*? Le camping-car ne nous servirait à rien dans notre état, et la lune ne se coucherait que dans deux heures. D'où deux options : regagner le site de transformation, récupérer nos affaires puis filer le plus loin possible, ou laisser tomber le site de transformation (très certainement encerclé), nous rendre à la maison la plus proche et courir le risque d'en tuer les occupants pour voler des vêtements. Les vêtements. L'incapacité à conduire avec ces mains et ces pieds-là. Les questions pratiques. Un groupe d'heureux crétins dont on n'arrivait jamais à se débarrasser. Franchement, c'était comique. Sauf que quand on avait deux gamins de trois ans sur les bras, le comique n'était pas toujours évident.

PRÊTS ?

Oui.

Go !

On bondit avec ensemble, Maddy, Walker et moi.

Comme tout ce qu'on fait parce qu'on ne peut absolument plus rien faire d'autre, ce fut un soulagement. J'eus le temps de remarquer la couverture déchirée tendue par un nuage fugace juste sous la lune (laquelle me rappela que je n'avais pas assez mangé) et, en baissant les yeux, le visage levé d'un des Anges, un jeune de vingt ans à peine dont le casque (croisement entre ceux des boxeurs et des cyclistes) encadrait un doux visage androgyne aux traits bien dessinés. Il regardait en l'air exactement comme lors d'un feu d'artifice spectaculaire — les yeux écarquillés au-dessus de ses taches de rousseur.

Walker toucha terre une fraction de seconde avant moi. Madeline juste après. La forêt se rua vers nous telle une foule se jetant sur une barricade, avec amour. Tirs nourris, projecteurs au tournoiement démentiel, ordre braillé à répétition dans un italien que le mien ne me permettait pas de comprendre.

Détail minuscule, petite pointe s'enfonçant dans l'arrière de ma cuisse gauche — fondu au noir.

TROISIÈME PARTIE

La prophétie

27

Remshi

Voilà pourquoi mon adorable Justine était restée muette. Persuadée que, si je retrouvais l'amour, il n'y aurait plus de place pour elle dans ma vie. Et que signifiait trouver Talulla — Vali de retour sur terre —, sinon retrouver l'amour?

«Je sais pourquoi tu ne m'as pas dit ce qu'on faisait en Europe», lançai-je en remontant de la crypte, une fois relevé d'entre les morts. «Ce que *je* faisais en Europe. Je sais pourquoi tu ne m'as pas parlé de Talulla.»

À quatre pattes dans le bureau, nue, Justine frottait les taches de sang à l'eau de Javel, avec une brosse visiblement brutale dont j'ignorais jusqu'à la présence dans cette maison. Il était une heure du matin passée. Les corps de la nuit précédente avaient disparu. Sans lever les yeux, elle me lança un rouleau de sacs-poubelle que j'attrapai au vol. On attrape toujours, surtout quand c'est l'un des nôtres qui lance.

«Déshabille-toi et mets tes fringues là-dedans, ordonna-t-elle. Il faut les brûler.

— Je…

— On n'a pas beaucoup de temps. Va prendre une douche et saute dans quelque chose que tu n'aimes pas, parce qu'il faudra le brûler aussi. Et ne reviens pas ici une fois propre. Fais le tour par le salon pour aller m'attendre au garage.

— Au garage ?

— C'est là qu'ils sont. Il va falloir les enterrer, non ? »

Les trois cadavres de la nuit précédente. Je restai un instant planté là à la regarder, plein d'amour. C'est terrible comme quelqu'un d'absorbé dans des mots croisés, laçant ses chaussures ou nettoyant le parquet peut vous prendre par surprise de tout le poids de votre tendresse. Quand elle avait bu à mes veines, la mort m'avait frôlé, énorme obscurité très douce. Puis son sang m'était venu telle une corde, à laquelle je m'étais cramponné malgré moi. Oh oui, cramponné. L'horrible instant où j'avais compris que je n'arriverais pas à m'arrêter, qu'elle devrait m'arrêter, elle. Elle l'avait fait. J'étais enchanté de savoir qu'elle avait eu la force et l'instinct nécessaires.

« Écoute, Justine…

— Il faut qu'on s'en occupe, coupa-t-elle. *Maintenant*. D'accord ? »

Il me fut très, très difficile de ne pas déverser sur elle un réconfort rassurant. Mon cœur me faisait mal tant j'avais envie de lui dire qu'elle se trompait, qu'elle s'inquiétait pour rien. Toutefois, son champ de force était significatif : non non non.

Très bien. Que les questions pratiques fassent de leur mieux : la distraire jusqu'à ce qu'elle soit prête. Voilà pourquoi elle s'était lancée dans le nettoyage sans m'attendre.

« Merci, repris-je.

— De quoi ?

— Tu m'as sauvé la vie. »

Elle ne leva pas les yeux. Ses petits seins oscillaient joliment au rythme des coups de brosse.

« Ouais, bon, tu m'as sauvé la mienne aussi, lâcha-t-elle enfin. Maintenant, tu veux bien te dépêcher un peu, *s'il te plaît* ?

— Alors ça se passe comme ça, à partir de maintenant ? » demandai-je, avec l'envie désespérée de la prendre dans mes bras.

« C'est-à-dire ?

— Tu me donnes des ordres en tyran ?

— Oui. Va te doucher. Dépêche-toi. »

Je m'aperçus sous les jets d'eau (qui, en position massage, me frappaient la tête et les épaules d'une volée de balles moelleuses) que j'avais fait le rêve, une fois de plus. (Revenir d'entre les morts, des années-lumière de néant, néant, néant qui se fond finalement à l'océan du sommeil qui se fond au rivage de l'éveil.) Son souvenir s'imposa telle l'odeur de la mer : la plage déserte au crépuscule, quelqu'un derrière moi, la barque abandonnée. L'impression terrible de me trouver au bord d'une vérité aussi simple que profonde. *Il ment à chaque mot*, d'une familiarité exaspérante, me tournant autour de la tête au réveil comme les oiseaux des commotionnés dans les dessins animés.

Une fois de plus, la peur s'offrait à moi, si j'acceptais de la considérer et de l'affronter.

Mais je ne recule pas devant la lâcheté. Je préférai me concentrer sur le savonnage de mes organes génitaux, en me demandant combien de temps il me faudrait pour retrouver la trace de Talulla.

De Vali.

28

«Tu as vu leurs tatouages? lança Justine. Ce sont des Anges.»

On était au garage, où on préparait les corps. Les deux femmes arboraient un sceau noir au-dessus du nombril, à droite, l'homme le même sur le biceps droit.

«Des Anges?» répétai-je.

Justine avait déjà vu ce symbole, parce que les gourous du marketing dont le Vatican s'était offert les services avaient ressuscité l'écriture angélique. On la retrouvait dans toutes leurs pubs. L'Église catholique avait manifestement profité de mon sommeil pour faire coup double : elle avait à la fois évacué sa timidité face au surnaturel (le Diable existe, oui, c'est sûr, mais soyez gentils, ne nous demandez pas d'entrer dans les détails) et présenté au monde la force de combat qu'elle entraînait afin de l'affronter, à savoir les *Militi Christi* ou Soldats du Christ — les Anges, à en croire l'optimisme du vulgaire.

«Oui, bon, ce n'était qu'une question de temps, observai-je. Le vrai problème, c'est la manière dont ils nous ont trouvés, bordel de merde.»

Il fallut prendre les deux voitures, lui tassé dans le coffre de la Mitsubishi, elles dans celui de la Jeep (enveloppées du long tapis persan de l'entrée). La nuit scintillante de Los Angeles avait déjà vu ça bien des fois. Des corps. Des coffres de voiture. Les détails pratiques innocents du meurtre.

Justine débordait d'énergie enchanteresse. Sa nouvelle nature brillait, rayonnait. Des années d'émerveillement. Son plaisir était évident dans le sourire qui persistait à lui monter aux lèvres et qu'elle persistait à effacer. L'incrédulité résiduelle persistait aussi, par instants ; elle perdait alors toute expression, brièvement, pendant que son système tentait de se réinitialiser pour venir à bout de l'étonnement dû à son nouveau logiciel.

Direction, l'intérieur des terres, par la 10. Le désert. Le ciel débordant d'étoiles. Tuez quelqu'un en Angleterre ou au Luxembourg et, tôt ou tard, un jogger ou un promeneur de chien tombera sur les restes ensevelis par vos soins. Dans les petits pays, le monde moral vous suit partout. Il en va différemment dans les vastitudes des déserts américains. Quand vous enterrez un cadavre, elles haussent les épaules en disant, Pas de problème, vieux.

À dix kilomètres de Joshua Tree, une route file vers le sud sur un kilomètre cinq sans mener nulle part, puisqu'elle disparaît tout simplement dans le sable et les broussailles. Ce n'était pas assez loin de la civilisation, mais la nuit ne serait pas assez longue pour qu'on soit sûrs de rentrer sans problème si on s'en éloignait davantage. Grâce au sang nouveau, le Fouet satisfait pour la deuxième nuit consécutive m'offrit un cactus saguaro à la tête et aux trois grands bras couronnés d'une étoile hérissée. Un geste — un des innombrables gestes. Par la grâce malicieuse du Fouet, cette silhouette annonçait un équilibre absurde, celui qui permettait d'accepter le sens et l'absence de sens obstinés des choses.

Le travail se fit en silence sous les puissantes constellations. La force me revenait en douceur pendant que je creusais. Les morts me semblaient perdus, pathétiques. Rien ne nous liait à eux, car nous n'avions pas bu à leurs veines. Ils ne nous avaient rien transmis, c'étaient juste des inconnus. Je pensai (et sentis Justine penser) aux gens qui avaient fait partie de leur vie, qui les avait aimés, des gens à qui leurs détails étaient précieux. Quelle horreur de les avoir tués sans en garder dans notre sang aucune trace commémorative.

Retour à la maison, une heure avant l'aube. La logique tendait évidemment à suggérer qu'il aurait mieux valu ne pas rentrer à Las Rosas, mais il s'agissait de fausse logique. Si les fanatiques connaissaient cette propriété-là, il n'y avait aucune raison qu'ils ne connaissent pas les autres, dans un rayon de trois cents kilomètres, et aucune ne comportait de crypte comparable. Crypte qu'ils devraient trouver, pour commencer (c'est un souterrain secret), avant de s'y introduire grâce à des explosifs de démolition. Le tout en plein jour californien, s'ils voulaient agir dans les prochaines quatorze heures. Je doutais que les messagers de Dieu en personne aient le culot ou la folie de faire une chose pareille.

Ni Justine ni moi n'avions besoin de nous nourrir. Pas parce que j'avais le ventre plein, en ce qui me concernait, mais parce que j'étais encore à vif après la Transformation. Dans trois nuits, il faudrait du sang à Justine. Son premier humain.

La porte de la crypte fermée à double tour, on se doucha (on dispose en bas d'une douche à l'italienne), puis on se prépara à se coucher. Démaquillée, Justine avait l'air jeune, surprise et fatiguée. Passée la distraction fournie par les détails pratiques, ce qu'elle avait refusé de discuter restait là entre nous comme une tierce personne embarrassée, dansant d'un pied sur l'autre et se raclant la gorge. Plus on s'obstinait à l'ignorer, pire ça devenait.

«Je sais ce qui te fait peur, mon ange», déclarai-je, allongé sur le lit, vêtu en tout et pour tout d'un caleçon Calvin Klein noir.

Assise au bord du matelas, en tee-shirt et culotte immaculés, elle me tournait le dos. On s'est souvent baladés nus l'un devant l'autre (elle sait que le sexe n'existe pas pour moi, elle l'a su dès la première seconde, à Manhattan; ç'a été déterminant), notre affection s'est toujours exprimée de manière physique, mais un voile de tension l'enveloppait à cause du secret qu'elle m'avait caché. Si je n'étais pas entré dans son esprit jusque-là, c'était par choix — le mien, pas le sien. Ses petites épaules voûtées trahissaient le découragement du vaincu.

«Tout va bien, continuai-je. Je comprends. Tu n'as aucune raison de t'inquiéter.

— Ah bon?

— Tu crois que je vais te quitter.

— Tu vas me quitter.

— Écoute-moi bien. Jamais je ne te quitterai. Pas comme ça.

— Pas comme *ça*.»

Emphase ironique. Épuisement. Regrets déchirants, déjà, au bout de vingt-quatre heures.

«Écoute-moi bien, répétai-je. Je ferai partie de ta vie, je resterai avec toi, je vivrai avec toi aussi longtemps que tu voudras de moi.

— Non, ce n'est pas vrai. Trois, c'est trop.

— Ce n'est pas ça. Ce n'est pas…

— De toute manière, ça ne marchera pas si tu ne peux pas la sauter. Je ne sais peut-être pas grand-chose, mais ça au moins, oui.

— Ça n'a aucune importance, Justine.»

Ça n'a pas tellement d'importance, aurais-je dû dire. D'ailleurs, il semblerait que… Non. Mieux valait ne pas en parler.

«Ah oui, j'oubliais. C'est la prophétie, l'important. Le grand accomplissement. Eh, au fait, comment tu vas *t'unir au sang du loup-garou*? Il t'a suffi de lui traîner autour pour péter un câble et manquer y passer. Tu parles d'un putain d'accomplissement.»

Elle se releva et gagna la porte de la crypte. Je crus une seconde qu'elle allait sortir, la peur du jour me courut sur la peau, mais quand j'ouvris la bouche pour dire «Non!», elle tendit la main vers sa veste en cuir, accrochée au portemanteau. Après avoir tiré d'une des poches un paquet d'American Spirit, elle alluma une cigarette, puis une seconde. Fumer égale intégrité : deux combattants à la mi-temps, toujours soumis à l'étiquette des vices partagés.

«Regarde ce qui t'est arrivé, reprit-elle en me tendant ma cigarette. Elle n'était pas plus tôt entrée en scène que tout a commencé à se barrer en couille. Tu as disparu je ne sais combien de temps. J'ai reçu un coup de fil d'*Alaska*, bordel. Tu as été tellement malade que j'ai vraiment cru que tu allais mourir. J'avais l'impression de…» Elle me tourna le dos. «Bon, laisse tomber.

— Je suis conscient que ça a l'air complètement dément.

— Non, tu ne l'es pas.» Très rationnelle. Très calme. «Pas du tout.»

Vor klez fanim va gargim din gammou-jhi. Traduction : «Lorsqu'il s'unit au sang du loup-garou.» Une des prophéties. De *mes* prophéties. Couchée dans *Le Livre de Remshi*. La seule prophétie qui ait encore de l'importance pour moi.

«Tu y crois vraiment?» s'enquit Justine, petit visage épuisé. «Dis-moi juste franchement que tu crois, que tu crois *vraiment* qu'une femme… une lycanthrope dont tu étais amoureux il y a des milliers d'années et qui est morte à l'époque est revenue en tant que… Non mais, tu m'entends? Tu te rends compte de quoi ça a l'air?

— Oui, mon ange, je me rends compte de quoi ça a l'air.

— Tu y crois?»

Vous ne savez pas à quel point j'avais envie de lui répondre tout simplement par oui ou non. Mais ç'aurait été un mensonge, dans les deux cas.

«Il faut que je le fasse, dis-je à la place. C'est… J'attends ça depuis trop longtemps. Je n'aime pas beaucoup parler de destin, mais…»

Vous, quand l'éther glacé de l'avenir effleure votre peau recroquevillée en s'étirant jusqu'à votre présent chaleureux, vous dites : «On a marché sur ma tombe.» Des années plus tôt, à l'époque où je tenais un journal pour passer le temps, j'avais écrit : *C'est ou l'un ou l'autre. Ou la magie existe — rêves, augures, visions, signes, indices, synchronicités, gestes d'une obliquité exaspérante tendant à indiquer un sens caché —, ou elle n'existe pas. Il n'y a pas de zone intermédiaire. Ou l'un ou l'autre…*

«Le destin», répéta Justine, avant d'éclater d'un rire dénué d'amusement. «Elle a juste la même *tête*, Nounours, point final. On a tous un double quelque part, y compris de notre vivant, pour certains. On en a sans doute eu ici, toi et moi, à L.A. En cinq cents ans, la même tête doit réapparaître… ha, je ne sais pas. Alors en mille ans ? Dix mille ?

— Je sais, admis-je avec une douceur qui ne pouvait que la désespérer davantage. Je les ai vues.

— Alors pourquoi cette fois ? Pourquoi elle ? »

Je ne pouvais que lui dire la pitoyable vérité. Mes mains s'emplirent de faiblesse à cette pensée.

« Je l'ai senti. Cette nuit-là, à Big Sur, je l'ai senti. Et le rêve est arrivé.

— Quel rêve ? »

Ah. Je n'aurais pas dû en parler. Ça n'allait pas aider. Aucune explication n'allait aider. Elle ne voulait pas d'explication. Elle voulait que je laisse tomber.

« Quel rêve ? » insista-t-elle. Épuisement renouvelé… plus un soupçon de dérision. Les rêves ! Le destin, les prophéties, les rêves. Certes. Pourquoi pas ? « Tu ne rêves *pas*, c'est toi qui me l'as dit.

— Laisse tomber. Ça n'a pas…

— Raconte-moi. »

Il serait encore pire de refuser d'en parler, maintenant. Maintenant que j'avais ouvert ma grande bouche, qui n'avait rien appris en vingt mille ans.

« Un rêve récurrent. En me réveillant, la nuit dernière, j'ai cru l'avoir fait pour la première fois, mais je me trompais. Je le fais depuis que j'ai vu Talulla. Alors que j'avais arrêté de rêver à la mort de Vali. »

Je m'attendais à ce que Justine m'interroge là-dessus, mais elle n'en fit rien. Le rêve la dégoûtait par nature, du seul fait de son existence. Elle le rangeait dans le même sac que le Sens, les Choses qui n'Arrivent pas Sans Raison ou Dieu. N'empêche que je me sentais soulagé d'avoir ouvert ma grande bouche.

« Je sais que c'est important, m'obstinai-je. La plage dont je rêve… il faut que je la trouve. Je suis sûr qu'elle existe, mais je n'ai aucune idée de sa localisation. Je me disais que tu pourrais m'accompagner dans mes recherches. Qu'on voyagerait ensemble. Ce serait différent pour toi, maintenant qu'on est pareils. Je connais un tas d'endroits que j'aimerais te montrer.»

Ça n'aidait pas. Manifestement, ça n'aidait pas.

«Il y a quelque chose que je n'ai jamais compris», dit-elle avec un calme déstabilisant.

Terrible impression de l'énergie qui me fuyait.

«Quoi donc?»

Une pause. Elle voulait le formuler correctement. De manière à me donner le plus de fil à retordre possible.

«Pourquoi tu ne bois pas tout le temps aux veines des gens?» Ah. «Je veux dire, si le sang des vivants te permet de… si tu vois le sens des choses, les liens… si tu vois la putain d'*histoire* que la vie est censée être, pourquoi tu arrêtes? Pourquoi tu ne fais pas tout le temps ça?»

Ah, là encore.

Moi aussi, je pris mon temps. Je ne me pressai pas, moi non plus. Il arrive que vingt mille ans vous rattrapent brusquement.

«C'est insupportable», répondis-je enfin. Elle regardait le sol, les dents amèrement serrées. «C'est tout simplement trop. On ne peut pas. Pourquoi les lecteurs de Shakespeare continuent-ils à suivre des émissions de merde, à regarder par la fenêtre, à s'engueuler pour savoir chez qui ils vont aller dîner? Voir ce qu'on voit amène… amène la réalité de la vie trop près de nous. La réalité de la mort. On ne peut pas vivre avec la réalité de la mort au cœur des choses.»

Je me rappelais l'érection des cercles de menhirs. Une nuit de printemps, je m'étais rendu à un campement britannique. Les humains avaient passé la journée à tirer une pierre qui devait bien peser soixante-dix tonnes. Ils étaient maintenant couchés près des feux, épuisés, le souffle matérialisé en nuages, les mains et les pieds en sang, à vif, les yeux étincelants du but inscrutable qui leur avait été révélé. Le site s'appelle Avebury, de nos jours. Il y a un pub, un parking, des tee-shirts. La boutique de souvenirs vend des dizaines de livres qui arrivent tous à la même conclusion : nous avons oublié quel but servaient les mégalithes. Ce qu'ils signifiaient. L'oubli est d'ailleurs venu assez vite. J'étais repassé par là quatre cents ans plus tard et, déjà, les gens étaient vagues. Souriants, mais vagues.

«On devient trop curieux. On veut savoir qui a écrit l'histoire», continuai-je, regrettant de dire une chose pareille alors que je n'en avais pas encore terminé. Il me semblait qu'une poignée d'herbe sèche m'emplissait la bouche. «On veut savoir ce qu'il en est de la mort.» Certaines paroles figent une pièce au niveau moléculaire, la réduisant au silence absolu. «Il se passe quelque chose, Justine. Une confluence arrive. Tu n'en as vraiment pas conscience?»

Elle secoua la tête. Non pour marquer le désaccord, mais par trop-plein. Refus. Agacement.

«C'est ton truc, d'accord. Ton mot, là, l'*ensorcellement*. C'est ton mot, et tu ne t'en rends même pas compte. Tu ne te rends même pas compte que tu te laisses ensorceler.» Elle s'approcha du réfrigérateur, l'ouvrit puis resta figée, à regarder dedans. «C'est pas grave. Vas-y, fais ce que tu as à faire.» Une pause, puis : «Moi aussi, j'ai à faire.»

À peine les mots étaient-ils sortis de sa bouche que le plus urgent pour moi devint de lui éviter autant que possible toute conduite inconsidérée. Si j'obéissais à l'impulsion qui me poussait à la prendre dans mes bras, à lui dire qu'on débrouillerait la situation, que je ne ferais jamais rien qui puisse la peiner et que je n'approcherais plus Vali de ma vie, je me réveillerais plus que probablement seul.

« Et si on se mettait d'accord sur une chose ? » proposai-je avec calme.

Elle ne répondit pas mais pensa C'EST PAS GRAVE, ce que je captai, car elle l'avait plus ou moins émis à mon intention.

« Si, c'est grave », affirmai-je… aussitôt conscient de la pointe d'excitation qui naissait en elle.

Premier éclair de télépathie invasive. MERDE ALORS C'EST BIZARRE MAIS COMMENT MAIS JE NE VEUX PAS IL NE FAUT PAS NON NON NON…

Je me retirai, car il m'est possible de couper court. Le privilège de l'âge.

« Écoute, insistai-je, je ne te demande qu'une chose : laisser tomber ce genre de discussion pour l'instant. C'est moi qui ai eu la bêtise de mettre le sujet sur le tapis, mais je suis épuisé. Je me sens encore vraiment mal à cause de la nuit dernière. D'ailleurs, tu es fatiguée aussi, quoi que tu en dises. Si on parle de ça maintenant, on n'arrivera à rien.

— Tu l'as écrit comme un défi », dit-elle, toujours aussi calme, le regard toujours plongé dans le frigo. « Tu as écrit un paquet de prophéties pour t'amuser, complètement défoncé, dans une hutte au beau milieu de nulle part. »

L'image explosa : Amlek et moi, la tête alourdie par la *fazurya*, la terre battue froide sous nos pieds, les murs en bouse cuite incurvés, la lumière du feu, le corps du sorcier dont on s'était nourris. La dernière pensée de ce pauvre type nous avait semblé hilarante (le contraire aurait été surprenant) : *Je n'avais rien vu de pareil.* « Je te parie que tu vois l'avenir mieux que lui », m'avait dit Amlek entre deux crises de fou rire. Ainsi l'histoire avait-elle commencé, oui, que ça me plaise ou non. On s'était attelés à la tâche cette nuit-là.

Je vois un puissant peuple du Nord aux cheveux de corde claire.

Je vois la maladie et la mort et les rats dans quinze mille étés d'ici.

Je vois le maître de ce pays manger des bébés le matin. Il se nomme le grand Jehengast Ka.

Je vois un homme projetant des visions au plafond d'une caverne à nulle autre pareille. Des nuages blancs, un ciel bleu, des hommes nus.

Je vois une lance d'argent plus grande que le plus grand des arbres, à la queue de feu et de fumée, s'élever dans les airs, le ventre rempli d'humains.

Je vois un homme maigre, accroché à un arbre par de grosses épines.

Celles-là étaient de moi. Amlek s'était vite lassé. Moi pas, je ne sais pourquoi. J'avais entrepris de les coucher par écrit. Une nuit : *L'heure venue, Vali lui revient et il connaît l'accomplissement lorsqu'il s'unit au sang du loup-garou.* « Il », c'est-à-dire moi, évidemment. « Il » figurait parfois dans les prophéties. J'avais fait la connaissance d'Amlek à Jérusalem, le jour de l'arrestation du Christ. Celle-là est de moi, ai-je dit. L'homme maigre — Jésus. Tu vas voir. Pas des épines, mais des *clous.* N'empêche qu'on n'en est pas loin, hein ? Je ne voudrais pas dire que je vous l'avais bien dit, mais enfin...

J'ai compté celles qui se sont réalisées. Moins d'un tiers. Juste assez pour perpétuer la croyance que je vis dans une histoire — la plus grande histoire à suspense jamais écrite —, qu'on m'a donné des indices, que tout aura un sens, au bout du compte. Juste assez pour ça, oui… et juste trop peu pour chasser l'idée qu'il s'agit d'un simple ramassis d'âneries aléatoires et que n'importe quel idiot du village aurait pu mijoter des prophéties pareilles, si vagues que certaines allaient forcément se réaliser. Ou, plutôt, se « réaliser ».

Juste assez pour entretenir la flamme de la croyance au retour de Vali.

Juste trop peu pour m'empêcher de nier que j'étais idiot d'y croire.

« On ne pourrait pas dormir, maintenant ? » demandai-je à Justine. « S'il te plaît. » Elle referma le réfrigérateur. Une défaite silencieuse de plus. « Allez, ma douce, on éteint. »

Quand elle leva les yeux vers moi, je n'eus aucun besoin de télépathie. Je l'avais dit la veille : je te promets de ne pas te quitter.

29

Justine

La nuit était revenue. La nuit s'insinue en vous comme l'encre s'enfonce dans l'eau. *Comme.* Je persiste à voir les choses *comme* d'autres choses. Depuis la Transformation.

J'aurais cru que Nounours se réveillerait avant moi, mais non. Je m'assis et le regardai. Il avait les sourcils légèrement froncés. Par moments, quand il dort, on lui donnerait tout juste cinq ans.

Cinq ans.

Vingt mille.

Une nuit, quelques mois après notre rencontre, il m'a emmenée dans un entrepôt de stockage pour particuliers, à Pasadena. U-STASH. Une chaîne. Qui lui appartient. Une centaine d'unités dispersées à travers tout le pays. Vous connaissez sans doute : le logo représente une énorme caisse rouge sur fond jaune. On est entrés, il m'a emmenée à un des box et il l'a ouvert. Un tas de super trucs égyptiens. De l'or. Tellement d'or. Il m'a dit que c'était juste une petite fraction. Amenhotep Ier. On n'a jamais retrouvé sa tombe. Les constructeurs étaient emprisonnés à l'écart, dans des villages spéciaux, pour que personne n'apprenne où allaient être enterrés le roi et son trésor. Il arrivait que le pharaon les fasse mettre à mort par sécurité, une fois les travaux terminés. Schmoldu m'a dit qu'il avait soutiré l'info à un ouvrier en lui promettant la vie sauve.

Je m'habillai et gagnai le rez-de-chaussée sans le réveiller. La maison savait que j'avais changé. Le sol les murs les meubles. Ils en étaient conscients.

Il y avait autre chose. Une faible palpitation qui m'échappait la nuit précédente. Je me figeai. L'impression était chaleureuse, agréable, mais ne le serait plus d'ici quelques jours si je ne… si je ne…

Si je ne buvais pas.

La soif. Depuis des années, la soif, c'était lui. Maintenant, c'était moi. La peau me picotait. J'évoquai les poches de sang du frigo… mais ça ne marcherait pas. Il fallait du temps pour passer à ça, il me l'avait dit. La pensée des repas tout prêts agaçait même la soif, si l'on peut dire, y ajoutait une sorte de tranchant, comme une odeur de brûlure électrique. J'aurais voulu me rappeler que j'avais bu son sang à lui, mais je n'y arrivais pas, alors que c'était vraiment arrivé, mon corps le savait. La place de ce souvenir-là était juste occupée par une noirceur rouge massive. Un néant.

Je restai un moment plantée sur le seuil de la cuisine, à considérer ce que j'étais devenue. La réalité de la chose. *Un vampire se nourrit du sang des humains. Il le boit. Il l'avale.* Dans le monde où j'avais grandi, le sang faisait peur. Hépatite. Sida. (Schmoldu avait secoué la tête quand je lui en avais parlé. Non, ma puce, on n'attrape aucune maladie. Elles meurent en nous.) Dans le monde où j'avais grandi, c'était autant dire la chose la plus répugnante qui soit.

Je croyais m'être habituée à cette idée. *Boire du sang.* Mais quand je m'imaginais le faire, la tête me tournait et je me sentais brûlante. Ça me dégoûtait un

peu, aussi. Je m'ordonnais de ne pas me sentir choquée. C'était idiot de me sentir choquée. Je savais que
c'était ça, que ce serait ça. Depuis toujours.

Le bureau sentait l'eau de Javel, mais on n'y voyait
plus le moindre signe de ce qui s'était passé, de ce qu'on
avait fait. J'allumai la petite lampe et mon ordinateur.

Finder.

Documents.

Dossiers.

Cryptage.

Mot de passe.

Mes mains restaient figées. Le titre du livre que
j'avais remarqué la veille me revenait : *Ange banni*. Ça
n'avait plus le même sens, maintenant. J'en arrivais à
douter de moi. Je voyais ce que voulait dire Nounours,
quand il affirmait qu'il ne fallait pas se fier à l'impression que les choses avaient un sens caché. Enfin, ce
qu'il avait dit, plus exactement, c'était qu'il fallait
s'y fier sans s'y fier, passer en permanence de l'un à
l'autre. *Servir deux maîtres avec amour*, voilà l'expression qu'il avait employée.

Ouais, c'est ça. Médecin, soigne-toi toi-même, tout
ça, tout ça.

J'entrai le mot de passe.

Les visages apparurent. Les informations.

30

Remshi

Qui a aimé sans avoir aimé au premier regard ?

J'aimais Vali, mais vous devez le savoir, maintenant.

Cette histoire me donna, lorsque je la vécus, une impression de déjà-vu.

Évidemment. L'amour est une impression indéfinie de déjà-vu.

○

Les humains aux fourrures miteuses, aux babioles de dents et d'os cliquetantes, suivaient la retraite de la glace vers le nord. Pendant que, moi, je suivais les humains. Je n'étais pas seul. Mes frères vampires, Amlek, Mim, Una et Gabil, voyageaient plus ou moins en ma compagnie, mais respectaient cette nuit-là ma solitude. Une force de gravité familiale capricieuse gouvernait nos relations. Nous passions un moment à vivre et à chasser en groupe, nous nous séparions, nous nous retrouvions. Pas d'obligations. Pas de à vendredi ou je rentre à sept heures. J'avais créé Amlek. Amlek avait créé Mim. Una et Gabil, deux cents et trois cents ans respectivement, avaient d'autres créateurs, mais descendaient forcément de moi, en fin de compte. (Ma première question quand je croisais un vampire : Quel âge avez-vous ? Aucun n'avait encore jamais vu autant d'hivers que moi.) Cette nuit-là, donc, j'avais envie de solitude, et l'âge m'avait donné la sagesse nécessaire pour savoir quand suivre mes envies.

Je débouchai dans la clairière au moment où une bande d'*Homo sapiens* se préparait à décapiter la lycanthrope — embrochée sur une branche basse et percée d'une bonne douzaine de lances, dont une lui traversait la gorge. (Je ne regardais pas où j'allais, me confessa-t-elle plus tard. C'est ma faute, j'ai été idiote. Si je ne m'étais pas retrouvée coincée dans cet arbre, ils ne m'auraient jamais eue, avec leurs lances.) Ses énormes mains aux griffes élégantes reposaient, coupées, parmi les feuilles mortes gelées.

Deux humains armés de hachettes en silex avaient grimpé dans la ramure au-dessus d'elle (sur ordre, leur expression vacillante le prouvait). Ils se tenaient maintenant accroupis, ostensiblement prêts à délivrer le coup de grâce de la décapitation, mais regrettant au fond de ne pas être ailleurs, très loin de là. Les quinze autres étaient disposés en arc de cercle autour du trio. Les plus intrépides s'approchaient parfois en courant — souriants, hurlants, tirant la langue, musardant — pour étoffer au couteau et à la fléchette l'éventail des blessures déjà généreusement déployé sur le torse de la prisonnière. La pleine lune — la divine — illuminait les tranches et entailles de neige obstinées, le museau humide et les crocs sanglants, la fourrure luisante, les seins durs et le ventre plat, au nombril profond…

Je peux vous dire ce que je fis ensuite. Je peux vous le dire exactement, mais je ne peux pas vous dire pourquoi. Caprice divin ? Univers déterminé ? Indignation esthétique ? Ennui désespéré ? Hasard pur et simple ?

Faites votre choix. De nos jours, je penche pour Mystérieux Instants d'Être sans Mélange, où tous les susdits
se rencontrent peut-être en une simultanéité paradoxale. On se retrouve alors en train d'agir, pénétré
d'une profonde impression d'inéluctabilité, couplée à
une ignorance absolue des raisons pour lesquelles on
agit.

Premièrement, les deux imbéciles frissonnants grim-
pés dans l'arbre. Elle ne risquait pas de mourir de ses
diverses blessures, mais d'une décapitation, si — ou
d'une tête massacrée, résultat auquel aboutiraient les
deux idiots. (Je parle de l'époque d'avant l'argent ou,
du moins, d'avant l'argent *travaillé*. Quelques primitifs
plus intelligents que la moyenne s'étaient bien aperçus
que certaines pierres posaient problème aux créatures
— argentite ou chloro-bromure d'argent, nous le savons
à présent, même si, autrefois, vos aïeux les appelaient
juste « pierres à loup » ou « pierres à monstre » —, mais
les lames et les balles se trouvaient encore à des millénaires de là.) La forêt froide, craquante, pleine d'une
conscience obscure. Je n'avais pas connu ce genre
d'action depuis longtemps, mais l'énergie était là en
moi, fidèle monture se cabrant, s'ébrouant, piaffant. Je
la contins un instant (je n'avais pas non plus éprouvé
depuis longtemps un tel plaisir physique, intérieur
quoique nourri de l'extérieur) puis la relâchai dans un
bond de dix mètres qui me propulsa jusqu'à l'arbre, où
un petit saut et une pirouette me permirent de m'accrocher élégamment façon chauve-souris, juste sous le nez
des Tweedle-Dee et Tweedle-Dum humains. L'instant
des présentations sidérées s'étira, bien sûr. Le visage
peinturluré des deux hommes réussit à exprimer une
surprise brute charmante, qu'une fraction de seconde
muta en terreur, face à la certitude de la mort prochaine.

Je les expédiai tous deux d'une double griffure à la trachée. Un instant plus tard, les aspirants coupeurs de
tête passaient en vol au-dessus de leurs compagnons
puis disparaissaient dans les ténèbres, de l'autre côté
de la clairière.

L'entrain humain vacilla quelque peu. Il vacilla plus
encore quand les chasseurs s'aperçurent que quatre
autres d'entre eux étaient morts soudainement, la gorge
déchiquetée ou le ventre ouvert, sans que personne ne
sache comment c'était arrivé, puisque personne n'avait
rien vu.

On ne tirait plus la langue ni ne musardait. Les
bégaiements joyeux moururent. L'un des vôtres, les
cheveux ornés de plumes et un collier de petits crânes
d'oiseaux au cou, m'expédia sa lance. Je l'attrapai,
la fis tournoyer en véritable pom-pom girl puis la lui
réexpédiai avec une telle force qu'elle lui transperça
le crâne de part en part — le front fendu et le cerveau outragé, proprement coupé en deux au passage.
Traumatisme de groupe. Peut-être les plumes tradui-
saient-elles le statut de chef, car la bissection de cette
caboche se solda par une baisse de moral cruciale. Les
survivants s'enfuirent, qui balbutiant, qui hurlant, qui
bouche bée, les yeux ronds.

Je me retournai à temps pour voir la lycanthrope se
rejeter en arrière afin d'échapper à la branche brisée
qui l'avait poignardée sous les côtes, juste à droite de
la colonne vertébrale. Elle tomba sur le dos en gémissant puis roula sur le flanc, haletante. Je m'approchai
d'elle, comme pour obéir en toute fluidité à une choré-
graphie inéluctable. Sans doute un sourire de dément
ou de saint ornait-il mes lèvres. Je me sentais gorgé
d'une innocence aussi simple que chaleureuse — telle
fut mon impression durant les quelques rares fractions

de seconde où je ne m'étais pas encore totalement dissous dans l'expérience.

«Tout va bien», dis-je dans ma langue, que la créature ne comprenait certainement pas. *Mais qu'est-ce que tu fous, bordel?* me demandait pendant ce temps le collectif fantôme de mes pairs vampires. «Ils sont partis. Je vais t'aider.»

(À l'époque, on ne puait pas les uns pour les autres. Ça arriverait plus tard, après un millénaire de guerre entre nos deux espèces, quand le dirigeant vampire Hin Kahur lancerait la thérapie par l'aversion aux garous : les sangsues créées de frais seraient soumises à la torture des semaines ou des mois durant, affublées lors de chaque séance d'une cagoule et d'un bâillon en peau de *gammou-jhi* saturés de l'urine, de la merde et autres excrétions odorantes de la créature. Une centaine d'années plus tard, cette thérapie serait devenue inutile. Même les vampires les plus récents trouveraient l'odeur des lycanthropes insupportable. La réaction conditionnée se serait muée en câblage sensoriel, ne me demandez pas comment. Une masse de travaux scientifiques vampiriques *post hoc* cherche à l'expliquer. Mon ami Olek, le plus vieux de nos crânes d'œuf, a théorisé que ça tient de la formation par l'expérience des chemins neuraux dans le cerveau des nouveau-nés humains. Quoi qu'il en soit, le phénomène est incontestable : pour les vampires, les garous puent absolument. Et, bien que le stéréotype du *gammou-jhi* entretenu par les buveurs de sang soit totalement stupide, il n'a pas fallu longtemps à leur espèce pour appliquer la méthode de l'aversion, ce qui a rendu mutuelle la détestation olfactive. Toutefois, quand je suis tombé sur Vali, ces choses-là appartenaient encore à l'avenir. Vampires et garous ne se fréquentaient pas, ils avaient les mêmes proies, ce qui les plaçait en situation de compétition naturelle, mais ils se débrouillaient de leur mieux pour ne pas se gêner les uns les autres.)

« Je sais que tu ne peux pas parler, ajoutai-je. Je sais aussi que tes plaies vont guérir. Mais il faut y aller, au cas où ils reviendraient plus nombreux. Tu peux marcher ? »

Non, elle ne pouvait pas. Sa blessure la plus grave lui avait fait perdre beaucoup de sang, et lorsque je la débarrassai des lances et des fléchettes, elle en perdit plus encore — avec la conscience. Je me demandais quelle langue elle parlait sous forme humaine, de quelle tribu elle venait, depuis quand elle était Maudite. Je me demandais — surpris de mes propres réactions, comiquement inappropriées — à quoi elle ressemblerait une fois la lune couchée. En tant que femme.

J'arrachai une jambe à un humain, cueillis parmi eux deux ou trois cœurs et langues puis fourrai le tout dans une de leurs fourrures. J'hésitai à prendre aussi les mains monstrueuses coupées, mais un examen plus poussé m'apprit qu'elles se décomposaient déjà. D'ailleurs, chacun savait que les *gammou-jhi*, comme les vampires, régénéraient n'importe quoi en une nuit (sauf la tête, évidemment). Aussi laissai-je ces tristes choses où elles étaient. (Plus tard, elle me dit : Tous ces morceaux doivent bien aller quelque part. Ces mains, ces pieds, ces cœurs, ces yeux. Ils s'agrègent pour composer de nouvelles créatures, chargées des souvenirs mêlés de leurs propriétaires originaux…)

À voir le ciel, le soleil se lèverait d'ici sept heures, deux heures après le coucher de la lune. Il y aurait d'autres présentations, plus maladroites, peut-être.

Je soulevai de terre la lycanthrope, la jetai sur mon épaule et me mis en route.

31

Ma tanière la plus proche se trouvait à six kilomètres de là, dans une caverne des collines. Sans fardeau et en courant (il faudra parler du vol plus tard, même si je sais déjà que ça va être coton à expliquer, mais de toute manière, à l'époque, je n'en étais pas capable), ça ne m'aurait pris que quelques minutes. D'un pas prudent, une *gammou-jhi* en travers des épaules, il me sembla mettre l'éternité. Je n'étais pas fatigué en arrivant, mais certains de mes petits muscles oubliés s'étaient réveillés et s'étiraient en clignant des paupières, surpris d'avoir dormi aussi longtemps. Lorsque je posai la lycanthrope sur le flanc, ses yeux s'ouvrirent. Des yeux sombres, encore un peu perdus. Je m'agenouillai à côté d'elle.

«Tu es dans une caverne des collines, au bord de la rivière où le soleil se couche», lui dis-je, dans la langue de la tribu qui l'avait attrapée. «Tu as été blessée, mais tu vivras, tu le sais. J'ai apporté de la viande. Elle est là, si tu en as besoin.»

La caverne, bien sèche, sentait la pierre glacée et la sauge sauvage qui poussait à l'entrée. Ainsi que son odeur à elle, maintenant, une odeur compliquée : l'amertume du sang canin, oui, mais aussi quelque chose

213

de sournoisement suri, de vaguement fruité, jusqu'à ce que s'impose une pointe de saumure… puis une suavité affolante qui surprenait l'arrière-gorge, trop-plein de miel empêchant presque de respirer. Je n'avais jamais rien senti de pareil. Mon visage en était sensibilisé. Visage idiot. Fasciné, ensorcelé, défait.

Le long moment de l'être sans mélange tirait cependant à sa fin. L'étrangeté de ce que je faisais commençait à s'imposer. Jamais encore je n'avais été aussi proche d'une créature de cette espèce. Sa grosse tête de totem avait l'air bizarre ainsi figée, la gueule ouverte, les paupières battantes. Je baissai les yeux vers les cicatrices des amputations. Déjà, de nouvelles mains bourgeonnaient mais, malgré mon ouïe de vampire, je ne fis bien sûr qu'*imaginer* le murmure de la réparation cellulaire enragée. J'avais perdu les mains plus d'une fois au fil des siècles (quoique jamais les deux en même temps); *a priori*, sa régénération à elle était identique à la mienne, impression que des millions d'insectes minuscules s'empressaient de s'assembler en masses complexes, à l'organisation bien définie…

« Je ne peux pas te donner d'explication », ajoutai-je.

Je me sentais hyperréel mais aussi précaire, voire proche du rire. Je m'étais imaginé à un moment essayer d'expliquer ma conduite à Amlek et compagnie. *Je ne sais pas ce qui m'a poussé à l'aider. Je me suis juste retrouvé à le faire.*

Ses yeux se refermèrent. Elle saignait moins, mais le flegme ronflait dans sa poitrine à chaque exhalation. Je m'aperçus — fleur d'absurdité s'épanouissant dans mon cœur — que je regardais ses petits seins durs, aux mamelons d'un noir de mûres.

Je me sentais riche de corps et perdu de tête.

«Tu n'as rien à craindre de moi», dis-je encore, inutilement.

Ses yeux se rouvrirent et accommodèrent brièvement, me dévoilant sa puissance effrayante, son besoin mensuel de chair fraîche, ses efforts pour faire place à la bête. Les âmes de ses morts babillaient dans son sang, sans savoir si sa mort les libérerait. Mes propres morts s'agitèrent, se demandèrent ce qu'éprouvaient leurs frères, soudain si proches.

«Il se passe quelque chose», ajoutai-je.

Pour elle, pour moi, pour l'univers — à moins que l'univers ne l'eût dit à travers moi, simple constatation? Il se *passe* quelque chose.

Hasard ou intention, son genou géant toucha le mien en se détendant. Ses yeux se refermèrent.

32

Je passai une longue nuit de malaise à faire les cent pas devant la caverne, en me disant et en me répétant que ce n'était pas possible. Il m'arrivait aussi de rire tout haut, un rire effrayant qui ne faisait qu'aggraver les choses. Les détails vivifiés s'imposaient de manière pressante : un arbre nu aux branches blanches ; les ombres des petites pierres ; l'odeur de la neige. La lune voguait lentement au ciel telle une intelligence enchantée, souriante quoique sans visage. Elle *savait* — j'ignorais comment. Le souffle de mon invitée évoquait un léger rhume. Je n'arrêtais pas d'aller la voir — d'aller *La* voir ! La majuscule avait beau attendre dix mille ans dans l'avenir, son équivalent mental s'imposait —, pour vérifier si elle s'était réveillée ou suivre la progression de ses paumes et de ses doigts. C'était du moins ce que je me disais. En fait, je voulais juste ressentir encore et toujours ce que je ressentais, contre toute raison.

Ce que je ressentais.

Oui.

J'éclatai de rire, une fois de plus, ce qui ne fit qu'accroître mon malaise, une fois de plus. Je perdis l'équilibre, basculai de côté et tendis la main ; je serais bel et

216

bien tombé — tomber, moi! — si je n'avais été aussi près du flanc escarpé de la colline, auquel je m'appuyai, imbécile, incrédule, plein d'une certitude stupide. Le sang dans ma tête, colosse rebelle, géant ivre.

Je sais ce que vous pensez. Vous pensez que j'étais sous le choc, parce que l'*objet* de mon désir se révélait comiquement inapproprié. (Je voyais mes amis vampires passer de la simple surprise à la stupeur pincée puis au dégoût froncé. Franchement? Une *gammoujhi*? Une *chienne*? Seigneur, Remshi, tu as perdu le sang!) Vous vous trompez. Ce n'était pas l'objet du désir, mais le désir même.

Le désir.

Au bout de mille ans.

(Ou de deux mille. On en perd le compte.)

J'avais vécu trente-neuf étés avant de devenir vampire, et j'avais eu plusieurs enfants. À mon époque humaine, mon équipement fonctionnait. Magnifiquement, parfois, s'il fallait en croire les cris, les morsures, les membres agités de mes amies, qui ne savaient trop qu'en faire. Mais, depuis la Transformation, rien. Je ne parle pas d'impuissance, juste d'une parfaite absence de désir. La chose est de notoriété publique à l'époque moderne (grâce, entre autres, à ce scribouillard exaspérant de Jake Marlowe), mais autrefois chacun faisait lui-même cette triste découverte : le Fouet assassine la libido.

Et voilà que moi… voilà que *moi*…

Il ne s'agissait pas seulement de désir. Le désir seul aurait cassé et brouillé l'œuf du paradigme mais, je le répète : il ne s'agissait pas seulement de désir. Chaque fois que je captais son odeur, les plaques tectoniques de la réalité se déplaçaient, menaçant de se séparer totalement. Parce que le désir s'accompagnait d'une reconnaissance déstabilisante. Je la connaissais. Je la *connaissais*. L'éther qui nous séparait vibrait d'une obscure joie remémorée. *Remémorée*. Aucune perversion là-dedans. Aucune titillation du tabou — je fouillai en moi à sa recherche, attentif. Mais… mais…

Un éclat de rire lunaire fit voler ma rêverie en éclats. Je levai les yeux. La lune glissait sous l'horizon.

33

Ils n'aiment pas qu'on regarde.

Ainsi le voulait la légende, corroborée par la honte que je découvrais au fond de mon cœur en m'approchant de la caverne. Mais il fallait que je voie. Il le fallait.

Elle s'était levée et adossée au mur de la grotte, la tête basse, les mâchoires écartées, haletante, la langue apparaissant et disparaissant à chaque halètement. Ses plaies s'étaient refermées, et il ne manquait plus à ses mains repoussées que les griffes. Son odeur me fit tourner la tête. Le cœur très doux s'en trouvait quelque part en elle, source intarissable que j'aurais aimé découvrir afin de m'y plonger. De m'y perdre.

Je pénétrai dans la caverne. Elle savait que j'étais là, bien sûr, elle aurait pu gronder, me chasser, montrer qu'elle avait besoin d'intimité. Elle n'en fit rien. Au contraire, elle tourna vers moi sa tête magnifique.

Je te connais. Tu me connais.

Comment cela se fait-il?

Mon passé tout entier rassemblé, conscient peut-être que ce qui arrivait marquerait le début d'une ère nouvelle.

Puis un bruit étranglé, ses mains crispées sur son

ventre. Elle se plia en deux et tomba rudement à genoux.

C'était à la fois affreux et fascinant. Passé son premier gargouillis étouffé, elle ne produisit plus un son, silence où le monologue dément de son corps parut tonitruant, grincements des os et crissements des muscles, succession d'implosions saccadées qui privait pas à pas la bête de ses droits moléculaires. Les longs fémurs frissonnèrent dans leur épouvantable compression, de violentes secousses agitèrent la tête, comme si le crâne intérieur cherchait à se débarrasser du crâne extérieur, son odeur s'épanouit, enfla un instant, évocatrice de pourriture, puis s'atomisa en une fraction de seconde autour d'elle avant de rester en suspens, prête à retrouver sa version humaine. Pendant ce temps, ma certitude stupéfaite ne faisait que croître, au point d'atteindre une chaude complétude quand la créature redevint femme tout entière — hormis la tête apaisée —, en trois, quatre, cinq spasmes lents (les mêmes convulsions adorables la prendraient au moment de l'orgasme, je le savais). Elle détourna le visage pour l'ultime étape de la transformation, la plus intime, mais je regardai la fourrure rase de son crâne pousser en accéléré jusqu'à donner une chevelure épaisse, dont une longue vague s'incurvait comme à dessein sur le sein le plus proche de moi.

Quelques secondes s'égrenèrent. Son visage détourné, son souffle qui s'apaisait. Notre conscience mutuelle à nu. Je me demandais si je m'étais trompé. Si je me trompais.

Elle me regarda, et je sus que non.

34

«J'ai froid», dit-elle dans la langue du peuple de l'amont, d'une voix assurée, basse et douce, couleur rivière nocturne.

«Tiens, répondis-je dans la même langue. Je vais faire du feu.»

Je lui tendais la fourrure vidée de ses restes humains, ainsi que ma cape en peau d'ours. Lorsqu'elle se tortilla pour les enfiler, un désir gigantesque se déploya en moi. Le rire me monta aux lèvres, aussitôt disponible; j'y résistai difficilement. La vastitude et la simplicité d'un désir pareil, chez moi — quel qu'en fût l'objet —, se révélait si vaste et si simple que le rire semblait inévitable. On aurait dit que quelqu'un venait de soulever le couvercle du ciel pour dévoiler un royaume fabuleux, totalement différent, où tout ce qu'on croyait savoir se révélait redondant — et hilarant. La moindre goutte de mon sang contemplait son reflet flambant neuf, effarée de se reconnaître, persuadée qu'accepter un tel don reviendrait à le perdre.

«Dépêche-toi, reprit-elle. Le soleil me fera du bien, mais il te tuera.»

Elle savait ce que j'étais, j'en avais eu conscience dès le début, mais cette confirmation négligente me causa un choc délicieux, un de plus. Avait-elle côtoyé d'autres vampires?

« Si tu veux creuser, je peux t'aider, ajouta-t-elle. Ça nous laissera plus de temps. »

Elle maîtrisait si vite la situation, comme si on se connaissait depuis des années — comme si elle savait parfaitement que je risquais de sombrer dans une rêverie stupide. Je la découvrais aussi grande que moi, souple, les yeux sombres. Elle avait vécu trente hivers en humaine et ne paraîtrait jamais une minute de plus. Son visage — regard intrépide et large bouche — m'informait qu'elle avait conclu avec ce qu'elle était une paix ardente. Quelques conditions que lui impose sa nature, elle les remplissait depuis longtemps. La pensée que la monstruosité lui avait ôté le droit de vivre ne lui était jamais venue. Elle avait de naissance des ongles et des dents pour se défendre dans la vie; ce n'était certainement pas *ça* qui allait l'abattre.

« Ça ne te fera pas de mal? »

Elle voulait parler du feu.

« Pas si je me dépêche. »

La modernité nous dit que les vampires ont peur du feu. C'est ma foi vrai... dans la mesure où vous en avez peur, vous aussi : on n'a pas particulièrement envie de se brûler, l'idée de s'*enflammer* ne nous tente pas trop, mais la chaleur nous est agréable. On est moins sensibles que vous aux écarts de température, ce qui ne veut pas dire qu'on ne les sent pas. J'avais un peu plus froid sans ma peau d'ours, mais j'aurais pu sortir la bite au vent — ainsi que le veut l'idiome moderne — et me balader des heures dans la neige sans en éprouver davantage qu'un inconfort mineur. (Inconfort plus agréable et plus immédiat — en parlant de bite —, il ne me restait que mes chaussures et un pagne en cuir trop lâche pour dissimuler mes sentiments.) J'avais de quoi faire du feu — par chance, ou grâce aux forces qui avaient mis cette rencontre au point en douceur. Amlek et Mim avaient dormi dans la grotte en ma compagnie peu de temps auparavant. Nous nous étions nourris tôt, nous étions rentrés à la caverne des heures avant l'aube, Amlek avait trouvé du silex et allumé du feu, plus pour l'esthétique que pour la chaleur, car la nuit avait tourné aux réminiscences. La cicatrice du foyer se distinguait encore, presque à l'entrée du boyau. Il ne restait guère de bois sec, mais je dénichai le silex et fis de mon mieux. Quelques minutes plus tard, une dizaine de flammèches dansaient parmi les branches mortes. Les sapins qui poussaient une quinzaine de mètres en contrebas me fournirent des pommes de pin qui, ajoutées à ma maigre récolte de bois, tiendraient bien jusqu'à l'aube. Je me consacrai aux flammes que j'attisai, tisonnai, triturai, conscient tout du long du regard posé sur moi. L'espace qui nous séparait était riche de nos mouvements potentiels l'un vers l'autre. Déjà, le fantôme de mon être le traversait, version érotique totale du membre fantôme. Pourtant, la fièvre de la certitude incrédule s'ajoutait au martèlement de chaque seconde qui passait.

Puis, brusquement, je me levai, me retournai. On y était. Les yeux dans les yeux. Le feu la dotait de petites ailes de lumière : les pommettes, les genoux, une épaule nue. Silence. Son visage me disait qu'elle me connaissait bien. Ses yeux sombres brillaient, assurés. Silence obstiné. Mutité plaisir de la commotion. Je ne m'aperçus de ce que je pensais — *Tu n'es plus seul* — que quand elle répondit de même *Non, on n'est plus seuls.*

Il n'y eut pas de décision. On se tenait l'un en face

de l'autre ; une seconde plus tard, la distance réduite qui nous séparait s'évanouissait, disparaissait, se dissolvait dans un néant fluide et chaud. On était dans les bras l'un de l'autre et son corps épousait parfaitement le mien.

35

Le mythe du mâle et de la femelle composant à l'origine un unique hermaphrodite survit encore, à ce jour. *Ma moitié,* dites-vous. Un concept qui, pris au pied de la lettre, désavantage les homosexuels. Ceux qui prennent les choses au pied de la lettre devraient d'ailleurs en déduire qu'ils ont besoin de travailler leur sens de l'interprétation. Il n'est pas question d'organes génitaux, mais de l'impression de rentrer chez soi. De reconnaître l'autre. De le *re*trouver. De savoir qu'on le connaissait, qu'on a été contraint à l'oubli et à la séparation, qu'on a pris des inconnus pour cette moitié (myopie volontaire ou quasi-échecs innocents), mais que là — soit hasard, soit ineffable dessein —, on a affaire à la vraie. On en remercie les dieux, la chance ou l'univers déterminé, mais on est quoi qu'il en soit tenté de remercier *quelque* chose (réaction touchante, quand on y pense).

La coupe déborda évidemment en ce qui me concerne. Une vie sexuelle toute neuve et l'amante de ma vie avec qui la partager. Personne ne s'en félicita. Une intuition commune nous soufflait que ce serait revenu à chercher les ennuis. Nous vaquions à nos occupations amoureuses dans la discrétion et la prudence, de crainte d'attirer l'attention de l'univers. Pas question qu'il prenne conscience d'avoir commis une erreur obscène et que, horrifié de sa négligence, il la *rectifie* d'un geste brutal, quoique hâtif.

«Comment est-ce possible?» chuchotai-je (car je craignais que l'univers n'écoute) dans la clarté du feu.

Nous occupions la caverne, pour l'instant. Elle nous appartenait manifestement. Le monde nous appartenait manifestement. Nous nous trouvions au cœur de la phase hypnotique où on considère sereinement avoir droit à ce qu'on a. Je m'étais souvent interrogé sur l'utilité de tout. Je la connaissais à présent.

«Comment, ça m'est égal, répondit-elle sur le même ton en se hissant sur moi. Ce qui compte, c'est que ce soit possible.

— Je t'aime.

— Je sais.»

Elle savait en effet, horrifiée et ravie qu'elle était de son avidité face à mon amour. Si elle ne m'avait pas aimé, il l'aurait poussée à la cruauté. Si elle ne m'avait pas aimé, il l'aurait transformée en tyran. Heureusement, elle m'aimait.

«Voilà, comme ça, juste comme ça. Oh, Seigneur, c'est bon. C'est exactement ce que *bon* veut dire.»

Jamais je n'avais connu la paix, le plaisir ni la nécessité profonde tels que je les connaissais en elle. Elle aimait me chevaucher («la cavalière», s'il faut en croire la pornographie contemporaine dans une de ses rares images féminines positives), parce que, d'après elle, j'arrivais de cette manière juste au bon endroit. (Le point G attendait, à des millénaires de là, mais les gens reconnaissaient un raisonnement pertinent bien avant la logique formalisée d'Aristote...) Elle aimait me chevaucher pendant que je la tenais par les hanches

226

et se baissait parfois pour me gratifier de baisers qui nous entraînaient tous deux jusqu'au néant. Ces plongeons dans la nuit résolvaient momentanément notre séparation. Mais le vrai délice — le délice humain, diriez-vous — se trouvait dans les instants précédant et suivant la transcendance, dans la tentative frénétique d'obtenir tout, assez, l'entièreté l'un de l'autre, dans l'incrédulité ravie que nous inspirait notre présent, cadeau immérité outrageux. Ah, nous nous roulions dans la boue en vrais porcs ! Nous nous endormions souvent juste après l'orgasme, sans changer de position, mais la force de gravitation infaillible de la tendresse nous ramenait toujours dans les bras l'un de l'autre, à moitié endormis. Il nous arrivait parfois de nous apercevoir que nous nous étions réveillés et que nous réfléchissions.

« Arrête de réfléchir, disait-elle alors.

— Toi aussi, tu réfléchis.

— Je vais arrêter. Arrête aussi.

— D'accord. »

Une fois, une seule, elle dit :

« Ma vie va passer en un clin d'œil, comparée à la tienne. »

Je faillis répondre que je ne continuerais pas sans elle, mais je n'en fis rien. Parce que, même si j'y croyais, je savais que ça l'agacerait. De toute manière, elle savait que je le pensais. Nous étions à la caverne, couchés nus sur la peau d'ours. Le feu s'était affaibli, mais l'amour nous avait échauffé le sang. Elle reposait sur le flanc, une jambe pliée ; moi, la tête sur sa cuisse, dans l'odeur de sa chatte — l'odeur de l'amour, en ce qui me concernait. (Depuis toujours ; je l'avais juste oubliée, ainsi que d'autres choses, enfin rendues à ma mémoire.) La pensée de la perdre m'emplissait d'une énergie frénétique, qui ne savait que faire mais s'obstinait à croire qu'elle *pouvait* faire quelque chose.

«Je veux que tu me fasses une promesse, reprit-elle.

— Laquelle ?

— Promets-moi de vivre aussi longtemps que tu pourras. »

Je ne répondis pas. Rien de ce que j'aurais pu dire ne me semblait adéquat. Elle en eut conscience, là encore.

«Promets-moi, c'est tout», insista-t-elle.

Je restai un long moment silencieux, à respirer son odeur et à essayer de m'imaginer vivre sans ça.

«D'accord, dis-je enfin. Je te promets de vivre aussi longtemps que je pourrai. »

Ça n'aurait pas dû être aussi difficile.

Je parlai d'elle à Amlek, mais pas aux autres.

«Alors avec elle… tu dis que… ? »

C'était le plus important, évidemment. Ce qu'il n'arrivait pas à dépasser, évidemment.

«Oui, répondis-je. Ça aussi. Comme quand on était humains. »

Le soleil venait juste de se coucher sur ma nuit d'adieu. Vali m'attendait à la caverne, cinq kilomètres plus loin. Amlek et moi étions assis dans un platane dominant la rivière. L'eau, vaste intelligence au mouvement paisible. Il savait que je partais avec elle, je n'avais pas eu à le dire.

«Combien de temps va-t-elle vivre ? »

Question qu'il regretta aussitôt.

«Pas éternellement, répondis-je.

— Je suis désolé.

— Peu de temps.

— Je suis sincèrement désolé.

— Mais elle est vivante maintenant.

— Bien sûr. »

Quelques minutes de silence. D'adieux silencieux. Il pensait au temps et à l'espace qui s'étendaient devant lui et où je ne serais pas. La tristesse était là, oui, mais aussi l'excitation égoïste d'être débarrassé de quiconque à qui se mesurer. De devenir la seule réponse à ses propres questions.

Aucun de nous ne chercha à prendre de dispositions, de temps ni de lieu. Le sang nous unissait. Nous nous reverrions.

« Remshi ? appela-t-il quand je m'éloignai dans le noir.

— Oui ? »

Il souriait, je le sentais.

« Elle n'aurait pas une sœur, par hasard ? »

Lorsque je regagnai la caverne, Vali n'y était pas. Il n'y régnait plus la même odeur. La sienne persistait, mais celle d'un humain s'y mêlait, âcre et brute, émise dans la peur ou la fureur. Quand j'entrepris de les suivre en direction de la rivière, je m'aperçus que je tremblais. La cruelle plaisanterie habituelle : nous te donnons la béatitude, puis nous te la retirons. J'avais raison dès le départ.

Je la retrouvai pourtant saine et sauve, à un kilomètre à peine, dans une vallée peu profonde tapissée d'herbe moelleuse et de pierres pâles qui descendaient jusqu'à un ruisseau aux berges couvertes d'acacias. À genoux, une pierre à la main, près d'un homme couché face contre terre, la tête en sang. L'odeur tiraïlla mon instinct comme un enfant la main de sa mère, alors que je n'avais nul besoin de me nourrir avant le lendemain.

« Il n'est pas mort », dit-elle.

Je le savais, au sang. Il nous est impossible de boire les morts.

« Qui est-ce ? » m'enquis-je.

Elle était belle, encore échauffée par ce qui venait de se produire.

« Mabon. On est de la même tribu. Je n'arrive pas à croire qu'il m'ait suivie aussi loin. »

Je comprenais. Il la voulait.

« S'il t'a suivie jusqu'ici, il ne va pas s'arrêter pour si peu. Il sait ? »

Ce que tu es.

« Oui. »

Faible lueur de respect pour Mabon. Envie néanmoins de lui arracher la tête.

« Je ne peux pas le tuer, reprit-elle. Je ne vais pas le tuer. » Autrement dit : Je ne veux pas que tu le tues. « Demain, c'est la pleine lune. Je me déplacerai aussi vite que toi. On sera loin. Trop loin pour qu'il nous suive. Ce n'est pas un mauvais homme.

— On peut être dangereux sans être mauvais.

— Peu importe. On ne le tue pas.

— D'accord. C'est toi qui commandes. »

Silence.

« Ah bon ? »

Juste assez joueuse pour me titiller le sexe.

« Toi, tu es une mauvaise femme », dis-je en la rejoignant.

On s'embrassa, parfaitement conscients de la possibilité de baiser sur place, près de ce pauvre Mabon prostré — sur lui, pourquoi pas ? Mais Vali écarta cette option. Piquant trivial. Geste symbolique mesquin, dont quelqu'un de plus petit aurait peut-être eu besoin. Pas elle. Les cruautés infimes signent la nécessité de se réconcilier avec les grandes. Elle l'avait déjà fait.

De toute manière, Mabon n'allait manifestement pas tarder à se réveiller, ce qui nous convainquit de repartir. J'avais décidé de longer la rivière vers l'est, au pied des montagnes. L'eau impliquait l'humanité ; les montagnes la possibilité de se cacher sans problème.

Le lendemain, on chasserait ensemble. On n'avait même pas eu à en parler pour le savoir.

36

On n'en avait pas parlé. On avait eu cette intelligence. C'était la seule chose dont on n'était pas sûrs, parce qu'elle craignait que j'aie oublié en quoi elle se transformait. Tel n'était pas le cas, mais j'hésitais malgré tout : si elle n'avait pas repris forme humaine, la première nuit, dans la caverne, aurais-je couché avec elle?

«On est loin du campement?» demanda-t-elle.

La lune n'allait pas tarder à se lever. On se trouvait dans une grotte dont j'avais chassé un puma, la veille. La bête avait lutté vaillamment, mais j'étais trop rapide. Écoute, lui avais-je dit, laisse tomber. Tu as perdu beaucoup de sang, et tes affaires ne vont pas s'arranger. Le fauve avait alors poussé ce qui ne pouvait être qu'un soupir, suivi d'un roulement du cou et d'un étirement censés signifier que l'ennui s'était emparé de lui, puis il m'avait tourné le dos avant de partir en traînant la patte.

«Un kilomètre, environ, répondis-je. C'est toujours aussi pénible?»

Un sourire me répondit. Question idiote. Elle frissonnait, livide, en nage. Au tout début, je lui avais posé avec la plus grande douceur la main entre les omoplates. D'où cet avertissement :

«Je t'aime, mais si tu fais ne serait-ce que m'effleurer la peau, je te tue.»

«Tu veux à boire?» demandai-je.

Elle secoua la tête. Quand elle déglutit, sa gorge se gonfla une seconde, avant de revenir à la normale.

«Si seulement je pouvais t'aider.

— Chut. C'est… Oh, merde, ça vient. Pousse-toi.»

Là encore, je regardai. Le même processus, inversé. Plus alarmant : quand la bête se transforme en belle, on en est soulagé; quand la belle se transforme en bête, déstabilisé. Son crâne frémit. Sa mâchoire inférieure se propulsa en avant avec un craquement humide. Ses jambes s'allongèrent, ses bras et son torse prenant du retard, ce qui fit un instant de sa tête un spectacle lointain, comme si elle s'était hissée sur des échasses. Ses yeux sombres s'assombrirent. La fourrure sortit rapidement, avec un bruit d'incendie lointain. Elle tomba à quatre pattes, roula de côté, se convulsa en se tenant le ventre. Son odeur jaillissait d'elle, martèlement qui emplissait de sa fortune mon visage et mes membres. Le cœur doux s'en trouvait entre ses jambes, où je l'avais découvert la première fois que j'avais embrassé sa forme humaine à cet endroit. À présent, mon sexe se dressait dès l'inspiration initiale, tandis que la voix d'Amlek disait dans mon esprit : *N'empêche qu'à la base, c'est juste un chien, Remshi. Un gros chien qui marche sur les pattes arrière.* L'antidote romantique était bien sûr à ma portée : il s'agissait toujours *à l'intérieur* de ma bien-aimée. Sauf que ce n'était pas vrai. Je ne voulais ni la femme dans la bête ni la bête autour de la femme. Je voulais Vali tout entière, en chaque point porté sur l'échelle de sa nature. Elle était garou et femme aux yeux sombres prête à rire, à embrasser, à voir en vous et à vous sauter. Les deux n'étaient pas divisibles, non plus manifestement que mon désir. Cette révélation me fut chaleur en expansion, bonheur en mon visage. *Il n'y a rien en toi dont je ne veuille pas.*

Les divergences indéniables… les détails pratiques… les divergences imposant les détails pratiques… Je me mis à rire tout bas, quand je lus dans ses yeux qu'elle avait capté cette idée et pensait *Moi à quatre pattes, bien sûr*, car elle nous voyait dans cette position, elle le museau enfoui sous la cage thoracique explosée d'une victime.

L'image donna à sa faim l'ultime poussée ; les derniers vestiges de son humanité cédèrent.

Ma propre faim n'avait pas besoin de poussée. Trois jours. Un de plus, et la souffrance s'installerait. Je déglutissais à répétition. Mes crocs s'animaient, mon sang tonnait du murmure des innombrables morts drainés. On croirait que l'habitude s'installerait, hein ? Il n'en est rien. Chaque victime unique désaltère à sa manière unique et ajoute au vôtre son être unique.

Ils avaient posté des sentinelles. Deux. Assez près du campement pour l'alerter de leurs cris.

On en prit chacun une.

Elles n'eurent pas le temps de crier.

Je ne savais pas ce que ce serait. Juste que ça ne ressemblerait à rien de ce que je connaissais.

Exact.

Je bus beaucoup, vite, seul avec ma proie. En partie parce que ma soif datait de trois jours et que la première giclée, le premier fumet du sang emportèrent tout, hormis le besoin de la satisfaire. (Mon garde était jeune, musclé quoique mince, plein de force et d'amour contenu ; l'amour attendait en lui, presque prêt… mais ne trouverait plus maintenant son chemin vers personne.) En partie parce que (logistique intraitable qui fait le monde autant que l'amour, l'art ou l'imagination) je n'osais risquer de boire une gorgée à sa victime à elle : si la lumière de cet homme s'éteignait pendant que je m'abreuvais à ses veines, il en irait de même de la mienne, et c'était elle qui tenait entre ses mains la lumière de cet homme. Mais en partie aussi — soyons d'une honnêteté scrupuleuse — parce que, l'heure venue, je ne savais pas ce qu'elle voulait. On n'en avait pas parlé, je le répète, on y était juste arrivés, mus par une force de gravitation irrésistible.

Je me relevai, désaltéré, bouillonnant intérieurement de la vie de mon jeune garde : la tête lui tourne la première fois qu'il voit la mer, son esprit d'enfant l'imagine se déversant des bords du monde, gigantesque cascade vert sombre, mais où va toute cette eau ? Il se sent presque aspiré avec elle il lutte contre sa terrible traction il se détourne pour nouer les bras aux hanches de sa mère et presser le visage contre ses cuisses, même si l'air salin démesuré du rivage apaise aussi, promesse d'amour rappelant la mère justement mais trop grand...

Vali me regardait par-dessus son épaule, à quatre pattes, les jambes écartées, le dos arqué. Son museau scintillant ruisselait de rouge, son haleine au parfum de sang s'élevait en signaux rythmiques, au mépris de toute retenue. Une version effroyablement reconnaissable de la manière dont elle me regardait sous forme humaine, dans la même position de disponibilité sans scrupule, insistante. Une expression de sombre compréhension. Je te connais. Tu me connais. Oui. Oui. *Oui*.

La vitalité de son corps quand je la pénétrai, la verge gonflée à en être douloureuse, m'assaillit avec une suavité quasi insupportable. Elle regorgeait d'une puissance rusée où me noyer, pendant que la vie de sa victime se débattait en elle. Son avidité s'exprimait dans la pulsation de son sexe, à laquelle ma propre pulsation brûlait de se joindre, jusqu'à ce qu'une synchronicité martelante telle que je n'en avais jamais connu nous unisse, accordée au pouls de... de quoi ? De l'univers, de la vie, de tout. Le filon luisant de la corruption, ou peut-être son frémissement obstiné, se révélait essentiel, quoique terrible : le plaisir croissait proportionnellement à la souffrance de la proie, relation à peine entraperçue par ma forme de mortel, vague fantôme dans la fumée — ensuite de quoi j'avais vécu des siècles sans désir. Il était là à présent, avec nous (tandis que les divisions entre toutes choses se dissolvaient, que la pleine lune nageait au-dessus de nous dans le fleuve céleste, que la montagne s'ouvrait sur une voûte d'étoiles), le grand esprit de la cruauté et de l'évolution par la rapine, proche du cœur de notre être, quoi que nous en pensions. Voilà à quoi elle avait dû faire place. Le monstre posait au moins un ultimatum honnête : fais place à ça ou tu es morte. Et elle en avait bel et bien fait. Elle avait forcé sa propre évolution pour s'adapter, laissé la lune réduire mois après mois les remords et la tristesse jusqu'à ce qu'il n'en reste que deux pièces abandonnées dans la maison des nombreuses demeures. Des pièces où elle se rendait de moins en moins, se rendrait de moins en moins, avec de moins en moins de nostalgie. Voilà pourquoi elle n'en avait pas parlé, je le savais maintenant. Elle ne savait pas (l'intuition n'est pas certitude) s'il en irait de même pour moi ; si moi, je ferais place à ça.

Mais avec elle à mon côté, avec ma virilité restaurée (de fait), il ne restait de place pour rien d'autre. Je savais — la part de mon être négligeable oubliée par l'extase — que je devrais consacrer ensuite une certaine énergie à la convaincre qu'elle ne m'avait pas blessé en m'initiant. Il lui faudrait tout son courage matois pour surmonter cette peur-là, ces remords-là, mais elle le ferait. La dernière faille de notre intimité s'en trouvait comblée : elle m'aimait et me désirait assez pour courir le risque de se transformer en quelque chose qui me révolterait. Je ne l'en aimais que davantage.

37

Trois ans plus tard, on était de retour.

Trois ans. Environ. Sur combien de milliers d'années ?

Rien ne s'était affadi. *Rien*. Le monde nous appartenait toujours. Les cieux géants, les constellations fas-
cinantes, le bruit de la mer sur le rivage, la bruine qui
ne tombe pas, mais se matérialise en l'air, douce lévi-
tation enveloppante. Le meurtre nous unissait. Le rite
matrimonial profane, chaque mois renouvelé, appro-
fondissant notre compréhension monstrueuse. Seules
les exigences de l'espèce déparaient cette perfection.
La plus évidente : j'étais confiné aux heures nocturnes.
Bien sûr, elle y avait adapté son sommeil pour devenir essentiellement nocturne, elle aussi, mais ce n'était
pas facile. D'abord parce qu'elle passait l'essentiel des
deux semaines encadrant la pleine lune à dormir. Mais,
surtout, parce que la lumière du jour lui manquait. Évidemment. Elle me manquait bien, à moi qui avais eu
des siècles pour m'habituer à la nuit. Nous vivions de
fait des semaines à l'écart l'un de l'autre. Toutefois,
notre fenêtre d'opportunité s'ouvrait juste après le crépuscule, même quand Vali dormait la nuit : il nous restait des heures que les restrictions rendaient précieuses.

« Comment était la lumière, aujourd'hui ?

— Énorme. Brûlante. Éclatante. Jaune. Le bleu du ciel battait le tambour. J'ai regardé tourner l'ombre des arbres. Quand le soleil s'est couché, on aurait dit que quelqu'un le tirait tout doucement vers le bas. Il était un peu flou, tout orange. La terre a viré au pourpre, puis au bleu foncé et au gris, et enfin au noir. Alors tu as ouvert les yeux.»

Quand je l'embrassais, il m'arrivait de sentir sur sa peau une odeur de soleil et de grand air qui m'excitait follement.

Autre divergence, je devais me nourrir tous les quatre ou cinq jours, mais la mise à mort avec elle faisait de la mise à mort sans elle une corvée exaspérante. Je la repoussais donc autant que possible. Six, sept, huit jours. Elle ne me reprochait jamais rien d'autre. Pourtant, quand je planifiais vraiment bien — quand j'étais moi-même si affamé à la pleine lune que la soif en devenait débilitante —, nous y gagnions une récompense d'une suavité impie. Rien — *rien* — ne se pouvait comparer à notre union dans le sang, où nous étions par essence loi hors-la-loi.

«On y va de nuit, dis-je. Ensemble.

— Je ne veux pas que tu m'accompagnes.»

On était de retour parce qu'un rêve lui avait montré sa mère agonisante. Sa mère humaine, qu'elle n'avait pas vue depuis son exclusion de la tribu. Sa mère qui s'était battue pour empêcher les autres de la chasser, mais que son père avait réduite au silence en la rouant de coups qui avaient failli la tuer. Ma bien-aimée voulait voir la vieille femme une dernière fois, à cause du rêve.

«Ce n'est qu'un rêve, Vali», protestai-je — unique objection.

Unique, parce qu'elle répondit : «Il faut que je le

fasse » en me regardant dans les yeux. Je compris alors qu'il ne servirait à rien de discuter, car elle croyait aux rêves. Pas à tous. Depuis qu'on se connaissait, il lui était arrivé peut-être cinq ou six fois de rêver de quelque chose qu'elle n'avait pu ignorer.

Demain, on part au sud.

Pourquoi ?

J'en ai rêvé. Quelque chose de néfaste nous attend, autrement.

Tu en as rêvé ?

Oui.

Je ne discutais pas. Elle manquait tellement de superstition par ailleurs que les exceptions gagnaient en valeur. Et, après tout, qui étais-je pour contester les rêves ? Les miens me fuyaient depuis ma Transformation. Le sommeil constituait un black-out ininterrompu. Il m'arrivait de me réveiller avec la vague impression qu'il s'était passé quelque chose — que mes morts engloutis avaient passé la journée à mener grand vacarme —, mais sans jamais rien savoir de ce quelque chose. Il me semblait alors rentrer chez moi dans une maison parfaitement en ordre, où les enfants avaient organisé une fête en mon absence.

« Je t'accompagnerai jusqu'au campement, insistai-je. Sans y entrer avec toi. Personne ne saura seulement que je suis là. »

On était encore à une journée de marche de sa tribu, car elle partait du principe que ses anciens compagnons se livraient toujours aux mêmes pérégrinations annuelles. Principe dangereux, me disais-je. Pour ce qu'elle en savait réellement, elle ne trouverait personne. Ou alors une autre tribu. Hostile. *Plus* hostile.

« Vali ?

— On en discutera demain. Il est tard. »

Tôt, voulait-elle dire. On se trouvait dans une forêt d'arbres géants et de minuscules jacinthes sauvages, où courait un ruisseau de malachite liquide vert et noir. Pas de caverne. J'avais creusé un terrier dans la berge, sous un chêne à l'agonie dont les racines émergeaient pour moitié de l'humus telle une main flétrie. (À l'époque, c'était pénible de se protéger de la lumière du jour. Pierres, broussailles, peaux, souches, trous dans la putain de terre.) Je m'étais joyeusement nourri trois jours plus tôt, mais la soif avait entamé une manifestation préventive dans ma poitrine et mes mollets, avant l'avidité à venir — Vali n'aurait besoin de se nourrir que dans huit jours, et je voulais attendre.

«Ne t'éloigne pas, lui dis-je.

— Du calme. La forêt va être superbe, de jour. De toute manière, je suis épuisée. Embrasse-moi.»

Je me souviens de ce baiser. Doux, tendre, prolongé. Sa main se glissa dans mes cheveux, serra brièvement, fortement. L'odeur de sa peau, l'éclat sombre de ses yeux.

Ce jour-là, pendant ce sommeil-là, je fis un rêve.

Je me trouvais dans une clairière, juste après le crépuscule. Pâquerettes et boutons d'or, minuscules esprits dans la pénombre. À ma gauche, une rangée d'arbres obscurs ; à ma droite, un moutonnement de collines. Je ne savais pas où j'étais. Je cherchais Vali. Le moindre brin d'herbe me disait qu'elle était passée par là peu de temps auparavant, son odeur flottait alentour, mais quelque chose me résistait. Mes jambes peinaient, plus faibles à chaque pas tremblant. L'air, d'abord liquide, virait à la mélasse, puis au bourbier. Je finissais par m'allonger, totalement épuisé. Il me semblait rester là un long moment, à regarder les étoiles, à me demander ce qui se passerait en fin de nuit, quand le soleil se lèverait. Ou, plutôt, à savoir ce qui se passerait, mais à me demander quel effet ça ferait. La pensée que je ne reverrais pas Vali avant ma mort m'emplissait d'une tristesse en pleine expansion, qui atteignait à répétition les limites de ce que je pouvais éprouver sans cesser d'exister — du moins en avais-je chaque fois l'impression, alors qu'elle continuait à croître.

Je prenais soudain conscience de la présence de Vali. Elle n'avait pu arriver sans que je l'entende ni la sente, mais quand je me retournais, elle était là, couchée près de moi. Dégageant une chaleur perceptible, malgré sa nudité.

« Je te reviendrai, disait-elle. Et tu me reviendras. Attends-moi. »

Je m'étais réveillé, persuadé qu'elle était partie voir sa tribu sans moi.

38

Je fis en six heures le trajet de vingt-quatre.

Lorsque j'atteignis le campement, il ne restait pas deux heures de nuit. Tentes de peau, ustensiles de cuisine, quelques femmes déjà levées allumant les feux. Un garde somnolent, appuyé à sa lance, le pied gauche posé sur le droit, non loin du périmètre.

Il ne me vit pas, ne m'entendit pas, ne me sentit pas arriver. Un merveilleux mystère le souleva par le cou et l'emporta sous le couvert. Il lâcha sa lance (il lui fallait ses deux mains pour tenter en vain de déloger la mienne, qui l'empêchait de respirer), mais le silex aiguisé qu'il portait à la hanche me convenait. Je le jetai à terre, m'assis sur son torse, lui montrai la pierre puis la lui fis sentir contre sa gorge. La situation lui apparut aussitôt clairement.

«Si tu cries, tu es mort», lui dis-je dans sa langue, celle de Vali. «Compris?»

Il hocha la tête, les yeux exorbités car il étouffait. C'était un homme au long corps mince, dont l'épaisse chevelure noire, collée par plaques, évoquait une toque en fourrure. Je me posai un doigt sur les lèvres — respire, mais en silence —, avant de relâcher la pression sur sa trachée. Grimaces et tics, pendant qu'il luttait pour rester discret en se remettant de son quasi-étranglement. Déjà, le silex avait tiré de son cou un peu de sang. Il déglutit, hoquetant; hoqueta, déglutissant. Je lui laissai un moment. Il sentait la rivière, les peaux séchées et la graisse animale qu'ils se mettaient dans les cheveux.

«La visiteuse qui est venue...» J'appuyais sur le silex. «Où est-elle?

— Elle... elle est là.

— Où ça?

— La grande tente. Celle de Fa. De Fa et Mabon.»

Mabon. Le soupirant rejeté que Vali avait expédié au pays des rêves d'un coup de caillou. Mon sang bruissait, troupeau nerveux prêt à se lancer dans une charge affolée.

J'assommai la sentinelle puis regagnai le campement en silence. (À strictement parler, j'aurais dû lui trancher la gorge, mais la pensée que c'était peut-être un proche de Vali m'arrêta.) Une trentaine de tentes, et pas moyen de se tromper sur la plus grande. Devant laquelle brûlait déjà un feu et se tenaient deux gardes armés de lances. On pourrait croire que j'avais réfléchi à la suite des opérations, mais vu mes capacités, il n'en était rien. Après tout, les humains me résistaient autant que paille au feu.

Les gardes furent affreusement surpris de me voir apparaître dans la clarté du foyer.

«Salutations», lançai-je, les paumes tournées vers le haut. «Je viens en paix. Je désire parler à votre chef.»

Les deux hommes n'auraient pas réagi autrement si j'avais braillé que j'allais tuer tout le monde et qu'ils allaient mourir dans d'atroces souffrances. Ils prirent une attitude belliqueuse, la lance levée, en poussant avec ensemble un cri bizarre, aigu et gazouillant — une sorte de *moouuloouumoouuloouumoouuloouu* —, censé sonner l'alarme, je le compris avec une sorte de lassitude. Les femmes se mirent à hurler et lâchèrent le bois de chauffe. On s'agita sous les tentes. On se précipita. Quelques instants plus tard, des humains bouche bée m'entouraient, à des degrés variés d'habillement et de conscience. Surtout des vieux, des femmes et des enfants. Une douzaine d'hommes de moins de vingt-cinq ans armés de lances, de silex, d'arcs et de flèches, du bric-à-brac en pierre et ficelle qui permettait aux chasseurs les plus doués de faire trébucher une antilope à cinquante mètres. (La crème mâle de la tribu était manifestement partie à la chasse.) La puanteur suave du sang humain exalté exaltait mon propre sang, fouettait la soif déjà rétive jusqu'aux délices caracolants. Mais je n'étais pas là pour ça.

Le rabat de la tente principale s'écarta. Une jeune femme au charme sombre et méchant apparut, couverte de perles et de dents cliquetantes. Petits seins fermes, ventre plat, cheveux noirs tombant jusqu'à la taille fine en vagues épaisses. La psyché tribale s'assourdit, car l'arrivante faisait plus peur que moi. Mabon et Fa. Je contemplais de toute évidence Fa, la femme du chef. Mabon avait cherché à se consoler dans les bras d'une autre, mais je doutais qu'il fût heureux sans partage.

« Salutations, répétai-je. Je suis ici pour la visiteuse, Vali. Laissez-moi lui parler, puis nous repartirons. »

La méchante reine m'examina de la tête aux pieds. Petit cerveau en feu, perpétuellement calculateur. Peu, très peu d'hommes, l'égaleraient.

« Maîtrisez-le, idiots ! » aboya-t-elle.

Des bras musclés me trouvèrent, établirent sur mes poignets, mes biceps et mon cou ce que ces hommes prenaient pour des prises indélogeables. Lorsque j'en aurais décidé ainsi, je m'en débarrasserais en une seconde de bagatelle.

«Que lui veux-tu?

— L'emmener d'ici en paix.

— C'est ta femme?

— Ma compagne.

— Ha!»

Elle avait les dents très blanches, les lèvres pleines, mais une petite bouche. Le visage trop animé, trop facilement. Elle voulait le pouvoir et se consacrait tout entière à sa quête.

«Ce n'est pas ta femme», continua-t-elle, souriante. «Ce n'est pas une femme du tout. C'est une traîtresse, une meurtrière et une *malek-hin* puante!

— Je voudrais la voir, s'il te plaît. Peut-être pourrais-je parler à Mabon?»

La foule murmura. Une ombre imperceptible de doute traversa Fa.

«Mabon n'est pas là. Je parle en son nom. Mais nous allons te donner ta *compagne*, que tu puisses *l'emmener d'ici en paix*. Amenez-la!»

On sait, bien sûr.

Toujours, pour les choses importantes, on sait une fraction de seconde avant.

Je te reviendrai. Et tu me reviendras. Attends-moi.

Les deux gardes disparurent derrière la tente puis reparurent avec ce qu'ils voulaient me montrer. Le premier tirait le corps nu de Vali, décapitée. Le second portait une perche en bois, à l'extrémité pointue coiffée de la tête coupée.

J'ignore combien j'en tuai. Je ne les tuai pas tous, puisque la plupart se mirent à courir lorsqu'ils comprirent contre quoi ils se battaient. Je ne me rappelle pas avoir tué d'enfants (je ne jurerais de rien), mais je tuai sans conteste plusieurs femmes, à commencer par Fa, dont j'ouvris le ventre d'un seul geste. Cette image — Fa baissant les yeux pour voir son abdomen béant se vider de ses entrailles comme une bouche ouverte laisse échapper la nourriture mâchouillée — est en fait la dernière dont je me souvienne clairement. Ensuite, tout est baigné de rouge. La fureur (sombre jumelle de l'extase) a ceci de transcendant qu'il faut revenir à soi pour s'apercevoir qu'on s'était laissé emporter en un Ailleurs indéterminé. Il faut retrouver l'Ici et Maintenant trop présents, se retrouver aux prises avec la finitude insuffisante, en triste possession d'empreintes digitales et de sourcils, d'un visage, de mains, de jambes, d'un corps complet exaspérant. Exaspérant, parce que chacune de ses cellules dit la réalité, la nouvelle réalité — dans ce cas précis, la réalité de ce que j'avais perdu. À jamais.

Insupportable dégoût. À cause de ce qu'ils lui avaient fait, oui, de la démonstration violente que son être obéissait aux lois physiques, mais aussi à la pensée que, pour le monde, ce n'était tout simplement que justice. Si la notion de justice existait bel et bien, voilà ce qu'elle impliquait. Or la notion de justice était omniprésente — des millénaires avant que le pauvre Socrate ne pose sa question suicidaire. Le noyau de la monstruosité se trouvait là : le monde humain n'avait à offrir au monstre que la juste exigence de sa mort. Avec raison, forcément, car l'humain constituait, en dernière analyse, le pain et le vin du monstre. On ne pouvait opposer à sa réaction aucun argument, juste une inimitié monstrueuse. Différends inconciliables, comme le diraient dans un avenir éloigné les lois consacrées au divorce.

Je l'enterrai à un bon kilomètre de là, en forêt, parce qu'elle aimait plus que tout la forêt — sous ses deux formes. *Je l'enterrai à un bon kilomètre de là.* Gardons-nous d'exclure les détails pratiques, innocents et vicieux. Je pris son corps dans mes bras, sa tête coupée posée à sa taille. On se croit incapable de certaines choses, si jamais le besoin s'en faisait sentir. Elles ne deviennent pensables que quand on les fait. Et encore. J'accomplis ces actes dans une sorte de transe d'auto-évitement, sans vraiment les comprendre, sans vraiment les accepter. En pensant tout du long, à vrai dire, que j'en discuterais plus tard avec elle l'horreur et l'absurdité.

Promets-moi de vivre aussi longtemps que tu pourras.

Je faillis trahir ma promesse à ce moment-là, assis près de la tombe fraîche, pendant que le monde sans elle tonitruait contre moi tel l'océan. Un océan vaquant à ses vastes affaires répétitives et sans but. La tentation d'attendre le soleil, ni plus ni moins, m'apportait un réconfort chaleureux. Ce serait si facile. Ne bouge pas. Ne. Bouge. Pas.

Mais je l'imaginai, souriante, indulgente, formulant son exigence face à ma lâcheté dévoilée. Sa force calme. Tu ne peux pas. Il faut que tu vives. Tu as promis. Je te reviendrai. Et tu me reviendras. Attends-moi.

Je ne décidai pas de vivre.

Juste de remettre ma mort à plus tard.

Il se mit à pleuvoir. Je m'agenouillai, embrassai la terre froide de la tombe (toujours, toujours persuadé au fond de la facette idiote de mon être, avec la stupidité obstinée de l'amour, que je la verrais au réveil), puis je me relevai, me détournai et m'enfonçai au cœur de la forêt.

39

Justine

Pauvre conne.

Toutes ces années, tout ce qu'il m'a dit, et je fais quand même ce qu'on peut faire de plus con. C'est pas possible de rester aussi idiote. *Réfléchis bien, Justine.* Il me l'a dit je ne sais combien de fois. *Parce que si tu cesses de réfléchir, tu es morte. C'est aussi simple que ça.*

Bon, je vais peut-être mourir. J'ai peut-être foutu toute notre histoire en l'air.

Cher Nounours,

Ne t'inquiète pas pour moi, s'il te plaît. Il faut que je le fasse. Et je ne peux pas le faire avec toi. N'essaie pas de me retrouver.

Lance-toi à sa recherche. Je suis désolée d'avoir dit ce que j'ai dit. Je suis désolée pour tout.

Je t'aime,

J

Je laissai le petit mot au sommet de l'escalier de la crypte, allai m'habiller à l'étage, dans ma chambre, remplis un sac de quelques vêtements, mon permis, mon passeport, de l'argent, mes cartes de crédit, puis

249

descendis au garage. Où j'ouvris le coffre-fort réservé aux fausses plaques d'immatriculation. Quelques minutes plus tard, la Jeep n'était plus un véhicule californien, mais texan, et j'avais glissé deux jeux de rechange (Wyoming et New Jersey) sous la roue de secours. J'étais si occupée à me féliciter de mon intelligence qu'il me fallut une heure de conduite pour réaliser que, de toute manière, je n'aurais jamais dû prendre la Jeep : peu importait son immatriculation, si la médecine légale y dénichait des traces des corps trimballés dans le coffre un peu plus tôt.

Je me garai, les mains tremblantes, les genoux flageolants.

Et la soif, nid de guêpes qu'on vient de secouer avec un bâton.

S'adosser à l'aile de la voiture, inspirer, expirer, réfléchir. Tu es sur l'autoroute. Tu ne peux pas t'arrêter. Les caméras. Les flics. J'avais vu un jour un graffiti : NATION SOUS VIDÉOSURVEILLANCE.

Je me réinstallai au volant en me disant que les flics n'avaient aucune raison de m'arrêter. De toute manière, on avait emballé les corps et passé le coffre à l'eau de Javel. Ne sois pas idiote. Ne panique pas et réfléchis. Cesse de réfléchir, et tu es morte. C'est aussi simple que ça.

Respirer à fond, passer la première, mettre le clignotant, accélérer. En douceur. Si on m'avait vue m'arrêter, je dirais que je m'étais trouvée mal. Ça avait dû y ressembler. C'était ça.

Quatre cents kilomètres jusqu'à North Vegas. Huit heures avant l'aube. Largement le temps. Il me suffisait de conduire normalement. De respecter les limitations de vitesse. Il ne se passerait rien.

Pourtant, mes mains me semblaient vides, et l'essaim

de mouches agitées qui bourdonnait autour de mon cœur ne se calmait pas.

Le M d'un McDonald apparut sur ma gauche. Un Subway. Un KFC. Mon ancienne vie agitait ses fanions. Le livre. *Ange banni.*

40

J'arrivai à North Vegas juste après trois heures du matin. L'atmosphère brûlante et humide était chargée de nuages bas — grisaille vide et douce. Je restai assise, les mains sur le volant, le moteur coupé, pleine d'une vitalité écœurante.

1388 Balzar Avenue. Un trou à rats de plain-pied. Cour de façade en terre battue, avec essoreuse à linge cassée et conteneur à ordures solitaire. Canettes de bière vides et caisse en bois brisée. Porte-moustiquaire dépouillée de la moitié de sa moustiquaire. Pas une lumière aux fenêtres. Cette vision me ramena en mémoire une expression de Nounours : *Corrélat objectif*. Ma réaction : Hein ? Explication de Nounours : Ça veut dire qu'un élément du monde physique entretient une correspondance symbolique avec quelque chose d'immatériel ou d'intérieur. (Il m'avait aussi dit : Ça n'arrête jamais, à cause du Fouet. Avec le Fouet, tout devient… Avant de se rappeler à qui il parlait et ce que je pensais de ce genre de choses.) Maintenant, je regardais cette maison décrépite, répugnante, et je me disais : C'est lui. Cette maison est le corrélat objectif de Karl Leath.

Puis : Non.

C'est le mien.

Il était là, je le savais. J'aurais su de toute manière, même sans la nouvelle version de mon être. Ce n'était pas la première fois que je venais. Je louais un appartement à une soixantaine de kilomètres, à Boulder City. Depuis un an, sous un faux nom. Rien de luxueux. Presque pas de meubles, je n'en avais pas besoin, ils servaient juste à sauver les apparences. Je ne le louais que pour ça. La seule chose qui ne soit pas là que pour ça, c'était la salle de bains sans fenêtre, à la porte plus lourde que la normale, avec serrures. Un tas de serrures : je savais que j'en aurais besoin, quand je reviendrais pour ça. J'étais censée aller à Boulder City maintenant. Me reposer. Me reprendre. Revenir le lendemain au crépuscule. Disait la raison. Là, j'étais juste censée repérer les lieux. Pas faire quoi que ce soit.

Pichenette au bouton de la vitre conducteur. Odeur d'asphalte chaud et d'ordures… plus une fuite d'essence, dans le coin. Plats chinois à emporter plus très frais, haschich, brusque bouffée envahissante de béton trempé d'urine. Une rue plus loin, quelqu'un jouait du rap, les basses trop fortes. Martèlement agaçant qui traversait tout, comme des battements de cœur. Comme leurs battements de cœur. Je me rappelais la chaleur le poids l'odeur des renvois au whisky et les battements de cœur, comme des coups. Ça m'avait fait penser à l'Homme en fer-blanc qui n'avait pas de cœur. À l'horrible déception infligée par le grand Oz, ce petit vieux à cheveux blancs. Ces battements de cœur contre moi — il n'existait rien de plus répugnant au monde.

Tu n'auras besoin de te nourrir que samedi, m'avait dit Nounours. Demain, donc. Il devait bien le savoir, mais c'était déjà là en moi maintenant, ça y était depuis hier, l'impression que des centaines de dents minuscules me mordaient le sang.

Le repérage, rien de plus. Pas encore.

Mais on aurait dit que l'espace autour de la voiture n'était pas vide. Que des bras et des mains très doux me poussaient, pressions légères aux coudes et aux poignets, au creux des reins, à l'arrière des genoux. Une partie de mon cerveau se débattait avec des questions du genre et si quelqu'un voit la voiture, s'il n'est pas seul, s'il y a un voisin ou si tu manques de temps si la Jeep tombe en panne et le soleil et toi en pleine autoroute... Mais les mains et les bras invisibles déplaçaient mon corps, sensation de sourire serein. Tout ce qui m'entourait — le tableau de bord, l'odeur du vinyle, les maisons basses, la puanteur des égouts, la légère courbure de l'asphalte et jusqu'aux détritus répandus d'un sac-poubelle déchiré —, ils me souriaient tous, comme si j'avais trouvé ce qu'ils attendaient, le seul et unique élément capable de leur apporter le bonheur dans la perfection.

Je descendis de la Jeep et en refermai la portière.

41

Quelqu'un avait gratté le «L» de son nom sur la boîte aux lettres pour le remplacer par un «D». De Leath à Death. Une banale crétinerie, rien de plus, une blague de gamins. *Sauf qu'avec le Fouet, il n'y a pas de banalité.* Nounours disait ça avec un haussement d'épaules, sur un ton d'excuse à moitié rieur. Le visage m'en picotait, non pas d'excitation, mais d'agacement. On aurait dit que quelqu'un avait monté le chauffage par une journée déjà trop chaude. Ça pouvait se rapprocher de la claustrophobie si on se laissait aller, cet ensorcellement.

Mes ongles et mes dents palpitaient douloureusement. L'obscurité était mon alliée, bonne volonté du monde. Je fis le tour de la maison, sans bruit, en regardant par les fenêtres. Il y avait pas mal de choses sur lesquelles trébucher ou shooter, mais rien de tel ne m'arriva. Rien de tel ne m'arriverait sans doute jamais plus.

Quatre pièces. Une salle de bains minuscule. Une cuisine sale avec de la vaisselle sale, un micro-ondes à la porte tachée d'une brûlure marron et une table à volets couverte de cartons de plats à emporter. Un salon meublé d'un canapé trop grand en similicuir, d'un fauteuil, d'une bibliothèque pleine de ce qui ressemblait à des pièces de voitures — pas de livres. La télé allumée, le son coupé.

Une chambre de façade : un matelas nu, à même le sol.

Une seconde chambre, sur l'arrière : un grand lit.

Et lui dessus.

Couché sur le dos en caleçon, découvert, bedaine blanche balafrée de lumière par les réverbères. Vivant. Sa bedaine montait et descendait. Quelque chose sifflait dans son nez.

Un instant de noir. De néant. De mort, me sembla-t-il.

Puis je revins à moi, comme si les infimes particules de mon être s'étaient mises à parler toutes à la fois. Je me disais que je rêvais, que j'allais me réveiller, mais le temps passait. Je savais que je ne rêvais pas. J'étais éveillée jusque dans mes cils et le bout de mes doigts.

Je n'eus pas conscience de prendre une décision, mais je me retrouvai en train de bouger, d'agir.

M'introduire dans la maison ne me posa aucun problème. Il me suffit de m'attaquer à la porte de service, dont je saisis la poignée avant de tordre et de pousser en douceur jusqu'à ce que la serrure cède, façon pliure perforée dans du carton fin. Les objets n'étaient rien, si gros et lourds soient-ils. Je posais la main dessus, et je savais que je les casserais facilement. Je me glissai dans la cuisine. La maison avait l'air désolée pour lui, à cause de la vie qu'il menait. Son souffle semblait plus bruyant, à l'intérieur. À l'entendre, il paraissait lui-même plus vieux. Il était plus vieux. Quelques secondes durant, je me sentis à nouveau au bord de la nausée, parce qu'il avait vécu toutes ces années à se balader, discuter, boire du café, fumer, regarder la télé. Je vis une image très nette de lui aux toilettes, les yeux rivés au sol… et la brusque certitude que j'allais vomir m'obligea à m'appuyer à la table. Je me concentrai sur une boîte à pizza Domino, oubliée par terre, pour empêcher la pièce de tourner et de se cabrer.

Quelques secondes plus tard, mon environnement se stabilisa, se réassembla. Les bras invisibles qui me soutenaient me déplacèrent avec douceur, et les nausées s'évanouirent.

J'inventoriai ce que contenaient les poches de ma veste, même si ce n'était pas nécessaire. Gros scotch et cordelette en nylon dans la gauche, pistolet dans la droite. Je parcourus le couloir jusqu'à la chambre. À la porte ouverte.

Odeur de chaussettes, de lit sale, de cigarette froide et de bière répandue. Assez de lumière pour révéler son visage. Petit. Parce que, dans ma tête, il était toujours énorme. Leath s'était sérieusement dégarni, mais enduisait toujours de gel ce qui lui restait de cheveux, pour les rejeter en arrière et dégager son front gras de brute. Ouvre les yeux, c'est ce qu'ils disent tous. *Ouvre les yeux.* Quand j'obéissais, ils avaient des visages de géants, l'odeur du gel pour cheveux, l'haleine au whisky et à la cigarette, les pores pleins de petits vers de crasse, les globes oculaires comme des planètes. Le plus répugnant de tout : leurs rires et leurs battements de cœur contre moi. Le gigantisme et la chaleur de ces battements contre moi.

Plantée au pied du lit, je baissai les yeux vers son occupant, surprise de le trouver si petit, avec des jambes maigres et variqueuses.

La situation pouvait évoluer de différentes manières. L'insignifiance de Leath pouvait me convaincre de faire demi-tour, de repartir et de ne jamais plus l'approcher. J'avais vu ça dans des films. Une réaction qui rappelait les vieux clichés — deux maux ne font pas un bien ; si on en arrive à la violence, ils ont gagné ; ou encore dans ce cas, on ne vaut pas mieux qu'eux. *La Liste de Schindler*, quand Liam Neeson disait à Ralph Fiennes que pour exercer un réel pouvoir sur quelqu'un, il fallait lui pardonner. J'avais conscience de ça comme d'une sorte de légèreté scintillante, tout près.

Mais il ouvrit les yeux.

Il me vit aussitôt. Sursauta en poussant un petit cri. Voulut se lever.

« Ne bouge pas », dis-je.

Je ne me rappelais pas avoir tiré mon arme ni m'être avancée dans la lumière pour qu'il la voie, mais je l'avais fait, puisque j'y étais. Il s'animait brusquement, appuyé sur un coude. La bedaine frissonnante, la bouche ouverte, les yeux plissés pour mieux me distinguer. Ce réveil très spécial faisait exhaler à son corps sa mauvaise odeur de bière, de pizza, de café et de sueur.

« Ne bouge pas », répétai-je.

Il me semblait que le sol s'inclinait. Je tendis la main pour garder l'équilibre, mais ce n'était qu'une illusion.

« Qui…

— Ferme-la, bordel.

— Que…

— *Ferme-la !* »

Je ne savais pas que sa voix serait comme ça. La même. Insupportable. Insupportable, parce que fascinante. On aurait dit que quelqu'un me mettait un sac noir tout doux sur la tête.

Le pistolet était gros et lourd dans ma main. Dans ma tête se mêlaient toutes les fois où je m'étais représenté la scène et où je disais *Tu ne sais donc pas qui je suis ?* puis *Tu te rappelles que tu me disais d'ouvrir les yeux ? Tu vas les garder ouverts, toi* mais aussi *Tu*

*n'auras qu'une envie, mourir vite, mais ça ne se pas-
sera pas comme ça, tu mourras très, très lentement*
et *Regarde-moi regarde-moi ouvre les yeux bordel de
merde.* Sauf que, maintenant, je m'imaginais mal dire
ce genre de choses. Maintenant qu'il était là, ç'aurait
été… Ce n'était pas assez énorme. Rien de ce que je
pouvais dire ne serait assez énorme.

La fatigue et le dégoût m'envahirent. Une image
s'imposait à moi : je le traînais dehors, il y avait foule
autour de la maison, et les gens regardaient, étonnés,
parce que, au moment où je le sortais, il était tellement
minuscule, petite chose toute recroquevillée, rien à
voir avec un homme, on aurait juré un bout de viande
séchée comme ce truc, le biltong, qu'ils vendent dans
les épiceries fines, mais ça ne suffirait pas, pas plus que
ce que je dirais, quoi que ce soit.

«Seigneur», lâcha-t-il.

Je compris alors qu'il savait qui j'étais.

Je me rappelais sa main amère, brûlante et moite sur
ma bouche et mon nez. Je me le rappelais disant Continue à tortiller ton petit cul et je vais jouir, et l'autre, «la
Pince», se mettant à rire, et elle me regardant sans me
voir me montrant qu'elle ne me voyait pas.

Je pointais le pistolet droit vers sa tête à lui.

Lorsqu'il leva brusquement le bras pour l'envoyer
valser d'un coup sec, on aurait dit du ralenti. Comme
si j'avais voulu que ça arrive. Comme si je lui avais
demandé de réagir de cette manière.

42

Une fraction de seconde durant, je sus que tout ce qui s'était passé jusque-là n'avait été qu'un rêve. En réalité, c'était *moi* la chose minuscule, impuissante. Et je l'avais rejoint de mon plein gré pour que tout recommence. Pour qu'il recommence tout. Soulagement fugace de n'être rien. Pas même répugnante, pas même une merde. Juste rien.

Puis les bras invisibles qui m'avaient guidée se durcirent, s'enroulèrent, se relâchèrent — et le rien devint soudain masse compacte rouge sombre, pleine d'énergie, de rire et de légèreté. Quand je rabaissai les yeux vers Leath, je m'aperçus que mon poing s'était abattu sur sa bouche, la traversant net. Il avait perdu la plupart de ses dents, et sa mâchoire inférieure pendait de l'endroit où mes ongles avaient tailladé le muscle en ressortant. Un *gah gah* bizarre émanait de son arrière-gorge, pendant qu'il essayait de sortir les jambes du lit.

Je l'attrapai par sa mâchoire pendante. *Tu pourrais soulever ça d'une main. Crever ça d'un coup de poing. Arracher ça comme un bouton.* Quand je tirai, elle se sépara de la tête. Je la tins un instant en l'air, sentis qu'il n'y croyait pas, qu'il ne croyait pas à ce qui se passait, puis je la lui lâchai sur la poitrine. Sa langue, toujours en place, avait l'air énorme, on aurait dit une langue de bœuf dans la vitrine d'un boucher.

Il roula à terre avec un choc sourd, à mes pieds. En se demandant où était le pistolet. Quand il se mit à quatre pattes, je le laissai avancer de quelques dizaines de centimètres, hypnotisée par le spectacle.

Puis, saisie d'une soudaine impatience, je me baissai, l'attrapai par le cou pour le relever — ses mains sur mon poignet, rien, des papillons, des bracelets de papier — et le rejetai sur le lit.

Je ne pensais pas. C'était autre chose. Le temps ne passait plus. Il n'y avait plus que Maintenant Maintenant Maintenant, une fleur de plus en plus épanouie.

Il chercha à parler, encore une fois, mais ne produisit que des bruits légers et un sang foncé. Savoir qu'il était désormais incapable de dire un mot m'apaisa, mais quand il voulut m'attraper, l'impatience et le dégoût me revinrent aussitôt. Je lui assenai une grande claque en pleine poitrine. Le gros os du centre cassa, je le sentis, je l'*entendis*. Je me le représentai en muraille blanche protégeant le cœur... fissurée, à présent. Je m'imaginai tirer sur ses deux moitiés pour les séparer et dévoiler ce qu'elle défendait, comme dans le tableau de Jésus du Sacré-Cœur qui ornait le vestibule de Mme Clémence, notre voisine. *Bénis notre demeure.* Cette peinture me faisait toujours penser à notre demeure à nous. Jésus regardait ce qui se passait au salon, une fois tirés les grands rideaux bleus mal coupés, sous l'ampoule nue du plafond dont la lumière crue mettait en relief le poil de leurs mollets, les ongles épais de leurs orteils, le visage maternel luisant de sueur.

Haletant, gargouillant, il réussit à se hisser une fois de plus sur le coude gauche. Tendit la main vers la table de nuit. La manqua. Réessaya. C'était encore plus épuisant de le voir chercher à tirer des plans, à s'en sortir. Ça m'exaspérait, parce que je savais qu'il allait continuer à protéger sa vie, autant que possible. Parce qu'une partie de moi, restée en retrait, disait ça ne suffit pas ça ne suffira jamais c'est trop petit trop ordinaire des os ordinaires tomber par terre la langue pendante comment quoi que ce soit pourrait-il suffire ?

Sans y penser, je lui passai d'un grand geste les ongles en travers de la gorge.

Son sang m'éclaboussa le visage.

Se posa sur mes yeux, mes lèvres.

Ma langue.

Tout changea.

43

Tu n'auras besoin de te nourrir que samedi.

Faux. La fleur au lent épanouissement se transforma en gouffre rouge noir qui m'aspira, la tête la première, dans une longue chute au terme de laquelle mes dents se refermèrent sur la gorge de Leath. Première giclée chaude de son sang dans ma bouche.

Il y eut d'abord…

Je m'aperçus que je pensais : Je n'ai encore jamais eu l'usage de ce mot…

La joie.

La *joie*. Voilà. Comme quand on rêve qu'on vole, l'instant où on s'aperçoit qu'on en est capable… Ce fut d'abord tout simple. Trois, quatre, cinq secondes de pur bonheur, un bonheur immense, sans aucun rapport avec lui. Il n'était que l'intermédiaire, il ne faisait que transmettre le sang venu d'ailleurs, de l'univers, et qui entrait en moi, infusait mes épaules, mon visage, mes seins, mon ventre, mes jambes et mes pieds d'une chaleur délicieuse. Un sang qui brûlait de cartographier la moindre cellule de mon être, de me posséder tout entière, tandis que je brûlais dès la première gorgée de le prendre en moi tout entière. On ressemblait à deux animaux, qui s'aimaient mais s'étaient perdus de vue depuis des années.

Puis à la troisième, la quatrième, la cinquième gorgée, ça devint son sang à lui. Je le vis, à huit ans peut-être : un ballon de basket le frappe en pleine figure et lui casse le nez (une sorte d'écho minuscule résonna dans mon propre nez), le gamin qui lui a lancé le ballon éclate de rire, la force du coup le fait tomber assis par terre, les autres rient d'autant plus fort qu'il est tombé dans une des flaques de la cour, il a le visage en feu énorme le cœur gonflé de quelque chose qui ressemble à de la honte. Tu ne peux pas t'arrêter, me dis-je. Une fois que tu as commencé à boire, tu ne peux pas t'arrê-ter. Ce n'est pas toi qui suces le sang, c'est le sang qui te suce. Des extraits de jeux vidéo, des trolls des soldats des sortes de sculptures de boue qui n'apportent pas la paix mais emportent les souvenirs durant les heures jours mois années où le graphisme des explosions et les cris de mort l'emplissent même si c'est aussi une sorte d'ennui comme le trop-plein de nourriture. Une fille avec lui dans un bar genre chalet de montagne sauf qu'il fait chaud et que l'air a l'épaisseur de la soupe parce que les climatiseurs ne marchent pas, il sent que ça se passe bien (elle a un large visage moite et une coiffure au carré blonde évoquant un casque, des mains un peu abîmées par l'eczéma mais de larges ongles rouges) elle a ri une ou deux fois mais le temps s'accé-lère il la tient par les coudes il essaie de l'éloigner du comptoir on les regarde elle dégage brutalement son bras et renverse un pichet d'un quelconque cocktail rouge qui tombe et explose par terre. La familiarité de la scène lui fait à lui l'effet d'une chaleur redoublée, comme si on lui approchait un feu électrique du visage alors qu'il a déjà tellement chaud. C'est tellement familier, le moment où on passe de tout va bien à bas les pattes elles sont là elles rient et une seconde plus tard c'est ne me touche pas toutes les mêmes toutes des salopes le soulagement ennuyé apporté par ces pensées, *salopes*, oui, le soulagement parce que en fait il ne veut pas d'elles et moi je voulais arrêter mais je ne voulais pas que le sang s'arrête c'était tellement bon tellement bon et je savais ce qui allait suivre, ce qui allait suivre à travers un floutage de chaînes zappées image par image de petits corps enfantins à demi dévêtus de visages terrifiés ou égarés chaque image chargée de la même claustrophobie l'espace où ils sont emprisonnés l'énorme chaleur des corps inconnus les ordres braillés ou la mise en position silencieuse avec une concentration lointaine encore plus terrifiante que les braillements et les coups. Je vous en prie je veux m'arrêter mais je ne pouvais pas. Le moindre gramme abandonné au rythme de la succion, à l'aspiration la déglutition, au rythme de son cœur à lui — qui me rappelait son cœur dans mon dos et je me vis de son point de vue l'arrière de ma tête le tee-shirt jaune je me sentis pleurer à travers lui j'essayai de fermer les yeux fermer les yeux bloquer tout ça mais je ne pouvais pas parce que le sang arrivait toujours c'était dans ma tête que je ferme les yeux ou non ça me brisait la poitrine j'avais bien brisé la sienne et tout le temps que j'avais vécu depuis en disant je suis désolée désolée désolée à la petite fille que j'avais été comme à quelqu'un que j'aurais abandonné à jamais mais ce n'était pas sa faute pas sa faute mais la mienne.

Ne laisse pas le cœur s'arrêter, mon ange ! Si le cœur s'arrête, tu pars avec !

Avertissement venu de je ne sais où. Peut-être un souvenir de ce que m'avait dit Nounours, peut-être sa présence dans ma tête. Toujours est-il que je savais : stop ! les derniers battements étaient proches. Mais à l'ultime seconde, avant que j'écarte ma bouche, l'ultime image, le petit garçon de quatre ou cinq ans et l'homme au pantalon baissé à la bite exposée, Leath essayant en permanence d'échapper à la scène pour y être ramené en permanence, oui, ça lui était arrivé. Ça lui était arrivé à lui aussi.

Je croyais me relever, mais je m'aperçus que j'étais tombée, que je m'étais effondrée à terre. Tout vira au noir, une fois de plus. La chambre se balançait. Le sang lestait ma poitrine et mes membres, mais dès que je me remis en mouvement, que je m'agenouillai, je le sentis changer, se dissoudre en une énergie dont je ne manquerais jamais. Je me précipitai vers la porte… et découvris que je l'atteignais en une seule enjambée gigantesque, comme si les doux bras invisibles m'y avaient portée. Une unique pensée m'occupait : m'éloigner du corps le plus et le plus vite possible.

La maison sembla se racornir derrière moi. Un chien aboya trois fois, non loin de là. Un camion rétrograda, à plus d'un kilomètre. Mes mains brûlantes étaient pleines de sang. J'étais tout entière pleine de sang. Imbibée.

Je regagnai la Jeep, y montai, claquai la portière. La clé était restée sur le contact. Idiote. Pauvre idiote. Mais pour l'instant, mon idiotie et les risques subséquents me semblaient peu de chose, minuscules détails perdus au loin.

À quinze kilomètres de Boulder City, je m'aperçus que j'avais laissé chez lui mon arme et mes empreintes — dans son sang.

44

Remshi

Je savais qu'elle était partie avant même d'ouvrir les yeux. Une déchirure de l'étoffe nouvellement viscérale, un trou dans le tissage du sang partagé.

La peur de ce qu'elle risquait s'empara de moi telle une maladie délirante. *Je te promets de ne pas te quitter.* En ce qui la concernait, je l'avais déjà fait. Les mots du message qu'elle m'avait laissé sable dans mon sang :

Lance-toi à sa recherche. Je suis désolée d'avoir dit ce que j'ai dit. Je suis désolée pour tout.

Lance-toi à sa recherche. Talulla. Vali renée. La prophétie prête à se réaliser. Tout cela réduit — alors que je me tenais dans le bureau, la lettre à la main — à la ridicule éthique pop américaine : *Vis ton rêve.* Je l'avais fait, évidemment. La plage au crépuscule, la barque, quelqu'un derrière moi. Évidemment *Il ment à chaque mot* m'avait réveillé en me plongeant la langue dans l'oreille. Je m'étais évidemment assis en sursaut, écœuré et excité par l'impression de savoir quelque chose sans savoir quoi.

Lance-toi à sa recherche. Lance-toi à la recherche de la lycanthrope que tu prends pour la réincarnation de ta maîtresse d'il y a dix-sept mille ans. Lance-toi à sa recherche. Parce que, après tout, tu as fait un ou deux rêves et gribouillé une ou deux prophéties dans la hutte d'un sorcier, complètement défoncé. Parce que, après tout, tu as eu un début d'érection après des millénaires pendant lesquels ta bite t'a autant servi que des seins à un sanglier.

L'absurdité de la chose me frappa, s'imposa à moi comme une énorme… une *énorme chauve-souris vampire*. (Pourquoi pas?) Je me vis tel que j'étais : un idiot perdu. Un *pauvre* idiot. Or il n'y a pas pire idiot qu'un vieil idiot. J'étais donc le plus grand idiot de l'histoire du monde. Dieu seul pouvait me battre.

Non que le fardeau de l'énorme chauve-souris vampire constitue toute l'histoire, évidemment. (Rien ne constitue toute l'histoire. Telle est la malédiction de l'ego — et de l'écrivain.) Certes, je concédais le pauvre vieil idiot et ses *rêves*… mais, que ça me plaise ou non, la démangeaison du sens persistait dans l'éther, le clin d'œil du dessein dans l'univers, le scintillement obstiné de l'histoire. L'ensorcellement au sourire têtu.

Lance-toi à la recherche de Talulla.

Lance-toi à la recherche de Justine.

Cette vieille rengaine philosophique, l'âne de Buridan. Confronté à un seau d'eau et une brassée de paille également attirants — donc incapable de préférer l'un à l'autre —, il serait mort de faim et de soif.

Mais les ânes manquent évidemment d'intelligence et d'intuition. Plus important, ils ne fument pas. Je pris le paquet presque vide d'American Spirit qui attendait sur le bureau (il n'y restait qu'une cigarette, un peu fripée), juste à côté de l'ordinateur de Justine.

Que j'ouvris et allumai. Le logo d'Apple apparut. Justine ne l'a pas remplacé par une image de son choix, parce qu'elle ne se sent pas le droit de personnaliser ses outils technologiques. Même le message d'antan délivré par Bette Davis sur son téléphone était de moi.

Finder.

Documents.

Cryptage.

Mot de passe.

Je farfouillai dans le sang. M'y fondis intérieurement, nageai dans sa nuit rouge. Les choses sont plus difficiles d'accès que quand l'autre est tout proche. On a l'impression de retenir son souffle sous l'eau. Tôt ou tard, il faut bien remonter à la surface.

J'y remontai. Le monde extérieur reprit ses droits dans un frémissement.

Mes doigts n'hésitèrent pas.

Le document s'ouvrit.

Rien.

Elle avait tout effacé.

Je l'aimai pour ses précautions, son obstination, sa détermination à avoir la force de se charger de tout elle-même. C'était bien Justine : elle *décidait* de la force qu'elle aurait puis se conduisait comme si elle l'avait. Aussi l'avait-elle.

Je tirai une longue bouffée de la cigarette, exhalai. Réessaie. Les *Œuvres complètes* de Browning se trouvaient toujours où elles étaient tombées l'autre nuit. Je n'y prêtai aucune attention — alors que mon indifférence provoquait dans l'éther un frémissement fugace. Je n'y prêtai aucune attention non plus.

C'était plus difficile, cette fois. Les faits occultés par les sentiments. Une eau plus lourde, pleine d'algues. Ça commençait à faire mal.

Retour à la surface, pour la seconde fois.

Pas grand-chose. Karl Leath vivait toujours à North

Vegas. L'autre, «la Pince» (son vrai nom m'échappait, mais je savais qu'il était assez bizarre... Dale... Wayne... Schrutt), avait gagné plus de huit cent mille dollars au loto du Texas, pris une retraite anticipée et déménagé en Thaïlande.

C'était tout. Leur adresse m'échappait — malgré leurs traits inscrits en elle tels des soleils jumeaux boursouflés, étoile binaire colossale de son système.

Elle commencerait par Leath, le plus proche.

Je regardai la pendule. Minuit passé. Une fois de plus, je m'étais réveillé tard. Une petite part de ma conscience, écolier solitaire à son pupitre isolé, s'inquiétait de ces «grasses matinées», de la fuite devant l'obscurité dont je me rendais coupable. Je n'y prêtai aucune attention non plus. Le VanHome me permettrait de me rendre à North Vegas en trois heures et demie. Si elle y était, je la trouverais.

45

Justine

À Boulder City, je m'allongeai par terre dans la salle de bains sans allumer, la porte fermée de toutes ses serrures, le petit interstice en bas bouché avec une serviette roulée. La vie de Leath se mêlait à la mienne, éclairs de feu, brusques sensations de chute, certitude écœurante qu'elle était maintenant en moi à jamais et que je devais lui faire de la place d'une manière ou d'une autre, il le fallait ça fait mal mais tu sais qu'un jour ça va s'arrêter un jour ce sera parfaitement familier j'en ai déjà parlé pour la conduite. Je ne voulais pas de ça. L'image du petit garçon maladroitement blotti au bout du grand canapé en velours vert le brusque passage à son point de vue le gros sexe pâle la toison pubienne couleur tabac le minuscule bouton à tête jaune enfoui dans les poils de la cuisse. Et, comme par réflexe, les jeux vidéo la paix des moteurs compliqués des grosses voitures la paix de l'atelier à l'odeur de graisse froide et des outils amis entre les mains. Une paix qui ne durait jamais parce qu'on revenait en arrière aux premières images, à quinze ans il les croyait enfouies, mais les images comme la chaleur du foyer, le visage si gonflé et si tendre l'impression honteuse de rentrer chez soi jamais totalement dépourvue de colère d'ennui de tristesse, il le savait déjà, la certitude qu'il serait seul à jamais et resterait ce qu'il était.

J'étais couchée en chien de fusil sur un édredon plié et des oreillers, les genoux remontés contre la poitrine. Près du pied du lavabo que je touchais parfois, pour rafraîchir mes paumes brûlantes sur la porcelaine. Je me rappelais Nounours, qui me taquinait beaucoup parce que je ne lisais pas. Un jour, il m'avait dit : *Les livres sont dangereux, Justine. Ils peuvent te faire trouver en toi une place pour quelque chose que tu n'aurais jamais cru comprendre. Ou, pire, quelque chose que tu n'aurais jamais voulu comprendre.* Maintenant, je me disais : Il ne parlait pas seulement des livres. Il m'avait dit aussi : *Tu sais, les gens qui ont peur de faire partie d'un jury, au tribunal ? Les grands lecteurs. Plus on lit, plus ça devient difficile de condamner.* Froncement de sourcils. *Enfin, tant qu'on ne lit pas une bouillie exécrable.*

Une bouillie exécrable. Il emploie des mots que je ne connais pas, mais que le contexte rend évidents. Je regrettai brusquement son absence. Ça m'avait plu de m'endormir et de me réveiller près de lui, ces dernières nuits. La brièveté de la lettre que je lui avais laissée m'attristait d'autant plus que je ne lui avais pas dit combien je l'aimais. Ne me demandez pas pourquoi, j'avais soudain l'impression qu'on ne se reverrait jamais. Une impression si forte que s'il n'avait pas fait jour, dehors, j'aurais sauté dans la Jeep pour rentrer droit à Las Rosas.

Penser à la Jeep me ramena au paquet d'idioties que j'avais commises et aux différentes manières dont j'avais tout gâché. La Jeep proprement dite, d'abord. J'aurais dû louer une voiture. L'arme. Les empreintes digitales, les empreintes de semelles. Sans doute les empreintes de pneus dans l'huile répandue. J'avais quitté North Vegas en grillant toutes les limites de vitesse. Couverte de sang. Dans mes vêtements de tueuse. Je m'étais contentée de venir à Boulder City, de garer la Jeep au parking souterrain puis de prendre l'ascenseur jusqu'au troisième étage. Pas parce que je comptais sur la chance pour ne croiser personne. Je ne comptais sur rien du tout. Je ne pensais pas. J'étais réduite à une douce chaleur aveugle et au premier mouvement violent du sang neuf qui trouvait sa place en moi. Si la police se dépêchait, j'avais sans doute laissé assez d'indices pour qu'elle me trouve avant le prochain coucher de soleil. Une piste de pas sanglants, bordel. Curieusement, je puisais une sorte de réconfort dans la certitude que, même si c'était vrai, je n'y pouvais rien pour l'instant ; je ne pouvais m'enfuir nulle part.

Je m'aperçus soudain que je portais toujours mes chaussettes et les retirai. Mon espèce d'enrichissement rageur dissimulait un épuisement absolu. J'avais beau ne pas voir la lumière du jour, évidemment, je sentais les quatre heures depuis lesquelles le soleil s'était levé. *On peut rester éveillés*, m'avait dit Schmoldu. *C'est juste que ça n'a aucun intérêt.* En effet. Une palpitation sèche, douloureuse derrière les yeux. À croire que le sang neuf n'arrivait pas à s'installer ou à se mêler correctement au mien si je ne dormais pas, si je ne le livrais pas à lui-même. Si je n'arrêtais pas de le surveiller.

Plus ça devient difficile de condamner.

C'était ça qui m'empêchait de dormir, bien sûr. Ce serpent essayant de se démêler. Un serpent de sang, onduleux et tressautant. Ça lui était arrivé. Est-ce que ça aurait dû faire une différence ? Est-ce que ça en faisait une ?

Continue à tortiller ton petit cul et je vais jouir.

Je me retournai pour presser le visage contre la porcelaine froide. C'était tellement bon. On pouvait au moins dire ça pour le monde, certaines choses ne changeaient pas. Quand on était brûlante, ça faisait du bien de toucher quelque chose de frais.

46

Remshi

J'avais des coups de fil à passer en chemin. J'entretiens des relations avec des gens qui répondent quand je les appelle. Même aux petites heures. Ils répondent, parce que chacun d'eux dispose d'un téléphone sur lequel personne d'autre que moi n'appelle. Il y a des humains pour lesquels l'éventail des relations possibles se limite à l'argent et à un téléphone dédié.

D'abord Olly Maher, de l'Amner-DeVere International Private Bank. Il ne dormait pas. À en juger au bruit, il s'offrait une soirée de vice contenu : cliquetis de verres, musique — Bowie, sur l'album live *Ziggy Stardust*. «My Death». Pas vraiment la musique idéale pour une petite fête, mais après tout, on était au XXIe siècle.

«Norman», dit-il.

Je filais vers l'est sur la 10, au volant du VanHome, le kit mains libres en place. Hôtels et centres commerciaux, plaques et tranches de néons me rappelant une époque où il n'y avait là que poussière, buissons de sauge, graminées sauvages, colverts cancanant sur la rivière dans une sorte d'introversion sévère. On cligne des yeux et on manque ça. Il y avait bien longtemps, dans l'obscurité d'une caverne, j'avais demandé

« Pourquoi ? », et la voix avait répondu : « Parce qu'il faut que quelqu'un témoigne. »

« Justine Cavell, disais-je à présent. Si elle utilise une de ses cartes, je veux en être informé immédiatement. »

Elle en avait une demi-douzaine, dont une seule de l'Amner-DeVere, mais ce genre de choses ne présente guère de difficultés pour Olly.

« Pas de problème, répondit-il.

— Appelez-moi n'importe quand, de jour comme de nuit.

— De *jour* ? »

Je dormirais le téléphone juste à côté de l'oreille.

« De jour comme de nuit, Olly.

— Bon. »

Le coup de fil suivant fut pour ma copine du FBI, Hannah Willard.

Qui dormait, elle.

« Seigneur », dit-elle.

Mais même dans ce « Seigneur », j'entendis son moi vénal se réveiller, les yeux grands ouverts.

« Deux personnes, annonçai-je. Premièrement, Dale Schrutt. À moins que ça ne soit Wayne Schrutt. Schrutt, c'est sûr. Nationalité états-unienne, installé en Thaïlande. Commencez par Bangkok.

— Écoutez…, lança-t-elle.

— Le double, coupai-je. Mettez-vous au travail tout de suite. »

Silence, puis :

« C'est la dernière fois. »

Elle dit toujours la même chose. À sa propre intention. Trois ou quatre missions de ce genre, et elle pourra laisser tomber définitivement le FBI. Elle pourra laisser tomber définitivement tout ce qu'elle n'aime pas — le rêve des humains, quels qu'ils soient. C'est du moins ce qu'ils croient.

« Épelez-moi le nom de famille », ajouta-t-elle. J'obtempérai. « Vous avez des précisions ?

— Il a vécu un moment à North Vegas. Surnom : la Pince. Gagnant du loto dans les dix dernières années. C'est de l'argent facile, Hannah.

— Ce n'est jamais facile, riposta-t-elle. On n'est pas dans un film. L'autre ?

— Talulla Demetriou.

— C'est une blague ?

— Non.

— *Encore ?*

— Comment ça, encore ? »

Je l'entendis changer de position. Se redresser dans son lit. Elle vit seule. Visage dur de blonde, manque de patience avec les idiots. Quand elle sera assez riche, elle pourra se permettre de choisir vraiment.

« Je vous l'ai déjà trouvée. Vous l'avez encore perdue ? »

Mon pied se souleva légèrement sur la pédale de l'accélérateur. Les images se précipitaient : le Forum romain de nuit, éclairé aux torches, bondé et vivifié parce que Cléopâtre était arrivée dans l'après-midi. Trois soldats débarrassés de leurs sandales à une table, devant un estaminet, buvant de la piquette dans des tasses en bois. Une jolie fille de douze ans aux yeux avides, blottie sur le seuil d'un bouge de Saffron Hill, les jambes couvertes de plaies syphilitiques. Une jeune femme aux vêtements déchirés, la moitié des cheveux arrachée, ligotée à un poteau au sommet d'un tas de bois et de broussaille, dominant les visages éclairés aux lanternes d'une vaste foule, spectateurs fascinés, papotants ou ennuyés, la terrible précision des dents, des doigts et des yeux.

Une voiture que j'avais failli emboutir klaxonna longuement.

«Expliquez-moi», dis-je à Hannah.

Pause. Recalibrage. Elle se demandait si ma capacité à la payer se trouverait compromise.

«Il y a trois ans, dit-elle enfin. L'Alaska. Vous vous rappelez?»

Je me rappelais. La maison. Talulla. Vali. Mais je ne me rappelais pas comment j'avais su où la trouver. Le conducteur de la voiture que je venais de rater s'aperçut après avoir cessé de klaxonner qu'il n'avait pas suffisamment évacué son mécontentement et s'y remit.

«Vous avez remonté sa trace?

— Oui, et je n'ai aucune envie de recommencer. Cette bonne femme a autant de pseudonymes qu'Imelda Marcos avait de chaussures. Je ne sais pas qui lui fabrique ses papiers, mais c'est le meilleur dans sa partie.»

Je serrai les dents, le temps d'intégrer ça. J'avais oublié.

«Admettons. Même travail. Faites de votre mieux.

— Pour l'amour du ciel…

— Trouvez-moi ce qu'il me faut, et je vous promets que vous pourrez prendre votre retraite.»

Silence. Elle en savait assez pour être consciente qu'il était bel et bien en mon pouvoir de tenir cette promesse.

«Appelez-moi dès que vous aurez quelque chose», conclus-je avant de raccrocher.

Le visage de Justine m'apparut brièvement. *Il t'a suffi de lui traîner autour pour péter un câble et manquer y passer. Tu parles d'un putain d'accomplissement.*

J'appelai mon super-gourou de la logistique voyageuse et pilote en chef, Damien. Qui dormait, lui aussi.

«Monsieur? lança-t-il après s'être éclairci la gorge.

— Justine vous a-t-elle demandé de préparer le jet?

— Non, monsieur.

— Il n'a pas été question de voyage en Thaïlande?

— Non, monsieur.

— Ni à Detroit?

— Non, monsieur. Je n'ai pas eu de nouvelles de Mlle Cavell depuis que vous... depuis votre retour d'Europe.»

Depuis que vous avez perdu la tête. Depuis que vous avez failli y passer en cherchant cette lycanthrope.

«Écoutez-moi bien. Si jamais elle vous contacte, prévenez-moi immédiatement. Sans le lui dire. Compris?

— Compris, monsieur.

— Il se peut qu'elle veuille prendre l'avion sans avertissement. N'allez *nulle part* avant de m'avoir parlé. Dites-lui que l'appareil a un problème, et attendez-moi pour décoller, d'accord?

— Parfaitement, monsieur.

— Je vais appeler Seth et Veejay pour leur donner les mêmes instructions, au cas où. Si l'un d'eux vous contacte... s'il vous informe de quoi que ce soit d'inhabituel... prévenez-moi immédiatement, là aussi. Je sais que vous l'aimez beaucoup, Damien, mais faites-moi confiance, je veux juste la protéger.

— Si elle vient me trouver en personne, monsieur, faut-il que je la garde avec moi?

— Pas par la force. De toute manière, vous ne pourriez pas. Plus maintenant. Contentez-vous de m'appeler immédiatement. N'employez que des tactiques d'ajournement. Compris?

— Parfaitement, monsieur.

— D'une manière ou d'une autre, on ne va pas tarder à partir en voyage. Vous êtes prêt ?

— Parfaitement, monsieur. Vous pouvez compter sur moi.

— Merci. Tout va bien chez vous ?

— Impeccable, monsieur. Ça ne pourrait pas aller mieux.

— Appelez-moi dès que vous avez des nouvelles.

— Je me tiens prêt, monsieur. »

Parfait. Elle ne commençait pas par la Thaïlande. North Vegas arrivait donc en tête de liste. Elle n'irait pas chez sa mère.

Pas encore.

47

North Vegas m'apprit qu'elle était passée, mais que je l'avais ratée. Je traînai dans le coin en voiture plus d'une heure durant (vitres baissées, les odeurs de la ville m'évoquaient la foule d'un stade où j'aurais cherché un unique visage aimé), avant de tomber sur le premier fil éthéré, puanteur psychique de cordite après un coup de feu.

Relents toutefois insaisissables. Je les trouvai, les perdis, arrêtai le VanHome et en descendis. Point aveugle urbain. Terrains déserts, jonchés d'ordures, garage fermé, lotissement dont les maisons de plain-pied rappelaient celles des classes laborieuses de la fin XIXe. Petite remorque couchée sur le côté, couverte de graffitis, canapé réduit par le mauvais temps et le feu à son assise de ressorts rouillés, ballon rebondissant massacré, armée en déroute de sacs plastique sales. On s'habitue à ces anti-oasis des villes américaines, aux habitants et aux ruines inexplicables (j'ai vu un jour un perroquet vivant perché dans la gueule d'un sèche-linge abandonné), mais le cheval ne m'en surprit pas moins.

En partie parce qu'il m'avait fallu tout ce temps pour le voir. Il sortit de l'ombre près de la remorque renversée, fit une demi-douzaine de pas hésitants puis se figea, tremblant. Pas de longe, manifestement.

Lorsque je m'approchai, il ne bougea pas. (Je ne savais pas vraiment pourquoi je m'approchais, sinon à cause de la douce insistance — enrichie par le Fouet — de l'atmosphère environnante, qui me *disait* de m'approcher, malgré ses relents d'huile de moteur et de merde humaine.) Tout était très calme. Un des réverbères bourdonnait. J'avais conscience du temps, je sentais que je perdais des secondes, des minutes précieuses pendant lesquelles la piste de Justine refroidissait forcément... mais je ne pouvais pas m'en empêcher. Mon moi pragmatique traitait les questions compréhensibles : *Comment un cheval peut-il... ? À qui... ? Il doit bien falloir un permis... Même pas attaché... Je ne vois pas...* Le reste de mon être avait accepté l'obscure force de gravitation du moment.

Je ne me rappelais pas quand j'avais vu un animal dans un état aussi pitoyable. Outre sa maigreur grotesque et son ventre distendu, il était couvert de plaies. Une enflure infectée, intense et ravie, fermait son œil gauche. Une des coupures de sa jambe avant droite grouillait d'asticots. Le pus suintait de l'estafilade de sa hanche. Lorsque je posai avec douceur la main sur son cou frémissant, sa vessie libéra une flèche de sang brûlante. Une association d'idées impénétrable me ramena au vieux mendiant de l'allée, à Las Rosas. Je l'avais oublié. La béquille, le rictus, la remarque cryptique : Vous vous trompez de route.

«Chuuut», dis-je, bien que le cheval n'eût pas produit un son, à part son souffle laborieux.

J'appuyai le front contre son chanfrein. Ses frissons avaient presque de quoi dégoûter.

J'ignore combien de temps je passai avec lui dans

cette position, hors du temps. Je pensais à la scène de *Crime et châtiment* qui ne manquait jamais de me serrer le cœur, celle où le conducteur de la carriole de lait fouette son cheval à mort sous les rires et les encouragements de la foule — mais il me rappelait aussi autre chose, oui…

Peu importait. J'allai chercher mon pistolet, un Glock 32, dans la boîte à gants du VanHome (Justine insistait pour ranger une arme dans tous les véhicules), baissai la tête de l'animal et lui fourrai le canon dans l'oreille — court instant d'inquiétude, de crainte que le bruit n'attire l'attention, mais le quartier m'avait déjà prouvé que les coups de feu n'y étaient pas rares. Et, de toute manière, ma décision était prise.

Le gros crâne débordait d'épuisement. Je le pris dans mes bras avec la plus grande douceur.

Puis je m'écartai et pressai la détente.

○

L'odeur de Justine me parvint une seconde fois une demi-heure plus tard. Tourner à l'ouest sur West Carey Boulevard, au sud sur Martin Luther King Boulevard, à l'ouest sur Balzar Avenue. Tu chauffes. Tu surchauffes. Tu brûles. Tu te consumes. 1388. Je n'avais plus besoin de la cicatrice de Justine sur l'atmosphère. Le sang répandu beuglait.

Il restait quatre-vingt-deux minutes avant le lever du soleil, mais je n'en éprouvais nulle inquiétude, le VanHome étant équipé d'un compartiment intégré étanche à la lumière. (Justine aurait dû prendre le van, à la place de la Jeep.) Il me suffirait de me rendre dans un des parkings de casino souterrains. J'avais le temps.

Karl Leath était toujours dans l'état où elle l'avait

laissé (d'une part, les preuves circonstancielles ne manquaient pas ; d'autre part, ni l'odeur physique de ma puce ni son corrélat de l'âme ne prêtaient à confusion) : couché sur le dos dans son lit, une jambe blême variqueuse pendant de côté, la mâchoire inférieure arrachée, la gorge ouverte, les yeux écarquillés ne montrant presque que le blanc, la langue molle, franchement impudique, comme celle d'un dieu aztèque.

«Quel gâchis», dit une voix de femme.

Permettez-moi de vous signaler, au risque d'une certaine redondance, qu'il est difficile de me prendre par surprise : il devait bien s'être écoulé mille ans depuis la dernière fois que quelqu'un m'avait fait sursauter. Mais je consacrais toute ma conscience au courant de Justine, sans rien en laisser au mien. Voilà pourquoi je sursautai… avant de me retourner.

«C'est une nouvelle, évidemment», ajouta la vampire.

Elle se tenait sur le seuil de la chambre, les bras ballants. Ses cheveux blonds tirés en arrière encadraient des yeux bleu glacier, une peau très blanche, des lèvres pleines très rouges — bleu blanc rouge si vifs qu'un drapeau tricolore flamboya dans ma mémoire. Jean foncé, bottes d'équitation et veste de moto en cuir, l'ensemble ayant connu des jours meilleurs. Elle s'était nourrie récemment, car la pulsation du trop-plein traversait son aura de poussière, d'essence et de chair brûlée. Et elle n'était pas seule. Il y avait quelqu'un à la cuisine.

Il me fallut un instant — le souvenir oscilla, se débattit puis reprit son équilibre d'une torsion violente —, mais je la reconnus : Mia Tourisheva.

L'histoire : trois ans plus tôt, son fils vampire, Caleb, avait été capturé et emprisonné par l'OMPPO dans le même complexe que Talulla, laquelle l'avait emmené en s'évadant. Elle lui avait donc sauvé la vie, ce qui aurait fait de Mia sa débitrice, si Talulla n'avait ensuite menacé de torturer et de tuer Caleb afin d'obtenir l'aide de Mia pour récupérer son propre fils, capturé quant à lui par une secte de vampires. Mia n'avait pas eu le choix. L'opération d'infiltration et de sauvetage (à laquelle j'avais assisté sous l'identité de Marco Ferrara, m'avait appris Justine) avait encore compliqué les relations entre les deux femmes, car Talulla avait alors sauvé la vie à Mia puis lui avait rendu Caleb, sain et sauf.

«Elle n'a pas eu de problème ? m'enquis-je. Elle est avec vous ?

— Avec moi ? Pourquoi serait-elle avec moi ? On passait par là, c'est tout. Je suis curieuse. J'ai regardé.

— Vous savez par où elle est partie ?

— Au sud-est.

— Depuis combien de temps ?

— Deux heures, environ.

— Vous vous souvenez de moi ?

— Bien sûr. Mais je ne crois pas que vous soyez réellement Marco Ferrara.

— C'est un de mes noms. Vous ne savez vraiment pas où elle allait, à part au sud-est ?»

Mia secoua la tête. L'air lasse. Comme elle sentait que je ne lui voulais aucun mal, elle entra dans la chambre. La lumière du réverbère me révéla le sang séché sur ses mains, les trous de son jean, les éraflures de sa veste.

«Un problème ?» m'enquis-je.

Elle protégeait ses pensées, mais comprit alors que c'était inutile : je n'essayais pas. Quand quelqu'un essaie, on le sait.

Son sourire me répondit que oui, elle avait un problème. Le dernier d'une longue série.

«Un chauffard, expliqua-t-elle. Il y a une Harley en pièces détachées, quelque part dans le désert.

— J'en ai trouvé», lança une voix d'enfant, quelques secondes avant qu'un garçon d'une douzaine d'années humaines n'apparaisse sur le seuil.

Des cheveux en bataille presque blancs, un visage émacié d'androgyne, de grands yeux verts. Un jean déchiré et une veste de cuir râpée — dont la teinte rouge sang mettait en valeur ses yeux et ses cheveux. Il tenait à la main un paquet de Lucky Strike. J'en ai trouvé. Des cigarettes.

«On n'est pas si fauchés», lui dit Mia avant d'ajouter, à mon intention : «Elles ont brûlé avec la moto. Et quelques bricoles.»

Le gamin me regardait.

«Salut, Caleb», lançai-je.

Je le plaignais, parce que je connais : Transformé avant l'âge adulte. Ça ne marche jamais. Le corps ne rattrape pas l'esprit, il reste défavorisé à un niveau fondamental et se métamorphose en bouffonnerie, aux dépens de l'âme immortelle en expansion. On sentait d'ailleurs, palpable entre eux, sa capacité à lui à la punir, elle, de lui avoir fait ça, mais aussi l'amour. Elle était prête à tout pour lui. Et, quoi qu'elle fasse, elle ne trouverait jamais ça suffisant. Je voyais en eux un être hybride, résigné à sa difformité.

«Comment savez-vous qui je suis?» me demanda Caleb, après avoir empoché les cigarettes d'un geste vif.

Afin de se libérer les mains. Je reconnaissais en lui les réflexes de Justine, toujours prête à s'enfuir. Ou à se battre.

«On se connaît, ta mère et moi.

286

— Vous êtes… ? » commença Mia.

Celui qu'ils disent.

« Je crois.

— Vous croyez ?

— Je n'ai pas d'autre réponse. »

Je me sentais soudain très fatigué, moi aussi.

« Vous…

— Non. »

Je l'avais interrompue sans élever la voix, mais d'un ton définitif. Nos yeux se rencontrèrent. *Non, je n'ai pas les réponses. Je ne sais pas comment. Ni si ça a un sens. La conviction que ça a un sens est juste un mal nécessaire — mais je ne saurais affirmer dans quelle acception du terme.* La chambre se hérissait. Voilà ce qu'elle attendait. Elle ne s'organisait pas autour du corps, mais de ce dialogue.

Mia me regardait. Je ne cherchai pas à invoquer pour elle ma vie démesurée, la chose se produisit d'elle-même. Les autres la voient dans mes yeux. Ils la sentent autour de moi. Il leur semble entrer dans un tombeau scellé depuis vingt mille ans, où ils trouveront un trésor… peut-être.

« La prophétie ? » reprit Mia.

Je secouai la tête. Je savais à quelle version de la prophétie elle pensait. La fausse. La mauvaise traduction. Pas « quand il s'unit au sang du loup-garou », mais « quand il *verse* le sang du loup-garou ». Jacqueline Delon avait œuvré à partir d'un texte corrompu (à sa convenance), qui suggérait que Remshi (c'est-à-dire moi — on ne rit pas) reviendrait et mènerait les vampires du monde entier à la suprématie globale grâce à un rituel hivernal exigeant non pas son union avec un spécimen de lycanthrope, mais le *sacrifice* dudit spécimen.

«Je cherchais effectivement Talulla, à l'époque, mais pas pour les raisons auxquelles vous pensez, expliquai-je. Rien à voir avec les idioties des disciples.

— Vous la…

— Tais-toi!»

Vous la cherchez toujours? allait demander Caleb. Il tentait de dissimuler ses pensées derrière un écran lamentable, dressé trop tard. Autre inconvénient de la jeunesse. À peine avait-il dit «Vous la…» que la réserve de sens latente de la chambre s'était mobilisée. Le moindre atome avait ouvert la bouche pour dire : Là. Maintenant. Prends ce fil et suis-le. Il mène. Il mène. Mia avait interrompu le gamin en russe — une des innombrables langues que je parle, ce qui avait permis au loup-garou de sortir du bois. Vous voyez? C'est cette histoire-là, en fin de compte.

Je restai un instant silencieux, avant de demander à Caleb :

«Je peux en avoir une?»

Il se tourna vers sa mère. Ils avaient tous deux été malmenés, et pas seulement par l'accident de moto qui avait abîmé leurs vêtements. En Mia, surtout, se devinait le fantôme épuisé du droit aux choses. Elle avait presque — presque — dépassé la fureur déchaînée par des pertes douloureuses. Elle l'avait presque acceptée. Lorsqu'elle me considéra, tout ce qui restait de son intuition et de sa capacité de jugement se leva en elle et se plaqua contre moi telle la foule des morts. Je me cantonnai à la passivité. Elle savait que je pouvais m'introduire à mon gré dans la tête de son fils. Que je me retenais. Je le lui dis sans un mot : JE N'EN FERAI RIEN. PAS DE FORCE. COMPRENONS-NOUS BIEN.

Ses épaules se détendirent quelque peu. Son expression m'apprit qu'elle s'habituait à ces capitulations, ces renonciations à l'autorité. Prenant exemple sur elle, Caleb tira de sa poche le paquet de Lucky Strike et s'approcha. Il alluma trois cigarettes, la mienne, celle de sa mère puis la sienne propre. Tous les vampires fument. Fumer arrive en tête de liste des Choses Qui Aident à Passer le Temps.

«Que vous est-il arrivé?» demandai-je avec la plus grande douceur.

Ne pas repartir immédiatement pour foncer vers le sud-est me demandait un effort pathétique. Après tout, Justine n'avait que deux heures d'avance… mais mes chances de la retrouver avant le lever du soleil, alors que j'ignorais dans quelle ville me rendre, étaient comiquement réduites. Le «sud-est» représentait tout de même le quart du compas, ce qui revenait à dire qu'elle pouvait être dans le quart de n'importe où.

Mia tira une longue bouffée de sa cigarette, fit rouler sa belle tête aux yeux de gemmes froides sur son cou sans défaut puis exhala par les narines.

«On se débrouille tout seuls. Voilà. On n'a pas le choix.»

PAS ICI.

Je comprenais. On ne pouvait raconter leur histoire sans donner l'impression que Caleb était responsable de leurs ennuis, au moins en partie. Elle s'ouvrit assez pour que je voie : elle avait contrevenu à la loi instaurée depuis longtemps par les cinquante familles en Transformant un enfant, lequel s'était fait capturer. La Maison de Mia avait découvert de quoi il retournait et l'avait dépouillée de ses possessions. Rejetée. Excommuniée, en pratique. Il existait bien sûr de par le monde d'autres parias vampires, mais ils ne se montreraient pas tendres avec elle : en tant qu'ex-membre de la famille Petrov (une des plus anciennes et des plus puissantes de l'élite élitiste vampire), sans doute avait-elle passé des années à les prendre de haut. C'était l'aristocrate ruinée, jetée en prison avec la plèbe. On n'est pas si fauchés, avait-elle dit. Mais le terrain de chasse d'un vampire est très révélateur de son compte en banque, et s'il fallait se fier à Balzar Avenue, on frôlait le *complètement* fauchés. Il ne devait plus rien lui rester de l'aisance d'antan que la Harley. Fini. Sa fatigue s'expliquait pour l'essentiel par l'obligation où elle se trouvait de s'adapter à la pauvreté : en éliminant les obstacles, la richesse permettait l'exercice sans entrave de la volonté. Il avait dû s'écouler des siècles sans que le monde dise non à Mia, mais il le lui disait maintenant tous les jours. *Non. Va te faire foutre. Qu'est-ce que tu y peux, hein ? Aboule le fric.* Ça l'avait usée. Son arrogance lui avait servi un moment de monnaie alternative, avant de s'épuiser, elle aussi.

«Je crois qu'on peut s'entraider», déclarai-je.

Elle savait. Elle m'avait senti comprendre où menait le «Vous la…» de Caleb. Vous la cherchez toujours? On sait où elle…

«On ne veut être mêlés à rien», dit-elle, sans pourtant bouger.

Seule au monde, seule composante de son terme de l'équation, elle serait aussitôt repartie. Ce réflexe m'était perceptible, faible décharge électrique atmosphérique, comme si le fantôme de Mia s'était dirigé vers la porte. Avant de se figer, ramené en arrière par la seule présence du gamin. Elle l'avait créé, il serait toujours là. L'amour serait toujours là.

«Écoutez, insistai-je. Je peux parfaitement vous donner ce dont vous avez besoin. De l'argent pour… ah, peut-être pas toute votre vie, mais pour longtemps, du moment que vous le faites fructifier. Ça vous offrira une seconde chance. Je possède des propriétés immobilières dans le moindre État de ce pays, mais aussi dans le monde entier. Vous pourrez vous y réfugier dès que le besoin s'en fera sentir. Et si vous avez envie de vous installer quelque part, vous n'aurez que l'embarras du choix. »

Caleb laissait la vision s'emparer de lui, je le sentais, mais je sentais aussi son influence à elle sur lui : Tais-toi. *Tais-toi.* Et son désespoir à elle. On aurait dit une malheureuse prisonnière, qu'on aurait torturée en la privant de sommeil et en l'obligeant à contempler le lit idéal, aux draps blancs amidonnés, aux oreillers moelleux, au confort inimaginable. Le repos. Il lui suffisait de se coucher.

« Et que voulez-vous en échange ? » Elle n'avait pas la voix, mais l'esprit éraillé. Il hurlait depuis maintenant des semaines, des mois, des années. « En admettant qu'on résolve la question des raisons pour lesquelles on devrait vous faire confiance.

— En échange, je vous demanderai deux choses. Premièrement, m'aider à mettre la main sur la personne que je cherche. Deuxièmement, me dire où se trouve Talulla Demetriou.

— Oui, mais comment être sûrs qu'on *peut* vous faire confiance ? » demanda Caleb, tout excité, car c'était la première chose prometteuse à lui arriver depuis longtemps. Longtemps à ses yeux, aux yeux de quelqu'un d'aussi jeune. « On est juste censés vous croire ? Il faut nous donner… »

Il se tourna vers sa mère, mais elle me regardait. Assise par terre, à présent, ses poignets blancs pliés sur ses genoux. Sa cigarette s'était consumée sans qu'elle la fume, hormis la première bouffée.

«Ta mère saura que je suis digne de confiance, affirmai-je, souriant.

— Comment ça?»

Je jetai un coup d'œil à Mia. Elle savait, oui. Elle en était arrivée à savoir, depuis une minute. Elle laissait elle aussi une légère excitation l'effleurer, à travers l'épuisement et l'espoir élimé. Un chat timide acceptant à demi la première caresse d'une main inconnue.

«Je ne fais pas de fausses promesses», repris-je. *Je te promets de vivre aussi longtemps que je pourrai. Je te promets de ne pas te quitter.* (Elle m'avait donc quitté, pour que je tienne ma promesse.) «Mais personne ne croit plus aux promesses de nos jours, hein?» ajoutai-je en remontant ma manche.

Mia soutint quelques secondes mon regard. Elle était assez mûre pour voir qu'il s'agissait d'un choix crucial et assez désespérée pour le faire. Se vouer à quelque chose la soulagerait, car sa vie n'était plus depuis longtemps que réaction. Sa volonté se hérissait. Elle avait besoin de l'exercer ailleurs que dans la survie. Son regard s'était éclairé malgré elle. La terrible promesse de la liberté, qu'elle croyait ne jamais retrouver.

Elle se leva, laissa tomber son mégot et l'écrasa du bout de sa botte. Puis elle vint s'agenouiller près de moi.

«Maman?

— Tout va bien, *angel moy*», répondit-elle sans regarder le garçon. Puis, à moi : «Pas beaucoup. J'ai déjà…

— Je sais. Prenez juste ce qu'il faut pour être sûre.»

Mes pensées effleurèrent les changements par lesquels cette petite maison était passée en quelques heures. Les années Leath s'y firent sentir un instant, décennies de néant encombré, puis Mia me prit le poignet, le porta à ses lèvres et y mordit.

48

Ensuite, elle s'assit, adossée au mur, le souffle rauque, les yeux clos. Caleb s'accroupit près d'elle sans le vouloir et lui prit la main.

«*Mat*? Maman?

— Ne t'en fais pas. Tout va bien.»

Il se tourna vers moi. C'était la première fois qu'il côtoyait quelqu'un de plus âgé que sa créatrice — un mâle, qui plus était. Les mâles adultes le fascinaient et l'effrayaient tout à la fois, autre raison de culpabiliser pour sa mère : elle l'avait condamné à une vie sans père.

«Il ne ment pas, reprit-elle. Sa promesse est sincère.

— Vous allez m'aider, alors?»

Quand elle se releva, vacillante, Caleb lui reprit la main.

«Vous n'avez pas l'impression d'oublier quelque chose?» me demanda-t-elle.

Je la regardai. D'un air idiot, sans doute.

Elle remonta sa manche.

«Ce n'est pas nécessaire, répondis-je en russe. J'ai assez vécu pour savoir.

— Ne soyez pas stupide. Je ne porte pas Talulla dans mon cœur.

— Moi non plus», renchérit Caleb, manifestement désireux de se convaincre lui-même.

La suave anarchie des sentiments me réconforta.

«Il ne s'agit pas d'une confiance aveugle», déclarai-je, repassant à l'anglais. «Notre rencontre était écrite. Ce qui se passe était écrit. Je boirai si ça peut vous faire plaisir, mais je vous assure que c'est inutile.» Qu'ajouter? Que la légitimité de la scène les entourait de sa constellation? Que, dès leur arrivée, ils avaient constitué une nécessité quasi visible? Que l'*histoire*, souriante, avait cligné de l'œil? «D'ailleurs, vous en savez assez maintenant pour ne pas avoir envie de me compter parmi vos ennemis, je pense?»

Mia s'essuya les lèvres à retardement.

«Qui est la nouvelle? demanda-t-elle.

— Je vous l'expliquerai en chemin.» Je me levai. «Il ne faut pas rester là. On devrait déjà être partis.»

Le compartiment obscur du VanHome allait être affreusement exigu, pour trois.

Le sang qu'elle venait de me prendre lui permit de déchiffrer mes pensées.

«Pas de problème. On sait où aller, dans le coin.»

Je n'entamai l'histoire de Justine qu'une fois au volant, mais il ne me fallut pas cinq minutes pour m'apercevoir que mes deux passagers se sentaient fort mal à l'aise.

Pas à cause de l'aube, car il nous restait une heure de nuit.

«Que se passe-t-il?» m'enquis-je.

La route s'évanouissait sous les roues. Je me sentais léger. Le monde s'éloignait.

«Si vous voulez mettre la main sur la lycanthrope, il va falloir faire vite, répondit Mia. Il ne lui reste pas longtemps à vivre.»

QUATRIÈME PARTIE

Les croyants

49

Talulla

Ma conscience se rassembla, se resserra, lutta contre l'obscurité.

«Talulla? appela une voix. Je vois que vous êtes de retour parmi nous.»

Un Italien parlant anglais.

J'ouvris les yeux. Assise dans un fauteuil en cuir, les poignets et les chevilles entravés, le cou serré par un collier et le front par un bandeau qui m'obligeaient à regarder où le voulaient mes geôliers : droit devant moi. L'immobilité absolue du siège m'informait qu'il était chevillé au sol. Je me sentais plus nauséeuse que jamais — même pendant ma grossesse, quand la faim me tenaillait —, j'étais en nage et j'avais la peau douloureuse. Un écœurement gigantesque. Mais, éclipsant tous les phénomènes physiques, le visage souriant de la justice : C'est ta faute. Tout est ta faute. Tu as perdu ton fils. Tu l'as récupéré. Tu aurais dû être contente. Tu aurais dû protéger ce que tu avais. Seulement ça ne te suffisait pas. Rien ne te suffit jamais. Tu n'es qu'un appétit répugnant, insatiable devant ce que tu n'as pas. Que tu en aies ou non besoin.

Trois hommes se tenaient devant moi, dans une petite pièce bétonnée. Le premier, le plus proche, en treillis léger des *Militi Christi*, avait la cinquantaine bien sonnée. Sa haute taille et sa robustesse contrastaient avec son empâtement et son visage grassouillet, souriant et enfantin. Une raie de côté séparait ses cheveux bruns brillants, au-dessus de ses lunettes à fine monture dorée. Le treillis lui allait aussi mal que l'uniforme militaire à Idi Amin Dada.

«Je me présente, mademoiselle Demetriou. Je suis le cardinal Salvatore di Campanetti. Enchanté de faire votre connaissance. Voici mon collègue et ami, Daniel Bryce, dont vous avez peut-être entendu parler.

— Comment vous sentez-vous?»

La question m'avait été posée en anglais — langue maternelle —, d'une voix de snob résonnante, par un type dont je n'avais *jamais* entendu parler, posté à gauche du cardinal. Complet de lin ivoire, chemise de coton bleu ciel, richelieus rouges ayant connu des jours meilleurs. Brun, barbu, la trentaine finissante, Bryce possédait une ossature fine et portait les cheveux mi-longs. Ses yeux verts éclairaient un visage mobile, intelligent — tel que je n'aurais pas aimé en voir au-dessus de moi, fermé par la passion, pendant une partie de jambes en l'air.

«Que me voulez-vous?» demandai-je.

Épuisée, la bouche sèche. Je ne savais pas ce qu'on m'avait injecté, mais la drogue s'attardait dans mon sang. Je frissonnais. Empêcher mes dents de claquer exigeait de moi un véritable effort. Cela dit, un vague sixième sens que je ne me connaissais pas m'informait de la présence dans mon dos d'une fenêtre imposante — étonnant — et du fait que je me trouvais à un étage élevé — pas étonnant du tout. Je n'avais aucun besoin de sixième sens pour jauger le troisième homme, l'androgyne angélique que j'avais repéré en sautant du toit. Le seul à être visiblement armé : un fusil d'assaut automatique dont le design ne me fut pas aussitôt reconnaissable. Il se tenait près d'un établi en acier plutôt bas, sur lequel était posé un ordinateur portable. Le logo de Packard Bell servait d'économiseur d'écran.

Que me voulez-vous ?

Je ne sais pas pourquoi je posais la question. Quand on se réveille attachée sur un fauteuil après avoir été droguée, on sait déjà ce que veulent les gens qui attendaient qu'on se réveille — ou du moins comment va se traduire ce qu'ils veulent, à savoir qu'on va souffrir. Le tsunami du dégoût était prêt à déferler sur moi. Le jeune posté près de la porte, le visage emperlé de sueur, n'avait pas plus de vingt et un ans, impossible. Les passionnés sans histoire dans son genre avaient parfois un don — le violon, la physique, le ping-pong — qui en faisait des virtuoses, des prix Nobel ou des champions olympiques. Les passionnés sans histoire dans son genre n'avaient parfois aucun don et craquaient sur les collections de timbres, la Terre du Milieu ou une religion totalitaire. Je le plaignais vaguement pour son erreur d'orientation, son énorme décision, idiote et vaine.

«Que voulons-nous ?» Le sourire de Salvatore n'avait rien de sadique ni de dément, mais trahissait une sorte de joie fatiguée bien gagnée. «Nous voulons votre collaboration. Afin de faire de vous le monstre le plus célèbre de l'histoire. Pas pour vous, mais pour la gloire de Dieu.

— D'accord», répondis-je, la tête comme un pamplemousse en équilibre sur un cure-pipe. «Je commence quand ?

— Tout de suite, si vous êtes prête. Mais vous ne

l'êtes pas, parce que vous n'avez pas conscience de ce qu'implique votre rôle.»

Les jumeaux, les jumeaux, les jumeaux. Pourvu qu'ils soient en sécurité. Je vous en prie. Je vous en prie. Je vous en prie. On en a fini avec Dieu, mais le réflexe d'implorer persiste. On implore quelque chose ou rien, s'il n'y a rien. Le visage énorme de la justice était là, pourtant. *Tu n'as plus le droit d'implorer. Même rien.*

«Vous avez une chance extraordinaire, intervint Bryce. Vous allez écrire l'histoire, réellement. Nous allons tous l'écrire.»

Où sont mes enfants? Où suis-je? Les autres sont-ils morts? Inutile de poser des questions. Ils ont la maîtrise de l'information. Ils t'en livrent ce qui les arrange. Tu vis une réalité manufacturée. Le poids de tout ce qui avait mal tourné, atmosphère écrasante, mais pas le droit de paniquer. Si je regardais en arrière, je verrais tous mes choix depuis que la Malédiction étalait derrière moi un charnier de malheureux massacrés. Je n'y avais gagné que la mort.

«Pourrais-je avoir un peu d'eau, s'il vous plaît?» demandai-je.

Le cardinal hocha la tête et se retourna, sans perdre son sourire d'écolier bien élevé.

«Lorenzo? De l'eau, s'il te plaît.»

Lorenzo, ou encore l'androgyne qui n'avait pas mérité de présentations. Il obéit par réflexe. Quand il ouvrit la porte, j'entrevis un couloir éclairé au néon, dallé de vinyle luisant, et une autre porte juste en face, indéchiffrable. Puis je dus fermer les yeux, en me concentrant pour ne pas vomir.

«Les nausées ne vont pas tarder à disparaître, reprit Salvatore. De toute manière, on vous a fait un lavage d'estomac, pour que vous n'ayez rien à rendre.»

Depuis quand suis-je ici ? Pourquoi ? Où sont mes enfants ?

Lorenzo reparut, avec une bouteille d'Évian et une paille, que Salvatore mit à portée de ma bouche. Il sentait le tissu propre du treillis et une eau de Cologne alcoolisée. Les lambeaux du *lukos* captèrent sur ses doigts une huile d'olive pimentée, sur son souffle l'ail et le persil. On vous a fait un lavage d'estomac. Ils avaient dû obtenir un résultat intéressant. Image du cardinal, ganté de latex, explorant du bout du doigt avec le plus grand calme des restes humains partiellement digérés.

« Voilà, dit-il. Si je puis me permettre… »

Reconnaître que l'eau fait du bien quand on a soif ne faisait qu'ajouter à ma fatigue. Le petit univers impuissant du corps était obligé de le signaler : Ça fait du bien. *Beaucoup* de bien. Pendant que résister à l'envie de demander si mes enfants étaient morts me donnait l'impression de me trouver sous l'eau, privée d'air.

« Simples effets secondaires du tranquillisant, reprit le cardinal quand j'eus vidé la bouteille. Je crains que nous ne vous ayons administré une dose plus forte que nécessaire. »

Bryce se rapprocha. Émotions tumultueusement mêlées : fascination, désir, curiosité, ambition. Aucun mépris. Comme tous les hétérosexuels, il se posait la question dès qu'il croisait une femme : s'il en avait l'occasion, coucherait-il avec elle ? Oui, répondaient ses yeux… jusqu'à ce que le souvenir de ma nature s'interpose. Ils avaient filmé ma retransformation, je pouvais l'affirmer. La scène passait et repassait dans sa tête.

« Bon, dis-je. Je vous écoute. »

Les entraves, friction irritante à mes poignets et

mes chevilles. La peau est l'organe le plus développé, M. Cooper s'était fait un plaisir de nous l'apprendre au lycée, comme s'il en était l'inventeur. J'avais à cet instant une conscience aiguë de ma peau. Mon organe le plus développé, gonflé de dégoût, alourdi de douleur.

«Nous vous offrons, dit le cardinal, la possibilité de vivre le reste de votre vie naturellement, avec vos enfants, en paix… du moins autant qu'il est possible à votre espèce de vivre en paix.

— Vous avez capturé mes enfants?»

Je n'avais pas décidé de poser la question. Je l'avais posée, voilà tout. Il était trop tard à présent pour me demander si j'avais bien fait.

Mon interlocuteur hésita une seconde… avant de se dire que, s'il mentait, j'en aurais conscience. Un petit hochement de tête, accompagné d'un sourire crispé : pas de secrets entre nous.

«Nous avons capturé Zoë, pas Lorcan. Je vais vous donner les faits, car je ne pense pas qu'ils nuiront à notre cause.»

Mon intuition me soufflait que Bryce n'était pas d'accord. Un éclair presque imperceptible dans les grands yeux verts.

«Ces faits, les voilà : Patricia Malloy et Fergus Gough sont morts. Leurs corps se trouvent dans un autre complexe, au cas où vous voudriez les voir. Robert Walker, Madeline Cole et Lucy Freyer se sont échappés, M. Walker avec votre fils. Peu importe, franchement. Ils ne nous intéressaient pas. Aucun d'eux n'a votre statut. Je me demande si vous avez conscience du mythe que vous en êtes arrivée à représenter?

— Je veux voir ma fille.

— Je sais. Ça ne pose aucun problème, je vous demande juste un peu de patience. Je peux vous assurer qu'elle ne souffre d'aucun inconfort et que les sœurs en prennent grand soin. Si vous avez besoin de rationaliser, dites-vous que son bien-être sert nos intérêts. »

Vu mon état, il m'était difficile de me déployer, à la recherche de la petite. Mon corps débordait d'événements physiques, véritables collisions de planètes. Il restait si peu d'espace vierge…

ZOË ? MA PUCE ? C'EST MAMAN.

Rien. Si on l'avait enfermée dans le même complexe, elle se trouvait trop loin de moi. Image de la fillette sanglante et sale, dans une petite cage au sol jonché de paille, entourée d'une nuée de nonnes stupéfaites.

Arrête.

Robert Walker avec votre fils. Le soulagement, aussi bon que l'eau avalée un peu plus tôt. Mais peut-être s'agissait-il d'un mensonge. Flash : Walker et Madeline installés sur un canapé, lui la tenant par la taille, le nez dans ses cheveux ; Lorcan couché par terre sur le ventre, feuilletant le *Recueil illustré des fables d'Ésope*. Le visage gigantesque de la justice, une fois de plus, un rictus ravi aux lèvres : Bien fait pour toi. Voilà ce qu'on récolte, quand on se félicite d'être plus puissante que l'amour.

Bryce se rapprocha, rejoignant le cardinal.

« Nous voulons parler d'une émission télévisée telle que personne n'en a jamais vu, intervint-il. Avec une caution scientifique et des détails personnels. Un documentaire inspiré, un putain de *monument*.

— Un monument de *dévotion*, enchaîna le prélat avec calme. Le pouvoir du Christ à l'œuvre de la manière la plus extrême, la plus indéniable. La conversion d'un monstre… et de son enfant. Nous allons créer quelque chose qui va changer à jamais le paysage religieux. »

Vous plaisantez. Je *faillis* le dire, mais j'en avais assez vu. Je savais qu'ils ne plaisantaient pas. Le sérieux des déments fait partie des réalités les plus épuisantes. Les yeux de Bryce s'étaient animés au point que je me demandai s'il n'avait pas pris de la coke. Ç'aurait bien été son genre. De même que Salvatore était du genre à se ficher que les instruments servant ses buts prennent de la coke. Ou se fassent des mineures. Ou soient des assassins. Ou n'importe quoi d'autre. Les buts seuls importaient.

« Vous vous transformez tous les mois, reprit-il. En monstre. Vous éprouvez le besoin insupportable de tuer et de manger un être humain, une compulsion face à laquelle aucune puissance terrestre ne peut rien. »

Une pause théâtrale. Où je remplis les blancs.

« Aucune puissance *terrestre* », continua Bryce, avant de m'adresser un clin d'œil.

En partie parce qu'il adorait cette idée d'« Histoire télévisée », en partie parce qu'il avait conscience de la folie religieuse du cardinal, alors qu'il poursuivait quant à lui ses buts personnels. Être l'unique réalisateur et s'attribuer un pourcentage des recettes publicitaires. Tenait-il Salvatore, d'une manière ou d'une autre ? Était-ce ce qui lui avait valu sa place ?

« Vous prierez. » Le cardinal s'éloigna de quelques pas, en direction du jeune Lorenzo empourpré. « Pour demander la force de dominer la faim. Je serai là avec vous. Je vous administrerai les sacrements. Vous aurez accès à une victime humaine. Et vous ne la toucherez pas. Sœur Carmelina s'est portée volontaire la première. »

Ils ne plaisantaient toujours pas. Pas du tout. Malgré la nausée bouillonnante, mon stratège se débattait, se demandait comment mener à bien un plan pareil.

Admettons que Zoë se trouve ici avec moi. Admettons qu'il ne m'ait pas menti quant aux autres. Admettons…

« Je sais à quoi vous pensez, reprit Salvatore en pivotant vers moi. Vous vous dites qu'il n'existe rien de tel que la puissance christique. Rien de tel que le Christ. Que ce mystère. Que Dieu.

— Ce n'est pas à ça que je pensais, répondis-je, mais puisque vous en parlez, c'est en effet le plus gros défaut de votre spectacle. Si vous m'offrez la compagnie de sœur Carmelina ou de n'importe qui d'autre en pleine Malédiction, je la tuerai. Et je la mangerai. Vous pourrez bien me remplir du corps du Christ, ça n'y changera absolument rien. »

Un silence pas franchement confortable suivit. Le cardinal remuait vaguement les lèvres en regardant derrière moi par la fenêtre ; Bryce me souriait, les lèvres très rouges dans sa barbe. S'il s'était fait couper les cheveux, il aurait pu incarner D.H. Lawrence. Lorenzo (l'autre Laurent) se trouvait à l'extrême limite de lui-même, au bord de la transfiguration — sans doute à la pensée de la puissance christique.

« Je vais laisser Bryce vous exposer les détails. » Le prélat pivota, une fois de plus, puis se dirigea vers la porte. Le jeune homme la lui ouvrit. « Votre fille, ajouta Salvatore, la main levée. Je sais. Très bientôt. Quand vous n'aurez plus le mal de mer.

— Maintenant, ripostai-je.

— Très bientôt. »

Il dit tout bas quelque chose à Lorenzo avant de sortir.

Je regardai Bryce.

« Vous ne toucherez pas sœur Carmelina, affirma-t-il. Vous n'en aurez pas besoin. Vous serez rassasiée. »

Il tira de la poche de son pantalon un paquet de

Chesterfield puis s'alluma une cigarette avec un Zippo en laiton. Exhala, plein d'une gratitude profonde. Baissa les yeux vers moi.

« Vous me suivez ? Vous serez rassasiée, parce que vous aurez déjà mangé. Autant que vous l'aurez voulu. »

L'arnaque la plus minable. La puissance christique… et une assurance. À quoi m'étais-je attendue ?

« Des volontaires aussi ? m'enquis-je.

— Tout est au point, ne vous en faites pas. Ils ne manqueront à personne. » Une pause. « Je ne vais pas vous dire que vous n'avez pas le choix, ce n'est pas la peine.

— Relâchez ma fille, et je ferai tout ce que vous voudrez.

— Impossible. Salvatore tient à son truc de Madone à l'enfant. C'est une idée fixe.

— Je ne vois pas à quoi ça sert de demander, mais comment cette histoire est-elle censée me permettre de vivre heureuse avec ma petite famille ? »

Bryce hocha la tête. En termes de *si* et *alors*, nous partagions la même économie logique.

« Lorenzo ? » appela-t-il en se retournant vers le jeune homme. « M. Avery est dans le bureau voisin du mien. Vous voulez bien aller lui dire de me retrouver à la voiture dans une demi-heure, je vous prie ? »

Très légère divergence entre l'obéissance témoignée à Salvatore et celle accordée à Bryce, mais le garde disparut cependant après un petit hochement de sa tête délicate.

« Je ne vais pas vous raconter de craques, reprit Bryce à mon intention. Le cardinal dit que vous jouez votre rôle… vous vous convertissez, guérie par la foi en la grâce divine… puis vous repartez incognito. Chirurgie esthétique, nouvelle identité, la totale. » Je plissai le front. Il me prend vraiment pour une demeurée? «Je sais. Je le lui ai signalé. Mais on ne *peut* pas lui faire comprendre. Il a quelques angles morts idiots. Enfin bon, peu importe ce qu'il dit. Le fait est qu'on vous tuera toutes les deux dès qu'on aura ce qu'on voudra.»

Notre élan acquis disait qu'il existait une alternative. On se comprenait si bien que c'en était déplaisant. Ça créait une impression de parenté obscène.

«Alors voilà ce que je vous propose, continua Bryce. Je sors votre fille du complexe. Je la mets en sécurité. Et je vous la rends dès que j'ai ce que je veux.

— C'est-à-dire?

— Salvatore est simpliste. Le fait est que la moitié du public ne croira tout simplement pas au côté religieux. Le côté religieux *affaiblira* l'impact de l'émission. On a trop intérêt à présenter les choses de cette manière, ça saute aux yeux, donc les gens se persuaderont que c'est du flan. Moi, je vous parle de la version laïque où tous les coups sont permis. Et pas seulement avec vous. Je veux avoir accès à la meute, toute la meute, 24 heures sur 24, 7 jours sur 7. Vous serez masqués, vos copains et vous. Je me doute bien que vous n'allez pas tuer et manger des gens devant les caméras en montrant au monde entier à quoi vous ressemblez. Mais on montrera le reste en gros plan et de manière très personnelle. *Big Brother* chez les loups-garous. Je filme pendant un mois, jusqu'à la mise à mort de la pleine lune, en meute. Ensuite, je disparais, vous récupérez votre fille, personne ne sait de quoi vous avez l'air, et moi, j'écris l'histoire.

— Comme complice d'un meurtre de masse. Vous êtes encore plus bête que Salvatore.»

Il secoua la tête.

«Laissez-moi m'occuper de ça.» Une bouffée

d'agacement. «Vous croyez vraiment que je n'y ai pas pensé? Seigneur.»

Le choix n'en était pas vraiment un, mais le projet de Bryce présentait au moins l'avantage de ne pas me contraindre à une captivité religieuse.

Je réussis — de justesse — à me retenir de lui dire qu'ils étaient tous complètement cinglés.

«Je veux voir ma fille», dis-je à la place.

50

Je n'obtins ce que je voulais qu'au bout de vingt-
quatre heures supplémentaires. Vingt-quatre heures à
me demander si elle était morte ou vive. Vingt-quatre
heures à me sentir malade de peur et gonflée de dégoût
de moi-même. Je m'étais promis de ne jamais laisser
une chose pareille se reproduire, et voilà qu'elle se
reproduisait. Félicitations.

Quatre *Militi Christi* muets, y compris Lorenzo, béa-
tement rayonnant, me transférèrent — équipée d'entraves aux poignets et aux chevilles, façon Guantanamo
— dans une cellule de quatre mètres sur trois meublée
d'une couchette à l'inconfort attendu et de deux seaux.
On me donna un litre d'eau et un sandwich au jam-
bon, qui ne m'aurait guère intéressée même si j'avais
eu besoin d'une nourriture normale, puis on me dit de
me reposer.

Le repos ne vint pas. Il n'est pas disponible pour ceux
qui se demandent si on a tué leur enfant. Le trajet de la
pièce de l'entretien à la cellule ne m'avait pas beaucoup
aidée non plus. Trois longs couloirs, deux ascenseurs,
des néons, des revêtements en vinyle à l'odeur d'am-
moniaque, une demi-douzaine d'autres cellules. Je ne
savais même pas dans quel pays je me trouvais.

Puis Salvatore arriva, en compagnie de deux gardes supplémentaires armés (l'argent glissé dans les magasins des Uzi fit bourdonner mes os). Il s'était équipé d'une caméra numérique.

«Tenez, mettez ça, je vous prie», dit-il en glissant entre les barreaux un minuscule écouteur, d'où partait un long fil. «Le fil dans le dos, l'écouteur sous les cheveux, s'il vous plaît.»

Je restai un instant figée, assise sur la couchette. Il sourit. Le même ravissement implacable. La même patience. La même certitude. L'exercice de sa volonté le gonflait quasi visiblement, nourriture trop riche dont il était gavé.

«Je vous promets que ça ne fera pas mal.

— Ma fille.»

Il hocha la tête.

«Après. L'écouteur. S'il vous plaît.»

Je me levai et m'équipai de l'appareil. Maladroitement, compte tenu de mes menottes.

«Je vais vous interroger. Vous poser quelques questions. Les réponses à donner vont vous parvenir par notre petit camarade, dans votre oreille. Il va évidemment en résulter un décalage peu naturel, mais ne vous inquiétez pas, Bryce m'a assuré qu'il le couperait au montage sans laisser de trace.»

Un des gardes installa une chaise pour le prélat, à une distance raisonnable des barreaux.

«Dites-moi, Talulla, vous croyez en Dieu?»

La voix dans mon oreille riposta — une voix de femme vibrant, à ma grande surprise, d'une passion austère :

«Bien sûr que non. Dieu n'est qu'un conte de fées à l'usage des enfants peureux.»

J'hésitai avant de répéter la déclaration verbatim.

Mes mâchoires se crispaient. La lassitude m'envahissait, à la vision de la pensée à l'œuvre ici : le monstre athéiste se convertit à la seule religion vraie. Plus il nie Dieu au départ, plus le miracle final est impressionnant.

« Il s'ensuit évidemment que vous rejetez l'autorité de l'Église catholique ?

— *Vous êtes idiot ou quoi ? L'Église n'a aucune importance. Ce n'est qu'un nid de mensonges.*

— Je vous en prie, dit le cardinal. Un peu moins robotique.

— Je ne m'exprimerais jamais comme ça, protestai-je.

— Essayez tout de même de ne pas donner l'impression de lire la composition d'une poudre à laver. Bon. Vous niez l'existence de Dieu, le mystère de la sainte Trinité, la mort et la résurrection du Christ, le pouvoir des Sacrements ? »

La voix dans mon oreille se mit bel et bien à *rire*, avant de répondre :

« *Les Sacrements ? Bric-à-brac et blablabla. Autant porter une patte de lapin ou un fer à cheval.*

— Alors, d'après vous, nous ne pouvons pas vous aider ?

— *Je n'ai pas besoin d'aide*, perroquettai-je, *mais si j'en avais besoin, je ne vois pas ce que pourraient m'apporter vos petits tours ridicules. Si quelqu'un ici devait demander de l'aide, c'est vous, bande de tarés.*

— Je suis navré que vous pensiez une chose pareille. » Salvatore avait l'air sincèrement peiné du bon oncle déçu par l'entêtement de sa nièce. « Oui, j'en suis vraiment navré. Mais je suis aussi heureux. » Il se pencha vers moi en se posant brusquement les mains sur les rotules. « Parce que je sais que nous pouvons bel et bien vous aider. Je sais que le Christ est mort pour la rémission de *tous* nos péchés, y compris les vôtres, et que les Sacrements sont de véritables dons de Dieu, d'une immense puissance.

— *Vous êtes pathétique. Allez-y, continuez, soignez-moi. Ça n'y changera absolument rien.*

— Dieu vous aime, Talulla. » Il fronça les sourcils à la pensée des contorsions qu'une chose pareille imposerait à n'importe qui d'autre que Dieu. « Et il nous revient à nous, ses représentants désespérément imparfaits sur Terre… il est de notre *devoir*… de vous aider à en prendre conscience. Une longue route difficile s'étend devant nous, mais comprenez-moi bien : je n'ai absolument aucun doute sur le but de notre voyage.

— Moi non plus », affirma la souffleuse, d'un ton si venimeux que je me demandai si ce jeu de rôle ne lui permettait pas d'exprimer ses propres doutes.

De qui pouvait-il bien s'agir ?

« Parfait, conclut Salvatore. Nous ne tarderons pas à commencer. » Puis, quand le garde eut éteint et baissé la caméra : « Pas mal, pour un premier essai. Il nous faut davantage d'émotion, mais je suis sûr que vous prendrez le coup. Vous pouvez retirer l'écouteur, si vous voulez. » J'ouvris la bouche, mais il leva la main. « Je sais, je sais. Votre fille. Calmez-vous. Je suis un homme de parole. Nous vous emmenons la voir de ce pas. »

La pièce immaculée où on avait enfermé Zoë faisait trois fois la taille de ma cellule. Il s'y trouvait donc assez de place pour la petite prisonnière, mais aussi pour la table et les chaises destinées aux deux religieuses qui la surveillaient. À mon arrivée, Zoë était assise au bord de son lit, équipée de versions miniatures de mes entraves. La chaîne qui reliait sa cheville à la boucle d'acier boulonnée au sol lui laissait deux mètres de liberté, matérialisés par un demi-cercle tracé à la craie jaune. (Il permettait aux nonnes de savoir si elles passaient à portée d'une égratignure ou d'une morsure.) Je découvris l'ensemble sur un moniteur, fixé au mur près de la porte de la pièce et surveillé par un garde, équipé d'une table pliante et d'une chaise. (Combien de gardes, jusque-là ? Quatre pour m'escorter jusqu'à ma cellule, deux pour m'emmener voir ma fille, plus celui-là, à son bureau de fortune, soit sept. Mais l'atmosphère du complexe m'informait qu'il y en avait davantage. Les cinquante ou soixante assaillants du manoir étaient-ils tous là ? Y en avait-il des centaines ?)

Salvatore ordonna aux religieuses de quitter les lieux. J'avais cinq minutes.

Elle retenait ses larmes… mais se mit à pleurer quand je la serrai contre moi, malgré les menottes qui m'obligèrent à lui passer les bras par-dessus la tête.

J'AIME PAS ICI.

JE SAIS, MA PUCE. MOI NON PLUS. ON NE VA PAS TARDER À S'EN ALLER. BIENTÔT.

TU PROMETS ?

Oh, Seigneur. *Seigneur*.

OUI, JE PROMETS.

JE VEUX M'EN ALLER *MAINTENANT*.

PAS TOUT DE SUITE, MA PUCE. MAIS BIENTÔT. LES DAMES SONT MÉCHANTES AVEC TOI ?

La douce odeur compacte de Zoë me meurtrissait le cœur. Son poids et sa forme exacts contre moi. Le courage qu'elle avait invoqué et qui s'effilochait, maintenant que maman était là et la soulageait du besoin d'être courageuse toute seule.

ELLES ME RACONTENT DES HISTOIRES, MAIS J'AIME PAS.

Quelles histoires, ma chérie ?

Sur Jésus. Elles disent que c'est mon ami. Qui c'est, Jésus ?

On oublie qu'ils ont trois ans. On oublie les innombrables formes du monde qu'ils ne connaissent pas.

Un monsieur comme Peter Pan. Je te raconterai une autre fois.

Ne t'en va pas ! Maman !

Salvatore venait d'ouvrir la porte. Le corps de la petite et le mien savaient que la séparation approchait.

« Enfermez-moi avec elle », dis-je, le dos tourné au cardinal, le cou mouillé des larmes de Zoë. « Qu'est-ce que ça y change, de toute manière ?

— Ce n'est pas encore permis. L'environnement que nous sommes en train de créer à votre intention… le décor, pourrait-on dire… n'est pas tout à fait prêt. Entre-temps, vous savez aussi bien que moi que vous obéirez plus volontiers seule de votre côté. Or il nous faut votre coopération durant ce malheureux intermède. Je suis navré, mais c'est comme ça. Ne m'obligez pas à la brutalité. »

Je vais te tuer, sombre crétin, pensai-je. Sombre *rien du tout*.

Écoute-moi bien, Zoë. Je vais revenir te chercher. Il faut juste que tu sois courageuse un peu plus longtemps. Je te promets de revenir.

Ne t'en va pas ! S'il te plaît !

Tu te rappelles ce que je t'ai raconté sur Lorcan, comment il a dû être courageux quand je l'ai perdu si longtemps ? Alors voilà, tu as l'occasion de faire pareil.

Tous les moteurs de son extrême jeunesse disaient Non… non… non…

Tu veux bien essayer ? Juste un petit moment.

Les deux gardes se tenaient au-dessus de nous. L'argent des munitions lui faisait froncer les sourcils sans qu'elle sache pourquoi.

TU VEUX BIEN, MA PUCE ?

TU REVIENS VITE.

Ça la tuait. Je sentais ce que représentait pour elle le monde sans moi, immensité et menace contenue. Elle était petite, elle avait peur. Une pulsion quasi irrésistible me poussait à attaquer Salvatore, mais je n'y pouvais rien, à part la subir. Il en allait de même de la souffrance.

TU REVIENS VITE, MAMAN.

Comment y arrivait-elle ? Comment avais-je bien pu donner naissance à une créature capable de rassembler un tel courage ? Mon cœur se brisait. Je ne le supporterais pas. Les centimètres, les dizaines de centimètres, les mètres, les murs et les portes fermées qui allaient nous séparer. Je ne le supporterais pas.

TU PROMETS DE REVENIR VITE ?

OUI, MA PUCE, JE PROMETS. EMBRASSE-MOI.

Petit visage brûlant et doux, lèvres bourgeons froissés. Elle écrasait dans ses poings le tissu de mon corsage.

L'un des gardes posa avec beaucoup de douceur le canon de son Uzi sur mon épaule.

51

Cette nuit-là, je rêvai une énième fois du vampire, un rêve plus embrouillé où se mêlaient la plage, le crépuscule, la baise extraordinaire et le visage sombre, en gros plan répétitifs, disant quelque chose que je ne comprenais pas. J'étais malade d'un plaisir entrelacé de mort, car elle nous enveloppait de sa puanteur. Le paysage lointain d'outre-monde évoquait un vieux magazine de science-fiction, genre *Weird Tales*. Mon partenaire s'obstinait à me pousser jusqu'aux frontières de l'éveil par son discours incompréhensible, et je finis en effet par me réveiller en prononçant ses mots : *Je viens te chercher.*

Je m'étais assise sur ma couchette sans le vouloir, paniquée, après l'avoir brusquement crié en rêve : *Je viens te chercher !* Sauf que, bien sûr, j'avais juste poussé en réalité un marmonnement gémissant. Le garde ne s'en était pas moins levé — un skinhead imposant aux longs poignets, aux grosses mains et aux grands yeux rêveurs, à qui son travail déplaisait visiblement. Il tenait son automatique un peu trop fort. Pourvu qu'il n'ait pas distingué ce que j'avais dit.

Je viens te chercher.

Impossible de réprimer le mélange de scepticisme

et d'excitation. Le scepticisme parce que, franchement, *il* m'avait déjà dit à peu près la même chose — *À la prochaine* —, mais qu'il ne s'était rien passé pendant deux ans. L'excitation parce que mon corps vibrait de la conviction instillée par le rêve, papillons tourbillonnant autour de mon cœur. *Je viens te chercher.*

Jake et ma mère m'attendaient bien sûr dans le casino de l'au-delà, souriants, secouant la tête, trinquant (un Mai Tai pour ma mère, un Macallan pour Jake), pleins d'une incrédulité ravie : Franchement, Lu ? Les *rêves* ? Mon Dieu, mon Dieu…

N'empêche que j'avais les paumes moites (la chatte aussi, pleine d'un mépris caractéristique pour les épreuves que je traversais : le rêve n'avait pas négligé ses autres buts) et le sang électrique.

Le skinhead me regardait avec une fascination où entraient la peur et la répulsion, ainsi qu'un troisième élément. Une facette bien vivante de mon être se demanda, non sans lassitude, si je m'étais plongé les mains dans la culotte avant de me réveiller.

« Vous voulez ma photo ? » demandai-je.

Il ne répondit pas, mais ses articulations blanchirent sur le fusil. Aïe, ça fait mal, aurait dit l'arme si elle avait eu une voix.

« Je n'oublie jamais la tête des gens », ajoutai-je en chassant mes cheveux humides de mon front. « Sérieux, on est pires que des éléphants. »

Les lèvres du type remuèrent. Il parlait tout seul. Non, il priait, je le compris quand il se rassit prudemment, en tirant de sa poche un rosaire aux perles d'ambre.

Deux jours de plus s'écoulèrent. Le même rêve, toutes les nuits. La même réaction déstabilisante de conviction et d'autodérision. Chaque jour, quelques minutes avec Zoë, très malheureuse, qui commençait malgré elle à s'intéresser vaguement aux histoires de Jésus. Surtout la résurrection de Lazare, la guérison des lépreux et les noces de Cana. Les nonnes m'inspiraient une admiration dégoûtée, parce qu'elles avaient réussi à simplifier les choses pour les mettre à la portée d'une enfant de trois ans — avec l'aide d'un grand livre illustré qu'elles lui montraient sans quitter le côté sûr du demi-cercle de craie.

Je passais ma plus petite minute de conscience à espérer une révélation secourable. Un garde indulgent. Un indice qui me mette sur la voie de la sortie. L'occasion de m'emparer d'un des fusils pour tenter ma chance. Les minutes passaient, et l'équation restait la même.

Puis, la troisième nuit, Lorenzo vint me trouver.

Le garde qu'il releva en éprouva manifestement une vague perplexité mais s'éloigna dans le couloir, le dos rond, après un discret conciliabule.

« Je n'ai pas beaucoup de temps », commença Lorenzo, le rouge aux joues, la lèvre supérieure emperlée de sueur. Il était italien, oui, mais il parlait très bien anglais. « Écoutez-moi. Je peux vous aider. » Je jetai un coup d'œil aux caméras de vidéosurveillance montées sur les murs du couloir. « Ne vous inquiétez pas, continua-t-il. Elles ne marchent pas. Aucune. Rien ne marche, ici.

— Ma fille et moi. Tout ce que vous voulez, mais elle et moi. Compris ?

— Je ne peux rien vous promettre. » Honnêteté touchante. « Mais je peux vous ôter vos entraves, vous donner une arme et vous expliquer comment sortir par un chemin qui ne soit pas gardé tout du long.

— Je ne m'évade pas sans ma fille. Où est sa cellule, en partant d'ici ?

« — Pas maintenant. Ce n'est pas possible…

— *Où est sa putain de cellule ?* »

Il secoua la tête. Ses narines composaient deux petites apostrophes gracieuses. L'odeur de la journée jaillissait de lui par vagues : sueur propre, savon Pears, yaourt à la fraise qu'il s'était forcé à manger au déjeuner. Il respirait fort.

« Au bout du couloir à droite, puis troisième à gauche. Double porte, verrouillée et gardée. Vous ne…

— Combien de gardes ?

— Deux, mais écoutez…

— La double porte, et après ?

— Deuxième cellule à gauche. Un garde. Mais pas maintenant. Je vous en prie. Il faut attendre.

— Maintenant. Tout de suite.

— Ce n'est pas possible. Il faut me croire. Demain…

— Que voulez-vous de moi ? Pourquoi feriez-vous une chose pareille ? »

Il s'approcha des barreaux, les attrapa de ses deux mains fines, y posa le front. Symphonie intérieure discordante : désespoir… mais pas folie, autant que je puisse en juger.

« Je veux que vous me mordiez. »

Des pas.

« Reculez, sifflai-je. Vite. »

Il obéit… à l'instant précis où le garde précédent réapparaissait dans le couloir. Pas fâché, apparemment. Souriant, mais les sourcils froncés.

« *Lui non c'era* », lança-t-il. Mon italien me permit de comprendre… tout juste : *Il n'était pas là.* Il ne me permit pas cependant de comprendre la suite : « *Sei sicuro che ha chiesto per me ?*

— Demain », murmura Lorenzo, avant de me tourner le dos et de rejoindre son collègue.

52

Bryce vint me voir. Manifestement épuisé. Le visage
moite et poreux, les pupilles dilatées. Son costume de
lin crème avait cédé la place à un jean noir et un pull
irlandais presque parfaitement assorti à ses yeux ronds.
Le vert, la barbe et les cheveux mi-longs me le firent
imaginer dans la forêt de Sherwood.

« Je sais que ç'a été dur, mais on y est presque »,
dit-il.

Il était tard — ou du moins en avais-je décidé ainsi.
Le garde que venait de relever Bryce — un quadragénaire massif exhibant une moustache à la Saddam
Hussein — bâillait depuis une heure à s'en décrocher
la mâchoire mais, pour ce que j'en savais, il était trois
heures de l'après-midi. Ni fenêtre ni horloge, là en bas.

« Ils vous déménagent toutes les deux d'ici quarante-
huit heures, continua Bryce. Quatre véhicules, une douzaine d'hommes. Deux heures de trajet jusqu'au terrain
d'atterrissage. Une barricade sur la route. Seigneur.
Vous n'imaginez pas ce que ça me coûte. Je prendrai
une heure d'avance avec la petite avant qu'on ne vous
relâche. On vous remettra un téléphone et de l'argent.
Gardez le téléphone et attendez que je vous appelle.

Je le ferai dans les vingt-quatre heures. On mettra un rendez-vous au point.»

Demain.

Je peux vous aider.

Je veux que vous me mordiez.

Difficile de ne pas laisser tout ce qui s'était passé se refléter sur mon visage. Celui de Remshi m'apparut à partir du rêve. *Je viens te chercher.*

Rester dans mon rôle me coûta un effort colossal.

«N'essayez pas de me doubler, ou je vous retrouverai, dis-je à Bryce. Même s'il faut que je revienne d'entre les morts.»

Cette nuit-là, le rêve me fut épargné, parce que le sommeil me le fut aussi. D'une part, mon stratège intérieur sombrait en silence dans la folie; d'autre part, je ne m'étais pas assez nourrie, manque qui me torturait en s'éclatant dans mon sang. Le *lukos* ne se retire jamais tranquillement, même l'estomac plein. Privé de son dû mensuel, il se retranche dans une indignation aussi violente que prolongée. Il me semblait qu'on aurait dû voir de l'extérieur sa silhouette imposante se tortiller et se cabrer dans ma peau trop petite, prête à la crever pour en sortir n'importe quand, mais les gens ne voyaient bien sûr rien de tel. Juste une femme en nage, vacillante, que des crampes extrêmes ou des spasmes musculaires furieux pliaient par moments en deux ou redressaient en sursaut.

Zoë devait vivre la même expérience, malgré son petit ventre plus facile à remplir et bien qu'elle ait mangé quelques bonnes centaines de grammes avant que l'assaut ne nous interrompe. Je mourais d'envie de la voir. Il fallait que je lui dise de se tenir prête. Hier, j'avais senti en elle un début de résignation. *On reste là. Maman ne peut pas faire ce qu'elle dit. Il faut que je vive avec les dames en robe noire. Je n'aime pas. Je n'aime pas.*

En la serrant contre moi, je n'avais fait que confirmer ce qu'elle craignait. Elle avait eu conscience de ma peur. De mon impuissance. Aujourd'hui, je devrais faire mieux. Je devrais promettre en y croyant. Je me l'étais imaginé toute la nuit. ATTENTION, MA CHÉRIE, C'EST AUJOURD'HUI QU'ON S'EN VA.

TU PROMETS ?

Et je mentirais. Que pouvait-on faire d'autre, avec une enfant de trois ans qu'on emmenait peut-être à la mort ?

OUI, JE PROMETS.

La porte au bout du couloir s'ouvrit. Salvatore apparut, flanqué de deux gardes, le skinhead nerveux et le gros-bras moustachu, tous deux armés.

«Talulla», lança le cardinal, souriant, comme si mon nom constituait la solution satisfaisante d'une charade.

Il s'arrêta en face de moi, les mains jointes dans le dos. Plus imposant qu'à l'ordinaire, me sembla-t-il, grand, gras, humain, face de lune légèrement colorée, peut-être de joie. La lumière jouait sur les verres de ses lunettes à monture dorée. Le *lukos*, bien décidé à faire sentir sa présence, inspira profondément en moi — eau de Cologne, tomates tout juste mangées, sardines, café fort. Bottes luisantes empestant le cirage. À ce mélange s'ajoutait l'odeur des gardes — sueur et tissu, puanteur du métal, du caoutchouc et de la graisse des armes.

Je me levai de ma couchette pour m'approcher des barreaux.

«Vous attendez sans doute votre visite quotidienne à votre fille, reprit Salvatore. À mon grand regret, il ne vous sera pas possible de la voir aujourd'hui.»

On l'imaginait difficilement seul, car le vernis de sa foi ne reflétait jamais que les non-croyants. Quand je pensais à lui isolé, je me le représentais arrêté, comme un automate. Dieu le concernait uniquement en tant qu'extension divine de sa personne, lorsqu'il était entouré. Sans entourage, il n'avait pas de place en lui pour Dieu.

«Je dois dire que votre naïveté me surprend», continua-t-il, la tête penchée de côté, en chien heureusement perplexe.

Vous n'en voudrez peut-être pas pour vous, mais pour vos enfants, oui. La distance qui me séparait de Zoë était une lance qu'on me plongeait dans le nombril.

«Ma naïveté? m'enquis-je.

— Bryce.» L'adrénaline me fit flageoler les genoux. «*Big Brother* chez les loups-garous, poursuivit le visiteur. Bryce a investi une petite fortune dans une nouvelle entreprise qui met au point des systèmes à expédier de l'argent.» Il se pencha en avant. «Des gadgets destinés à éliminer les lycanthropes du voisinage, pour être plus précis. Aucun intérêt, évidemment, si les gens ne sont pas persuadés d'avoir des lycanthropes dans le voisinage. N'étant pas un homme de foi, il n'a pas été convaincu par le projet reposant sur la foi. D'où la version laïque, soi-disant scientifique. Quel aveuglement. Il n'a aucune idée du nombre de gens qui croient *déjà*... et grâce à qui? Grâce à nous! S'il s'en était tenu à notre arrangement, ça ne l'aurait pas empêché de devenir riche.»

Tel était manifestement le signal verbal, car à peine le cardinal avait-il prononcé ces mots que Saddam leva son fusil — il ne s'agissait pas d'un Uzi standard, je m'en aperçus alors, mais d'une arme plus légère, au canon plus long — et appuya sur la détente.

La fléchette me frappa à la taille. Il fallut aux mauvaises vibrations géantes trois secondes pour se coaguler autour de moi; trois secondes où je sentis le médicament monter dans mes jambes, pendant que la nuit descendait sur ma tête. Mes mains se crispèrent autour des barreaux, mais la querelle de la faiblesse s'envenimait rapidement dans ma chair.

«Comme vous le savez, il y a eu d'autres développements…»

Salvatore sortit sa main droite de derrière son dos.

Il tenait la tête coupée de Lorenzo.

«Les voies du Démon sont impénétrables…»

Je tombai à genoux.

«La conduite de Lorenzo a été un coup terrible. J'avais des doutes, mais je lui faisais confiance. Il allait mourir, évidemment. Une tumeur inopérable au cerveau…» Le cardinal secoua légèrement la tête tranchée, comme pour écouter cliqueter la tumeur. «Il n'y a pas à nos yeux mort plus noble que celle des martyrs. Je la lui ai offerte, mais on ne saurait surestimer l'envie de vivre. À n'importe quel prix, semble-t-il. Croyez-vous que quatre cents ans de monstruosité puissent payer une âme? Je suis surpris. Sincèrement surpris.»

Je sentis ma bouche s'ouvrir et se refermer, sans laisser passer le moindre mot. Ma force s'écoulait de moi telle l'eau par une écluse ouverte.

ZOË. ZOË… JE… NE…

«Voilà qui me servira de leçon: ne jamais baisser sa garde; ne jamais rien tenir pour acquis; avoir confiance, mais porter sur son front tel un joyau brûlant la certitude de l'humaine faiblesse.»

La nuit avait à présent un poids, une masse suave qui m'enveloppait. J'ignorais si j'étais encore à genoux ou si j'avais basculé à terre. La géométrie solide du monde se désintégrait en douceur, avec une sorte de résignation tranquille ; elle se pliait aux règles sans se plaindre. Le noir complet, une seconde, puis je me contraignis à rouvrir les yeux. Les barreaux flous et les bottes à bout rond de Salvatore, coiffées de reflet lumineux. Le *lukos* se débattait, se noyait. Mon propre poids m'entraînait sous la surface. *Je viens te chercher.*

JE VIENS TE CHERCHER.

J'essayai d'atteindre Zoë, mais elle était trop loin... trop loin...

Le noir, à nouveau, la tête plongée dans une eau d'encre par le médicament et la voix du visiteur, qui appuyaient dessus.

« C'est notre complaisance qui permet à Lucifer de nous acheter. Sa plus grande réussite consiste à... »

Une explosion l'interrompit dans ma tête.

Le dernier segment intact de ma conscience me permit de penser : Non, pas dans ta tête. Une explosion. Une explosion...

Ça ne servait à rien. Je sombrais.

Rêve confus de coups de feu, de hurlements, de mouvement, d'une voix — pas celle de Salvatore — criant : « Alarme ! On nous attaque, monsieur... » Une alarme — électronique, cette fois — s'imposa un instant assourdissant, accompagnée d'un éclair aveuglant... puis ce qui restait de lumière s'éteignit pour moi.

53

Walker

La maison se trouvait à près de cinquante kilomètres de celle où on nous avait tendu l'embuscade. Lorsque j'arrivai, Lucy avait attaché l'Ange sur une chaise, à la cave. Un type d'une bonne trentaine d'années au teint olivâtre, aux cheveux noirs coupés court et à la peau enlaidie de vilaines cicatrices d'acné. Il se portait comme un charme, malgré sa mâchoire inférieure enflée et son épuisement manifeste. Les propriétaires des lieux — un couple de retraités proches des soixante-dix ans — se réduisaient à une masse sanguinolente dans le lit de l'étage.

« C'est là que tu interviens, j'en ai peur », me dit Lucy.

Les dernières vingt-quatre heures avaient été un gigantesque gâchis, et on laissait maintenant derrière nous une piste qu'aurait pu suivre n'importe quel abruti. Je n'avais même pas vu tomber Talulla et Zoë. On s'était enfoncés de deux cents mètres dans la forêt avant que je ne prenne conscience de leur absence. Je m'étais arrêté, retourné, mais Madeline m'avait attrapé par le bras.

NON. LE PETIT. ON L'ÉLOIGNE.

Elle ne voulait pas me le transmettre, mais je l'avais quand même perçu, parce qu'elle l'avait pensé : SANS DOUTE DÉJÀ MORTES, DE TOUTE MANIÈRE. Lorcan aussi en avait eu conscience. Je l'avais senti à la manière dont son bras s'était crispé à mon cou.

DU CALME, MON GRAND. ELLE S'EN SORTIRA. TA MAMAN EST PLUS SOLIDE QUE NOUS TOUS RÉUNIS.

Et elle me quitte.

Elle m'a déjà quitté.

Une grenade avait explosé à une trentaine de mètres de nous. Ils savaient qu'on leur avait échappé. Ils arrivaient. Je n'avais pas vu de véhicule (s'ils en avaient, ça ne leur servirait de toute manière à rien dans les bois), et ils ne nous rattraperaient pas à pied. On n'avait pas le choix : si on y retournait, on était morts. Tous.

D'où la fuite.

L'instinct nous poussait à rester sous le couvert, mais les arbres se clairsemaient moins de cinq kilomètres plus loin, et qu'est-ce qu'on aurait fait en pleine forêt, une fois la lune couchée ? Gagner tranquillement la ville la plus proche, à poil ? Là non plus, on n'avait pas le choix.

Vingt minutes après être sortis du bois, on atteignit des terres cultivées. Des moutons se dispersèrent devant nous, martèlement léger des sabots et odeur fruitée des crottes. Des lumières brillaient dans la ferme. Trois chiens. Quatre humains. Les chiens sortirent en silence par la chatière, prêts à suivre nos instructions, mais on n'avait pas besoin d'eux. On fit lentement le tour du propriétaire : une étable où deux douzaines de bœufs roulaient les yeux, blottis les uns contre les autres, un abri à tracteur, un garage ouvert au toit de tôle ondulée abritant une Land Rover, une Volkswagen et deux quads. Seule la maison proprement dite était occupée. Maman, papa, fille, garçon. À table, terminant leur dîner. Cafetière en acier, grosse plaque de beurre jaune, viande froide, vin, une demi-douzaine de fromages, une tarte aux mûres. Le fils, dans les dix-sept ans, furieux, pour une raison ou pour une autre. Aucune en particulier, sans doute. Il ne voulait pas de ça, de la vie à la ferme. Il voulait la ville. La télé avait fait sa percée, le porno, les meufs. La lenteur d'Internet le rendait fou. Comme disait Luke Skywalker, *Si l'univers a un centre, tu te trouves sur la planète qui en est la plus éloignée.* Le gamin ressemblait même vaguement à Mark Hamill. L'esprit part dans ces directions-là, on n'y peut rien. La fille, pas plus de douze ans, était de ces rares enfants qui ont la chance d'être nés dans un monde à leur convenance. Elle aimait les grosses bêtes à l'odeur de bouse, les poules au curieux caractère réduit, la poussière de paille des moissons, évocatrice de fumée, les murs épais, les cheminées ouvertes, casser la glace de la citerne d'eau en hiver. Maman et papa les aimaient tous les deux… et ils s'aimaient aussi. Ça se sentait. Ça se voyait au léger désordre de la maison et à la confiance en elle de la fille — et du garçon, malgré son exaspération. Malgré son exaspération, d'ailleurs, il avait conscience de cet amour. Les parents prenaient toujours plaisir à coucher ensemble. Il entrait dans leurs étreintes de l'humour et de l'habitude… mais le brasier d'antan se réveillait parfois. Ils le savaient. Ils savaient qu'ils pouvaient compter dessus pour le reste de leur vie.

On n'apprit pas tout ça en regardant par les fenêtres.

On l'apprit quand Maddy défonça la porte d'un coup de pied, qu'on bondit à l'intérieur, qu'on réduisit la famille en pièces et qu'on la dévora.

Dur de ne pas baiser.

C'était là depuis le début, entre Madeline et moi. Après tout, elle m'avait Transformé. On s'évitait plus ou moins, pour cette raison même. Je le savais, elle le savait, Lu le savait. (*Pas de problème, je veux que tu le fasses*, m'avait-elle transmis au manoir, avant que le cirque ne commence. *Je veux que tu le fasses, je me sentirai moins coupable de te quitter pour un vampire*, voilà ce qu'elle voulait dire. Je l'en avais détestée. Parce qu'elle essayait de gérer la chose. De me gérer, moi. Ça n'avait jamais vraiment été de l'amour. Au début, c'était de l'amour, moins ce qu'elle réservait au fantôme de Jake. Ensuite, de l'amour, moins ce que le vampire lui avait laissé. Trop de moins. Je m'étais toujours contenté des restes.)

La famille leva les yeux. Le temps s'arrêta. Ils étaient là tous les quatre, perfection issue de la peur. À l'instant de votre mort, votre vie se concentre, se totalise, atteint à sa dernière forme. Vous, les humains. Cet instant nous déstabilise, cette seconde d'immobilisation parfaite, celle où vous savez et où nous vous voyons complets. On dirait une plaisanterie partagée, la seconde où les amants échangent un regard en prenant conscience — mon Dieu, mon *Dieu* — qu'ils vont jouir simultanément. Puis, la tâche de l'instant accomplie, nous nous jetons sur vous, et votre vie s'en vient en nous par bouchées avides et morceaux sanglants.

Ce fut brûlant et rapide. Brouillé. Il en va toujours ainsi de la première minute, en tout cas pour moi, téléscopage de joie et d'incrédulité, de cécité totale et de vision parfaite s'entrechoquant comme des cymbales.

Mais cette phase ne dure pas. On revient à soi, au monde, à la réalité matérielle et sale de ce qui arrive. La réalité matérielle et sale, meilleure que tout ce qu'on a jamais connu auparavant.

Madeline, le museau dans le flanc de la fille et le cul en l'air, les jambes écartées. L'odeur de sa chatte, suave, rusée, pleine d'un acquiescement tourmenté. Et moi, avec une érection à couper un piano en deux. J'avais toujours cru que j'aimais le sexe. J'avais toujours cru qu'il m'avait apporté autant de plaisir que possible. Jusqu'à la Transformation. On se Transforme, et là, on s'aperçoit qu'on peut baiser en trois dimensions, mais qu'on ne l'a jamais fait qu'en deux.

PAS POSSIBLE, émit Madeline — tout juste.

JE SAIS.

Ça ne l'empêchait pas de lever la tête en roulant des épaules. On était proches. Si proches.

ZOË.

JE SAIS.

TALULLA.

Impossible de répondre. Je ne sais pas ce que j'aurais répondu, de toute manière. Je préférai plonger la main dans la cage thoracique du garçon, lui arracher le cœur puis le trancher en deux d'un coup de dents. Désolé, petit, mais je crois que le mien est dans le même état.

On fit ensuite ce qu'on ne faisait jamais : s'attarder près des restes de nos victimes. On n'avait pas le choix, une fois de plus. La situation répondait à tous nos besoins : maison isolée, vêtements, argent, moyens de transport. Je n'avais jamais été fan de Fergus, mais une impression de brûlure me tenaillait quand je pensais à Trish. Elle était si vivante. J'aimais la voir le matin, les yeux grands ouverts, en pleine gueule de bois, assise sur sa chaise, les genoux relevés contre la poitrine, les doigts noués autour d'un mug de café. Elle ne regardait pas la télé, elle ne feuilletait pas de magazine, elle se contentait de cligner des yeux et d'exister avec bonheur. Madeline était en deuil aussi, je le sentais. En grand deuil. Elle aimait Cloquet. Trish. Et jusqu'à Fergus. Ils avaient gagné de l'argent ensemble, surpris de découvrir qu'ils pouvaient avoir confiance l'un en l'autre. On n'avait aucune idée de ce qui avait bien pu arriver à Lucy. Si elle en avait réchappé, elle se trouvait hors de notre portée. Et la même pensée nous occupait tous les deux : c'en était fini des jours d'autrefois ; le monde s'éveillait à nous — rien ne serait plus jamais pareil.

Lorcan se roula en boule sur le canapé. La pensée lui martelait le crâne — ELLES SONT MORTES. ELLES SONT MORTES. ELLES SONT MORTES —, mêlée aux fragments tourbillonnants des vies qu'il venait d'absorber. Je m'étais posé la question : comment Zoë et lui pouvaient-ils bien s'accommoder d'une expérience pour laquelle ils étaient forcément trop jeunes ? Ils font ce que font tous les enfants, m'avait répondu Talulla. Ils la mettent de côté en attendant d'être prêts. Ces habits-là finiront par leur aller, un jour.

ELLES SONT MORTES. ELLES SONT MORTES.

J'attrapai le petit par la cheville pour le secouer légèrement. Aucune réaction. C'est un enfant difficile à consoler, parce qu'il n'y croit pas. On dirait que l'univers entier lui a déclaré la guerre à sa naissance. (Ce n'est sans doute pas faux, vu qu'il a été victime d'un kidnapping dès sa venue au monde.) Aucun auto-apitoiement, juste une détermination lointaine. Zoë s'attend à ce qu'on l'aime, Lorcan à rien. On l'imagine mal flirtant, plus tard. Ou, du moins, aimant qui que ce soit.

Madeline et moi montions la garde dehors à tour de rôle même si, à vrai dire, on ne pensait pas être poursuivis. À vrai dire, on pensait que les *Militi Christi* avaient eu exactement ce qu'ils voulaient — Talulla et Zoë.

Les chiens nous tenaient compagnie en remuant la queue.

Une fois la lune couchée, on se doucha puis on s'habilla de notre mieux avec les affaires de nos victimes. En ce qui concernait Lorcan, il fallut improviser, parce que rien ne lui allait. Un tee-shirt et un jean coupé de la fille, avec une ceinture en ficelle. Pas de chaussures, mais il s'en fichait. De toute manière, si on devait marcher, il faudrait le porter. Heureusement, on trouva les clés de la Land Rover.

Je n'espérais rien quand je composai sur le fixe de la maison le numéro du portable de Lucy.

Elle répondit après deux sonneries.

Elle se trouvait chez des inconnus, à une cinquantaine de kilomètres.

Avec un otage.

54

Si incroyable que ça paraisse, une issue leur avait échappé. À la cave. Une double porte en bois, complètement recouverte de vigne vierge. Lucy l'avait défoncée en se jetant dessus, ce qui lui avait permis de prendre deux Anges par surprise. Après avoir arraché la gorge du premier, elle s'était tournée vers le second — le survivant de l'acné au teint mat et à la trentaine bien entamée — pour le découvrir fixant avec incrédulité son AK-47 enrayé.

« Il s'est enfui, nous dit-elle, mais il n'est pas allé très loin. »

Il était allé jusqu'à la lisière du bois, où elle l'avait assommé.

« Non, vous comprenez », continua-t-elle, car Maddy et moi nous émerveillions en silence, « je me suis dit que j'aurais peut-être besoin d'un chauffeur. »

À la manière dont elle en parlait, on aurait pu croire qu'elle s'était demandé comment rentrer chez elle après des floralies.

Elle traîna son prisonnier plus loin sous le couvert puis attendit, en suivant les événements. Nos assaillants endormirent Talulla et Zoë, rangèrent les restes de Trish et Fergus dans des sacs à cadavre et repartirent enfin, alors qu'il restait sept heures de lune. Elle regagna le manoir sans perdre son calme olympien, toujours en traînant son prisonnier, le ligota, le bâillonna, le jeta sur son épaule puis se lança à la recherche du Fleetwood.

« Je l'ai retrouvé où on l'avait laissé, continua-t-elle. À ma grande surprise, je dois dire. Je me suis bien demandé s'ils l'avaient piégé ou quoi, mais... ma foi, je n'avais pas tellement le choix. J'ai ranimé le type et je l'ai collé au volant. C'est lui qui m'a amenée ici. Je l'ai tenu à la gorge pendant tout le trajet. »

Madeline et moi l'écoutions avec une incrédulité croissante. L'idée n'était-elle vraiment pas venue à Lucy qu'il aurait été nettement plus intelligent d'aller dans un coin tranquille en attendant de reprendre forme humaine ? Elle nous regarda comme si on était des simples d'esprit.

« Je n'avais pas mangé. Je mourais de faim. »

Elle avait donc bousculé l'Ange pour le faire entrer dans la maison, où elle l'avait une fois de plus bâillonné et ligoté, avant de lui couvrir la tête d'un sac à commissions en toile. Ensuite, elle s'était tranquillement rendue à l'étage, où elle avait tué les retraités.

« Ils dormaient tous les deux », précisa-t-elle.

Il lui était bien sûr impossible de mener un interrogatoire tant que le coucher de la lune ne lui rendait pas forme humaine.

« Pas sans avoir recours à des... des charades ridicules, en tout cas », ajouta-t-elle.

C'était plus ou moins à ce moment-là que j'avais appelé.

« J'en suis ravie, conclut-elle. Ça ne me branchait pas. C'est là que tu interviens, j'en ai peur. »

Parce que tu as l'habitude de ce genre de choses. Tu es un ex de l'OMPPO. Un ex-professionnel.

Un ex.

« Emmène Lorcan à l'étage », répondis-je.

Ce ne fut pas long. Je n'eus pas à lui faire mal. Si je lui avais fait mal, ce serait venu de mon cœur brisé, de l'envie de trouver une échappatoire à sa violence. Je me serais dégoûté.

Mais ce ne fut pas nécessaire. Il me suffit de lui dire ce que je ferais si je n'obtenais pas de lui les informations désirées. Je le Transformerais.

« Vous savez ce que ça veut dire ?

— Oui. »

On se regardait dans les yeux. Il ne m'était pas sympathique : la religion, la foi éclatante en la magie, le conte de fées. Et nous, qu'est-ce qu'on est ? m'avait-elle dit. Un putain de conte, oui. La violence était là, dans mes membres, s'offrant à moi. Je la muselai. Rien à voir avec de la sympathie, c'était juste que je ne voulais pas le tuer. Je me dégoûtais, avec ma tristesse inutile… et la certitude que je serais bien obligé de le tuer. Ç'aurait dû être facile et rapide. Je suis un monstre. Je tue et je mange un être humain par mois. Je me fiche bien d'un crétin religieux. Un ennemi identifié, en plus. Mais ça ne marche pas comme ça. La pleine lune et la faim rendent la mise à mort naturelle. C'est ce que je suis, ce que je fais. J'ai toujours le choix, oui, mais ce choix-là est naturel. Il ne prête pas à conséquence. Si je perds la faim, la lune, le putain de *lukos*, il ne s'agit plus du même choix.

Je ne voulais pas faire une chose pareille. Une facette insouciante de mon être me disait d'ailleurs que je n'avais pas à la faire, qu'il me suffisait de m'en aller. Après tout, j'étais *Walker*. Voilà ce que je faisais, en réalité. Voilà ce que j'étais. Que renferme le nom ? Tout.

Je connus un instant de liberté. J'allais me détourner, remonter l'escalier, faire mes adieux, m'en aller. C'était ce que j'avais toujours fait. Lorsque je m'en aperçus, je faillis me mettre à rire.

Mais l'instant passa. Tristesse et dégoût emplirent la cave, une fois de plus ; matérialité et épuisement me reprirent. Ma salopette sentait la sueur du paysan. Mon passé tout entier était là avec moi, avec nous. Il arrive que votre vie vienne à vous de cette manière, vous demander pourquoi elle n'a aucun sens. Pourquoi vous n'en avez rien fait qu'un beau gâchis.

Pendant ce temps, l'ennuyeuse logique de la situation s'obstinait à me peser. Il me serait impossible de vérifier l'exactitude des informations données par ce type sur l'endroit où étaient emprisonnées Lu et Zoë. Pas sans aller là-bas. Il faudrait le garder en vie au moins jusque-là.

« Alors ? demandai-je.

— Quand je vous l'aurai dit, vous me tuerez, de toute manière.

— Je ne peux pas. Pas avant d'être sûr que vous m'avez dit la vérité. Et je ne pourrai être sûr qu'une fois là-bas.

— À ce moment-*là*, vous me tuerez. »

Cette intimité, entre nous… C'est le problème des situations de ce genre : elles créent l'intimité, qu'on le veuille ou non. Il alla jusqu'à me sourire, car il en avait conscience. Je me demandai ce qui avait bien pu faire de lui un croyant. Il avait l'air intelligent. Je me demandai quel effet ça faisait d'être un croyant intelligent, considérant le monde entier et ce qui s'y passait comme preuves de l'existence de quelque chose d'immense, d'invisible, d'une grande histoire mise au point par Dieu au Commencement. Elle avait considéré le monde comme ça, enfant. Elle en était revenue à le considérer comme ça. Depuis la visite du vampire. *Lorsqu'il s'unit au sang du loup-garou.* C'était marrant, mais quand on avait essayé d'en rire, ça n'avait pas marché du tout.

«Comment vous appelez-vous?» demandai-je au prisonnier.

Après réflexion, il décida que me répondre n'allait pas aggraver la situation.

«Mario Donatello.

— Eh bien, Mario, je vous propose un marché. Vous nous dites où elles sont, vous nous dites la vérité, et on vous libère.»

Il éclata de rire.

«Sérieux? Vous me prenez pour un débile?»

J'avais les bras et les épaules fatigués. Tous les putains de *si* et *alors* de ces moments-là. Je me demandai une fois de plus pourquoi je me donnais cette peine. De toute manière, elle te quitte.

Mais il y avait Zoë.

Ce sont toujours les innocents qui gâchent tout.

Je libérai les poignets du captif.

«Donnez-moi la main.» Il me considéra de sous ses sourcils. Des yeux noirs humides. Des cicatrices d'acné qui me le faisaient imaginer adolescent, désespéré devant la glace. Ça peut paraître démentiel, mais j'étais navré pour cette version de son être. «Donnez-moi la main, insistai-je. Je ne vous ferai aucun mal.»

Il transpirait. La peur s'était retirée, à peine, juste de quoi laisser une petite place à l'excitation et à la curiosité. Je n'essayais pas de l'entuber, il le savait. C'était possible, il le savait. À cause de notre intimité, et parce que je pouvais lui prendre la vie si j'en avais envie. Dans ces moments-là, il s'établit une transparence entre les parties. Comme entre poids lourds sur le ring. Ou entre amants.

Il tendit la main droite. Je la pris dans la mienne, la serrai, la retins. Le regardai dans les yeux.

«Tu sais ce que c'est, affirmai-je. Tu sauras si je mens.»

Il voulait vivre. Il s'était longtemps cru disposé à accepter une mort de martyr, mais la découverte qu'il venait de faire se lisait sur son visage : par-dessus tout, il voulait vivre. Il imaginait les couchers de soleil, les conversations, les cafés, les matins d'hiver d'une fraîcheur immaculée qu'il persistait à vouloir, qui lui étaient précieux et auxquels il n'avait seulement jamais pensé, le cadeau absolument gigantesque de la vie, gaspillé sans compter.

«Je te donne ma parole, continuai-je. En arrivant là-bas, je te libérerai. Tu sais que je ne mens pas, parce que tu sens que je n'ai aucune envie de te tuer.»

Les yeux dans les yeux. Sa main, un peu plus grande que la mienne. (Susie Carter, une de mes copines de jeunesse. Une belle fille, aux mains plus grandes que les miennes, elle aussi. Ça me tracassait à un point incroyable. J'en étais obsédé, même quand elle me faisait des trucs étonnants au lit.)

«Tu sais que je ne mens pas», répétai-je.

Oui, il le sentait. La joie, en lui, de découvrir brusquement qu'il vivrait peut-être la vie qu'il venait de s'imaginer. La joie et la honte, parce qu'il ignorait jusque-là que sa foi n'avait pas la force de la vie.

Quand je l'amenai au rez-de-chaussée, Madeline et Lucy me regardèrent : Qu'est-ce que c'est que ce bordel ?

«On a besoin de lui, dis-je. Allons-nous-en.»

Dans le Fleetwood, je le bâillonnai et l'attachai au pied d'une des couchettes. Il se montra calme et coopératif. Sa décision était prise. Son âme en subirait les conséquences, mais pour l'instant, Dieu avait perdu. À son grand soulagement. C'est toujours un soulagement que de trouver ses propres limites. De savoir exactement où s'arrête sa force. C'est un soulagement, parce que ignorer une chose pareille constitue un travail épuisant, à temps plein.

J'appelai Konstantinov. On avait bossé ensemble à l'OMPPO, avant de se retrouver du côté des perdants de l'organisation. Trois ans plus tôt, des vampires (les cinglés qui avaient aussi enlevé Lorcan) avaient kidnappé sa femme, Natasha, puis l'avaient Transformée. Mike risquait de la perdre et lui avait donc demandé de le Transformer à son tour. Elle n'avait pas hésité. Au cinéma, elle aurait refusé, par amour. Dans leur réalité, elle avait accepté, par amour. Parce qu'elle savait combien il l'aimait. Parce que leur amour était aussi vaste et mystérieux que la Russie, leur patrie. Si je n'avais pas aimé Konstantinov autant que je l'aimais, je l'aurais détesté maintenant d'avoir ça.

« On a besoin de vous, Mike. Où êtes-vous ?

— En Polynésie.

— Merde. Merde, merde, merde. Combien de temps vous faut-il pour venir ? »

Je le sentis réfléchir. Vols de nuit exclusivement.

« Trois jours. »

Trop long.

« Vous connaissez quelqu'un ici qui pourrait nous aider ? »

Silence. La réponse était évidente. Je ne savais même pas pourquoi j'avais posé la question. Madeline et Lucy se changeaient à l'arrière. Lorcan fouillait dans le sac de Talulla, à la recherche de ses propres affaires, après avoir éparpillé celles de sa mère. Une robe bain-de-soleil blanche que j'aimais beaucoup, des espadrilles rouges, une veste en jean. La pensée me vint que je portais toujours cette saleté de salopette et des tennis découpées. Je transpirais. Mes mains me semblaient malades. Lorcan jeta par terre le livre de Talulla. *Don Juan.* Byron. J'aurais dû connaître.

«Non, dit enfin Konstantinov. Pourquoi? Qu'est-ce qui se passe?»

Le petit avait tiré autre chose du sac.

Tu vois comment les pièces s'emboîtent? dit une voix dans ma tête.

Le journal de Quinn.

Le petit mot d'Olek s'échappa du volume puis voleta jusqu'au sol.

«Je te rappelle», répondis-je. Curieux instant où il me sembla que tous les atomes de tout mon environnement bourdonnaient et luisaient. «Quelqu'un d'autre va peut-être nous aider.»

Olek envoya quatre vampires nous rejoindre à trois kilomètres de Caminata.

Seulement quatre? Ça ne suffirait pas. Quant à «nous», il s'agissait de Lucy et moi, puisque Madeline veillait sur Lorcan et Mario. En évitant de se mêler de tout. (*Alors, tu t'es fait Walker?* Ce serait sans doute une des premières questions que lui poserait Talulla. Dans l'espoir d'obtenir une réponse positive. *Merci. Tu veux bien m'en débarrasser, s'il te plaît?*) Un groupe de six contre Dieu seul savait combien de gens.

«Vos armes. Vingt chargeurs par personne. C'est lourd, mais vous en aurez besoin.»

Alyssia. Une Australienne d'environ trente-cinq ans humains, aux longues boucles décolorées et aux yeux bleus, au corps souple parfaitement proportionné. Aux mains exquises, manucurées avec soin, et aux ongles pourpres. Elle portait, comme nous, un bloc de pâte anti-odeur entre le nez et la bouche. Le composé chimique ne valait guère mieux pour nous que la puanteur des vampires (ni, sans doute, que notre puanteur pour eux), on devait avoir l'air franchement ridicules mais, sans ça, on n'aurait pas réussi à discuter, parce qu'on n'aurait pas pu s'approcher assez les uns des autres. Là, six mètres nous séparaient, et on avait tous la nausée.

« Le sac contient des grenades, des lacrymos et des masques, continua Alyssia. Nous, on n'a pas besoin de masques. Ils sont pour vous. »

Impossible de dissimuler son léger sourire sarcastique, sur ces derniers mots. Genre : Nous, on n'a pas besoin d'attendre la pleine lune. On règle ce genre de problème n'importe quand. (Ça fait partie du snobisme des sangsues. Nous faire sentir qu'on est soumis au cycle lunaire. Qu'on est des *temps partiels*.)

« On fonce dans le tas, poursuivit-elle, et si c'est humain, on tue, compris ? »

La question s'adressait à sa propre équipe. Sous-entendu : On ne va pas à un cocktail. Pas question de boire un petit coup vite fait.

L'équipe en question, également armée de fusils d'assaut et de pistolets, marmonna vaguement, sourit, hocha la tête. Clairement, les troupes ne promettaient rien. Elles n'avaient aucune envie d'être là, leur langage corporel le disait par chacune de ses syllabes. Elles avaient autre chose à faire, attention, des choses plus intéressantes, plus sympa. Charlatan ou pas, Olek avait manifestement de l'influence.

« On reste juste le temps qu'il faut, pas question de traîner », dit un des hommes.

Miro. Un type plutôt antipathique, de mon point de vue. Le grand Polonais aux jambes fines avait une coiffure en poireau et une tête de cul, comme aurait dit ma mère — c'est-à-dire que ses joues un peu trop pleines donnaient l'impression que son nez et sa bouche se trouvaient au fond d'un sillon vertical.

« Pas la peine de discuter, intervint une de ses

collègues. On sait ce qu'on fait. Allons-y et finissons-en, bordel. »

Elle avait été Transformée à dix-neuf ans, maximum, mais si ça se trouvait, elle avait couché avec Shakespeare, pour reprendre l'expression de Talulla. C'était une Anglaise aux larges épaules, à la longue queue-de-cheval sobre et aux grands yeux noirs pleins d'ennui. Eleanor.

Le quatrième membre de l'équipe, Nils, un Hollandais, m'inspirait confiance, alors qu'il puait plus que les trois autres réunis. Il dépassait les deux mètres, et ses muscles ne devaient rien à une quelconque salle de sport : il était juste bien bâti, dense, visiblement fort et rapide. Ses boucles blondes très courtes épousaient la forme de son crâne imposant, aux os grossiers.

« Ne vous en faites pas pour nous, ajouta-t-il. Essayez juste de ne pas vous laisser distancer. »

Il faisait nuit, forcément. Le complexe se trouvait à quatre cents mètres du lieu de rendez-vous. Mario nous en avait décrit la disposition, mais il était évident qu'il restait vague sur certains points. Talulla et Zoë se trouvaient en principe sous terre, au niveau −2, dans l'Aile Rouge, cellules 4B et 17A. Malgré notre ridicule infériorité numérique, la composante vampire de notre groupe nous donnait une force et une rapidité sans commune mesure avec notre nombre de têtes. Le désespoir aussi ajoutait à notre puissance. Et les moments où je me fichais royalement d'y passer.

56

Floutage total. Normal, c'était un combat. Mais, comme c'était un combat, il en émerge des détails surprenants. Les pissenlits qui me caressent les mollets en chemin. La Grande Ourse inclinée, scintillant au-dessus du toit du complexe. L'instant séparant le lancer de la première grenade et son explosion, parenthèse où Lucy se racla la gorge et vérifia une dernière fois la sûreté de son automatique. Le pied tressaillant d'un des gardes que je venais d'abattre, avec son lacet qui se dénouait. Le crucifix de travers au mur ensanglanté d'un couloir. Une des *Militi Christi* criant quelque chose, sans doute en latin. Le bruit d'une balle traversant de part en part la jambe d'Alyssia, qui avançait de front avec moi, sans lui faire ni chaud ni froid. Quand elle me dépassa, je trouvai qu'elle avait un beau cul, dans son jean moulant bleu foncé. La prise de tête : attraction et répulsion mêlées — en plein chaos d'adrénaline.

Rien de tel que l'élément de surprise pour faire pencher la balance en votre faveur. La moitié d'entre eux n'avait que des armes de poing, même si les secousses de l'argent expédié lestaient l'atmosphère, écœurantes combinées à la pâte anti-odeur, la puanteur et les vibrations vampiriques. J'avais sous-estimé l'argent, son effet, son bourdonnement dans les os, l'effort nécessaire pour ne pas le fuir. J'étais devenu prétentieux. Les autres aussi. Habitués aux victimes. Aux proies incapables de nous tuer.

J'ignore combien on en élimina. Trente ou quarante. Les vampires étaient rapides. Par comparaison, les humains avaient l'air de se traîner sous Valium — et nous aussi, d'ailleurs, sous forme humaine. Alyssia n'était pas limitée au sol. La première fois qu'elle bondit sur le mur d'un couloir puis y parcourut une vingtaine de mètres, je restai paralysé, comme un crétin. Les sangsues se montraient calmes, concentrées. Elles pouvaient se le permettre, vu que les munitions de nos adversaires ne leur faisaient aucun mal et que personne ne risquait de les approcher avec un pieu — ce n'était même pas imaginable.

Quelqu'un m'approcha pourtant, moi.

Une pièce que je croyais nettoyée. J'étais planté devant la porte, je changeais de chargeur, quand un bras puissant m'immobilisa, noué à mon cou, pendant qu'un poignard fondait sur ma gorge. La seconde s'étira, me laissant tout loisir de reconnaître le modèle, un couteau de combat Mercworx à double tranchant comme ceux dont je me servais à l'époque de l'OMPPO. Je me dis (on a un temps infini pour se dire toutes sortes de choses, dans ces moments-là) que ça ne me tuerait pas, mais que ça ne me ferait aucun bien non plus, et que ça entraverait ma respiration pendant quelques minutes essentielles.

Et là, je le sentis.

Acier customisé.

Plaqué argent.

Quand le combat vous fait frôler la mort, force vous est d'admettre que vous n'avez jamais vraiment cru y passer. Pas cette fois, vous dites-vous, juste avant de mourir. Cette fois n'est jamais la fois. Il faut pourtant bien qu'elle le soit, ou on ne mourrait jamais.

Je ne voyais pas le type, mais le bras qui m'entourait le cou et la main au couteau m'informaient qu'il était grand et costaud. La peau sombre, le poil soyeux. Son corps m'emplissait d'une chaleur martelante qui me donnait envie de vomir. J'en arrivai à l'instant — comme toujours — où on se demande si on ne devrait pas juste se laisser tuer, peu importe par qui. La mort fait ça, elle demande si on est sûr — *vraiment* sûr — de ne pas vouloir d'elle.

Mes membres rêveurs, débordants de chaleur et de paresse. J'attrapai mon assaillant par le poignet avec une lenteur risible, alors que le poignard se trouvait à une dizaine de centimètres de ma gorge. Sa cage thoracique volumineuse se pressait contre mon dos. Elle rappelait… elle me rappelait…

Tu es *vraiment* sûr de ne pas vouloir de moi ? me redemanda la mort. C'est sans doute pour ça qu'elle t'a quitté. Tu n'es pas assez viril.

Le fardeau qui me lestait le dos et les épaules se fit brusquement plus pesant. Insupportable, littéralement. Je tombai à genoux, et le type suivit en produisant un bruit bizarre. Une fraction de seconde durant, il me sembla que son poids seul allait me tuer, puis la puanteur de Nils s'imposa, et le bras qui me tenait par le cou se relâcha.

J'ouvris les yeux. Je ne savais pas que je les avais fermés.

Le poids avait disparu. J'avais le visage mouillé. De sang. Beaucoup de sang. Le *lukos* bondit — bien sûr —, rappel assourdissant de mon jeûne de la pleine lune. Communiqué inutile, mais la Malédiction ne peut pas s'en empêcher.

Six ou sept mètres plus loin, Nils me regardait par-dessus son épaule, la tête coupée de mon assaillant entre les mains, souriant. Un petit geste — genre : Seigneur, ces mensuels —, puis il me lança la tête, fit volte-face et repartit dans le couloir.

57

Devant la cellule de Zoë, Miro se nourrissait d'une nonne couchée sur le dos, la robe retroussée jusqu'aux hanches, la jambe gauche pliée, frissonnante. La chair dévoilée donnait à la scène quelque chose de pornographique : on aurait dit une femme *habillée* en nonne. Miro leva la tête vers moi, radieux, les babines pleines de sang.

«Le garde, lança-t-il après avoir dégluti. Celui-là, là-bas. Il a les clés.»

L'un des gardes était mort, la gorge déchiquetée ; l'autre assis, adossé au mur en face de la porte de la cellule, les mains crispées sur l'abdomen. Il frissonnait, lui aussi. Ses frissons et ceux de la nonne constituaient une curieuse petite perturbation de l'atmosphère. Les clés — bizarrement vieillottes — reposaient dans son giron. Lorsque je me penchai pour les prendre, je m'aperçus qu'il retenait ses intestins dans son ventre. Il leva vers moi des yeux sidérés et implorants.

Je pris les clés et ouvris la porte.

Zoë se tenait près de sa couchette, les pieds et les mains entravés — les fers de ses chevilles attachés à une chaîne boulonnée au sol. Le bruit avait attiré son attention, elle avait l'air incertaine, mais le soulagement qu'elle éprouva à ma vue m'évoqua le passage du froid à la chaleur.

« Une minute, ma puce. » Dès que je m'étais penché, elle avait essayé de me prendre dans ses bras. « Je vais te débarrasser de ces saletés. »

Il y avait une vingtaine de clés, minimum ; on eut donc droit au film d'horreur, car j'en essayai une douzaine sans trouver la bonne, pendant que le temps mijotait et que le petit corps tremblant de Zoë restait sur Pause. Du calme, voilà ce qu'on se dit. Procédons avec méthode. Avec célérité, mais sans hâte. Malheureusement, mes mains palpitaient comme des oiseaux, au bout de mes poignets.

« Où elle est, maman ?

— Ici, ma puce. Ne bouge pas. On va aller la chercher… Ah, voilà, gagné. »

La chaîne tomba dans un grondement léger. Deux mauvaises clés supplémentaires, et la fillette était libre.

« Allez hop, saute. On fait à dada. Cramponne-toi bien, d'accord ?

— D'accord. »

Petit visage chaud dans ma nuque.

« C'est quoi, l'odeur ? reprit Zoë.

— De nouveaux amis. Ils sentent mauvais, mais ils sont de notre côté.

— Comme tonton Mike ? »

Tonton Mike, alias Konstantinov. La petite ne connaissait pas d'autres vampires que Natasha et lui.

Contrairement à Talulla.

« Exactement. Tu es prête ?

— Oui.

— Baisse la tête, ma puce. »

Le garde au ventre ouvert était mort. Ses bras pendaient à ses côtés et ses entrailles paressaient sur ses genoux. Miro buvait toujours, mais il était passé à la cuisse toujours frémissante de la religieuse. Je l'enjambai.

«Pas la peine de se presser, lança-t-il presque sans relever la tête. Ils sont tous morts.»

Il n'en savait rien, mais on n'entendait plus le moindre coup de feu. Quelque part, à un niveau beaucoup plus profond du complexe, une grenade explosa pourtant, sorte de toux sonore qui traversa le sol. Je vérifiai le chargeur de mon automatique, resserrai la prise de Zoë sur moi puis repartis.

Allyssia et Eleanor se tenaient devant la cellule de Talulla, en compagnie de deux inconnus : un soldat du Christ couché sur le ventre, dans une flaque de sang de plus en plus vaste, et un type ridicule en treillis de combat qu'Eleanor plaquait au mur d'une seule main, en le tenant à la gorge. Les lunettes à monture dorée du captif étaient tombées à ses pieds, qui se balançaient une dizaine de centimètres au-dessus du sol... près de la tête tranchée d'un jeune homme. Pas trace du corps associé.

Talulla gisait dans sa cellule, inconsciente. Je me demandai une seconde si elle était morte, puis l'odeur et le frémissement de sa vie me parvinrent, ainsi qu'à Zoë. Cette seconde m'avait laissé le temps de me demander si je m'occuperais des enfants, en admettant que Lu soit bel et bien morte. Le poids bienfaisant de Zoë sur mes épaules m'avait répondu : oui, je le ferais, d'une manière ou d'une autre. On prend les mesures inattendues de l'amour au moment où on en a le moins envie.

«Figure-toi que c'est le chef», dit Alyssia en me montrant le type qu'Eleanor tenait à la gorge et qui pianotait en l'air avec les orteils. L'effet de la pâte anti-odeur s'évanouissait. La puanteur des vampires densifiait l'espace confiné du couloir. Zoë enfouissait le visage dans mon épaule pour la bloquer, tandis qu'Eleanor se *tenait* le nez de sa main libre. «Vite, ajouta Allyssia en me jetant les clés. Ça devient insupportable.»

Il y en avait moins, cette fois, et la troisième fut la bonne. Zoë se laissa glisser de mon dos pour se précipiter vers Talulla.

«Maman! Maman! Réveille-toi, allez, *réveille-toi*!

— Ne t'en fais pas, ma puce, intervins-je. Elle dort, c'est tout. Ils lui ont donné des médicaments qui font dormir.

— Des survivants, derrière toi? s'enquit Allyssia.

— Miro, c'est tout.

— Il boit.

— Oui.

— Quel con, soupira-t-elle en secouant la tête. Bon. On sort par là où on est entrés.

— Tu peux prendre la petite?»

La logistique. Il fallait que je porte Talulla. Les deux vampires échangèrent un coup d'œil. Le type qu'Eleanor tenait par le cou avait viré au pourpre et faisait des claquettes, maintenant. Elles ne voulaient ni l'une ni l'autre s'approcher de Zoë ou de moi. Alors la *porter*?

«Bordel de merde. Bon, d'accord. Je vais les porter toutes les deux. Merde, merde, merde.

— OK.» Allyssia tira de sa poche un tube de pâte anti-odeur dont elle se remplit littéralement les narines. «Passe-la-moi.»

Elle m'était sympathique, avec son impatience maîtrisée sexy. Et puis elle avait les plus belles mains que j'avais jamais vues. L'esprit allant où il va, quoi qu'il en soit, je les imaginai se glisser dans sa culotte pendant qu'elle me regardait.

« Merde, ajouta-t-elle. Je n'ai pas signé pour ça. »

Elle n'eut pas à se donner la peine de passer aux actes. Lucy apparut au bout du couloir en compagnie de Nils, qui lui donnait par comparaison l'air d'une miniature. Ils étaient couverts de sang.

« C'est bon ? demanda Alyssia.

— C'est bon », répondit Nils.

Lucy se précipita pour prendre Zoë sur son dos, pendant que je soulevais Talulla à la manière d'un pompier. Que lui aurais-je dit, si elle avait été consciente ? Que m'aurait-elle dit ? La porter comme ça, évanouie, ailleurs, me donna la soudaine impression qu'il n'y aurait rien eu à dire. Je m'aperçus alors qu'on avait passé les derniers mois à éviter de se regarder en face. *Elle* les avait passés à éviter de *me* regarder.

Eleanor jeta le type qu'elle étranglait contre les barreaux de la cellule. Le corps replet s'affaissa lourdement.

« Allez, c'est bon, lança-t-elle d'un ton ennuyé. On y va. »

CINQUIÈME PARTIE

Le faux crépuscule

58

Remshi

La logistique se révéla fatigante, comme d'habitude. Jour. Nuit. Il fallut passer la majeure partie du vol dans la pièce aveugle pour arriver en Italie après le coucher du soleil. Mia et Caleb préférèrent se blottir par terre plutôt que de prendre le lit. Je précise que mes invités eurent droit à la soie ivoire et aux tapis de laine à poils longs, agrémentés en l'occurrence de coussins à foison, puisqu'il suffisait d'aller les chercher dans la cabine. Ils n'étaient donc pas mal lotis, mais je ne m'en sentais pas moins minable.

« Ça ne va pas, hein ? » me dit Caleb, une demi-heure après notre réveil. « Tu n'as franchement pas l'air en forme. »

On était de retour dans la cabine et à une heure de Rome. Damien et Seth occupaient le cockpit, Mia prenait une douche, Caleb essayait de ne pas entrer en effervescence, même s'il était ravi de l'expérience. Le luxe le secouait. Les fauteuils relax corpulents en cuir crème, les boiseries en cerisier, la technologie concentrée, parfaitement assemblée, façon casse-tête chinois. Le moindre détail, la moindre installation trahissaient la découpe de précision et la finition de qualité. On oublie ce genre de choses, jusqu'à ce qu'on les retrouve, avec des yeux neufs. Dans son ancienne vie, sa mère avait de l'argent, oui, mais rien de comparable. Pas de commandes tactiles pour tout. Il avait pris dans la bibliothèque *Hommes et Femmes*, de Browning (ce qui me rappela les *Œuvres complètes* que je n'avais pas ramassées dans le bureau de Las Rosas, à la maison), mais n'y avait guère jeté qu'un coup d'œil. Son aura m'informait que ce n'était pas un grand lecteur. Je pensai aux plaisirs textuels qui l'attendaient, si seulement quelqu'un l'aidait à se lancer, et décidai d'en parler à Mia quand on serait au calme. Mais je me demandais aussi *où* on se lançait, de nos jours. De nos jours, les jeunes trouvaient *L'Attrape-Cœur* un peu… terne, vaguement ennuyeux. Sans parler des nouveaux spécialistes de n'importe quel âge qui décidaient si un livre valait la peine d'être lu en s'interrogeant sur la sympathie que son héros leur inspirait, *a priori*.

«Tu transpires, tu sais», ajouta Caleb.

Voilà sur quel ton il entendait discuter avec moi : d'égal à égal. Tangentes, observations brutes, illogisme. Adulte surcompensé. Peu m'importait. Je le plaignais toujours.

«Tu as peut-être besoin de boire encore un peu. Je vais te chercher une autre poche, si tu veux.

— Non, non, ça va. Crois-le ou pas, je n'ai jamais aimé voler. Même dans un de ces appareils.»

À vrai dire, je me sentais mal. Pas seulement à cause du rêve que je venais de faire, une fois de plus, que je faisais et continuerais à faire chaque nuit, je le savais, aussi longtemps qu'il le faudrait, mais à cause d'un enchaînement d'instantanés plus rapide qu'à l'ordinaire (ou trop rapide pour mon confort), images d'un passé improbable, souvenirs évoquant des tirs de mitrailleuses ou, parfois, l'explosion au ralenti d'un essaim de flashs. Botticelli, réveillé par un cauchemar, me trouvant dans son atelier, où j'examinais à la lumière d'une lampe sa *Naissance de Vénus* presque achevée ; il battait en retraite, pieds nus dans sa chemise de nuit, poussait un cri, renversait une petite table en bois chargée d'un vase d'iris ; je l'aurais volontiers tué pour passer un instant de plus avec le tableau (l'odeur de la peinture à l'huile fait toujours partie de mes préférées, avec celles de l'herbe coupée et des boîtes de thé neuves, plus la première bouffée d'air marin à l'approche de la côte), mais la pensée de détruire son talent et d'en priver le monde retint ma main. Le jeune deuxième classe tombé dans un fossé d'Ypres, proche de la mort mais pas assez, la blessure à l'abdomen bouillonnante, la peau humide au clair de lune, conscient de ce que j'étais et me disant d'une voix d'enfant, Je vous en prie, monsieur, tuez-moi, je n'en peux plus. Je vous en prie, je vous en prie… Ces flashes éclataient au ralenti, oui, mais accompagnés d'une compression impossible, vertigineuse de tempêtes et de rivières sombres, de villes de néons de constellations, de bulletins d'information, de légionnaires marchant de nuit, d'une des énormes pierres de Djoser au clair de lune, tachée de sang parce qu'un esclave s'était fendu le crâne dessus en s'effondrant, épuisé, d'un chanteur aveugle dans une cour athénienne qui puait le vomi, l'urine et le vin renversé, il vidait sa coupe puis en répandait les dernières gouttes à terre pour les dieux avant de commencer en grec : «Chante, déesse, la colère d'Achille, fils de Pelée…»

Je me levai, m'étirai légèrement les jambes puis passai aux bras, que je tendis au-dessus de ma tête jusqu'à faire craquer ma dernière vertèbre tel un paquet de cartes battu par un expert. Caleb releva son dossier d'une dizaine de centimètres. Il avait ôté ses chaussures, dévoilant de curieuses chaussettes, l'une bleue, l'autre noire. De la droite, trouée, dépassait son gros orteil blême — petit champignon de Paris. Pendant que le gosse luttait contre la fascination que je lui inspirais, je me disais que je serais heureux d'assurer leur confort matériel, à sa mère et à lui. Je leur donnerais la maison de Big Sur, s'ils en voulaient. Ce serait un plaisir que d'y avoir de la compagnie quand je m'y rendrais. Les larmes me montèrent aux yeux, sans avertissement.

«Qui est-ce qui t'a créé?» me demanda Caleb.

Je savais qu'il poserait la question, tôt ou tard. Les jeunes éprouvent évidemment le besoin de connaître les origines. Je pris le paquet de Lucky Strike sur le minibar et m'allumai une cigarette. Justine s'était préparé à boire, postée au même endroit. Elle avait acheté à Kuala Lumpur un livre sur les cocktails qu'elle avait testé du début à la fin, de plus en plus saoule au fil des recettes, en s'obstinant à proposer aux pilotes de goûter ses mixtures. Le malheureux Veejay (qui, de toute manière, ne buvait pas) s'obstinait quant à lui à répondre poliment : Non merci, mademoiselle, il faut que je m'occupe de l'avion. Les bouteilles dessinaient un fer à cheval de gros joyaux verts, or, saphir, limpides comme le diamant. Je trouvais triste d'avoir été Transformé avant l'invention de l'alcool. J'avais vu les Égyptiens détendus par la bière, l'enchaînement brouillé menant à la chaleur familière — et à la violence familiale. Au fil des années, il m'était souvent arrivé de travailler de nuit dans des bars (saloons, bouges, tavernes), quand je me sentais trop seul. Le murmure et le scintillement des lieux, les conversations, les brèves histoires s'épanouissant puis s'évanouissant avec les allées et venues m'avaient toujours aidé. Les bonheurs de rencontre, que ma chère Justine avait découverts par la suite.

«Ça remonte à loin, déclarai-je en tournant le dos au garçon pour sécher mes yeux stupides.

— Tu ne veux pas en parler?

— Il y a bien longtemps que je n'ai pas raconté cette histoire-là. Je l'ai peut-être oubliée.»

Caleb ne répondit pas. Mia sortit de la salle de bains, maquillée de frais, parfumée au gel douche noix de coco et au shampoing Flex de Justine. Sur le chemin de l'aéroport, j'avais envoyé Damien acheter des vêtements à mes deux hôtes. Elle portait maintenant un jean au tissu raide et un tee-shirt blanc, un blouson de cuir noir et des bottes, le tout neuf. Caleb arborait quant à lui des Converse pourpres, mais avait gardé sa veste rouge, abîmée par l'accident. Elle lui servait d'amie, je le savais, en lui donnant une légère impression de réconfort fraternel chaque fois qu'il l'enfilait négligemment. Il connaissait déjà trop bien la solitude. Il avait déjà trop l'habitude de se dire qu'il avait tout gâché pour sa mère.

«Tu as besoin d'une bonne douche», lui dit Mia.

Il s'alluma une cigarette sans prêter attention à sa remarque. Ce genre d'escarmouches leur était familier. Je m'assis sur un tabouret de bar et m'accoudai au comptoir. Un cendrier en cornaline d'un rouge séduisant se trouvait à portée, astucieusement vissé au marbre. J'avais assisté à la conférence de William Morris à Birmingham, en 1880. «Ne partagez votre demeure qu'avec des choses que vous savez utiles ou jugez belles», avait-il conseillé aux stylistes — une maxime gribouillée sur le bout de papier découvert dans la poche de la veste bleue qu'il portait le mois précédent. C'était moi qui l'y avais glissé. J'ai toujours eu l'habitude malicieuse de laisser des messages aux humains influents.

Notre époque est essentiellement tragique. Voilà pourquoi nous refusons de la prendre au tragique.

Ne vous demandez pas ce que votre pays peut pour vous, demandez-vous ce que vous pouvez pour votre pays.

Coca Cola, c'est ça.

Le chocolat qui croustille.

Yes, we can.

JE LUI AI DEMANDÉ QUI L'A CRÉÉ.

Le bouclier mental maladroit de Caleb ne valait pas mieux qu'un écran de fumée. Mia me jeta un coup d'œil d'excuse. Le jet plongea dans un trou d'air puis remonta.

« J'ai été créé par quelqu'un que je n'ai jamais vu, déclarai-je. Il y a de cela vingt mille ans, s'il faut en croire le petit oa que je porte au cou. »

Ils ne firent aucun commentaire, ni l'un ni l'autre, mais je sentis l'esprit juvénile de Caleb retourner en trébuchant aux navires à vapeur et aux Indiens, avant de plonger dans un ébranlement jusqu'aux hommes des cavernes hollywoodiens, avec feux et lances, un monde effrayant car dépourvu de musique pop et d'ordures. Ce monde dépouillé où tout était naturel, auquel *Mad Men* et Twitter étaient totalement étrangers, le secouait de tous ses rochers et ses ruisseaux, ses forêts et ses déserts.

C'EST PAS POSSIBLE. PERSONNE NE PEUT ÊTRE AUSSI VIEUX.

« J'avais trente-neuf ans quand ça s'est produit… » Je posai ma cigarette dans le cendrier afin de préparer un manhattan. Personne n'en voudrait, je le savais, mais les petits gestes rituels apportent un certain réconfort. «J'étais parti à la chasse avec cinq de mes proches. On n'était pas loin du territoire d'une autre tribu, on en avait bien conscience, mais l'odeur du sanglier nous servait d'aimant. On l'avait suivie trop longtemps pour rentrer les mains vides : la nuit n'allait pas tarder à tomber, alors que notre peuple et nos foyers nous attendaient à plus d'une quinzaine de kilomètres.

— Qu'est-ce que vous aviez, comme armes ?» s'enquit Caleb, qui avait complètement redressé le dossier de son fauteuil et relevé les genoux jusque sous le menton.

«Des lances, des arcs et des flèches, plus ce qu'on appelle maintenant des frondes. Le ratio projectiles/viande était mauvais, en général. Quand on se trouvait confrontés à deux possibilités différentes, on avait une expression pour désigner la moins séduisante : *noix et baies*. C'était ce qu'on mangeait si on ratait toutes nos proies. »

Il aurait voulu que Mia s'asseye, ça se voyait. Elle lui gâchait le moment en restant debout, parce que cette attitude traduisait la menace d'une interruption. La conscience de Caleb s'en trouvait divisée, une petite portion restant en alerte, alors qu'il aurait aimé s'immerger dans l'histoire. Son enfance n'était vraiment pas loin.

Mia le sentit. Me jeta un coup d'œil de connivence. S'installa sur le fauteuil disposé face à celui de son fils, en coucha le dossier, croisa ses doigts sur son ventre et ses longues jambes fines. Caleb se détendit. Il était ravi que quelqu'un joue les conteurs pour lui, mais ses émotions dépendaient de celles de sa mère. Si elle se sentait calme et détendue, lui aussi. Ce qui ajoutait encore au fardeau de responsabilité qu'elle portait. Je trouvais réconfortant de capter ces impressions si vite et si facilement, parce qu'on avait tous baissé notre garde. Je n'avais pas fréquenté mon espèce par plaisir depuis longtemps, à l'exception de Justine, qui venait juste de l'intégrer.

«On a eu le sanglier, continuai-je. Un gros. Sans doute plus de cent kilos, si on l'avait pesé de nos jours. On l'a suspendu à une perche. Vous ne pouvez pas savoir comme on se sentait bien, comme ça nous réchauffait le cœur quand on avait de la viande à rapporter au campement. On se représentait la tête des autres, le ventre plein des enfants, les lèvres et les mains grasses des femmes brillant à la lumière du feu.»

Je fus contraint de m'interrompre, pour mon équilibre. Le souvenir représentait le bord d'une falaise vertigineuse, dont la paroi s'enfonçait dans le temps parcouru. La chute me le rendrait tout entier. Tu sais, ma puce, il m'arrive de me dire que si je me rappelais tout ce qui m'est arrivé…

«Mais ils nous ont attaqués, repris-je. Vingt chasseurs de l'autre tribu. Ils ont tué mes frères. Moi, je me suis enfui, malgré mes blessures. Ils ont récupéré le sanglier, bien sûr.

— Où étais-tu blessé? demanda Caleb.

— Au ventre. Une lance m'a traversé les intestins et détruit les reins. J'ai cassé le manche, mais quand j'ai voulu retirer la tête, je me suis aperçu qu'elle était barbelée. La douleur était insupportable.

— Alors comment t'en es-tu sorti?»

Scepticisme adolescent machinal de l'époque moderne. Il cherche la lâcheté, le mensonge, l'entourloupe. Les choses ne sont pas ce qu'elles paraissent, sauf quand elles paraissent merdiques.

«J'ai eu de la chance. On était encore en forêt, l'obscurité tombait vite, et je leur ai échappé. J'ai eu un mal fou à parcourir ce qui m'a semblé des kilomètres. La tentation de me coucher et de fermer les yeux était immense. J'avais très froid.»

Fascination mineure et distincte pour Caleb, je continuais à préparer le cocktail. Vermouth doux. Bourbon. Angostura. Un bocal de cerises au marasquin attendait sur une étagère, mais je ne pensais pas disposer de l'orange nécessaire pour orner le verre d'une pelure. Dommage. Caleb aurait apprécié.

«Il pleuvait quand je suis arrivé à la caverne. À quatre pattes. J'allais mourir, je le savais, mais je me disais qu'avec un peu de chance, c'était la tanière d'un grand fauve qui m'achèverait. Elle était effectivement habitée, mais pas par un grand fauve.

— Par ton créateur?» demanda encore Caleb.

Je versai le bourbon, le vermouth et la liqueur sur les glaçons, dans un verre en forme d'entonnoir. J'avais raison; il n'y avait pas d'orange. Mon barman intérieur s'en trouva mortifié, petite souffrance esthétique. Une pièce manquait au puzzle. Il mentait à chaque mot.

«C'était un bon endroit où mourir.» Je fis glisser le cocktail vers une consommatrice imaginaire (je me représentais une femme d'affaires fatiguée du centre-ville, ombre à paupières bleue décomposée, jupe plissée à fines rayures, mollets galbés douloureux, haleine caféinée, migraine quotidienne de blabla d'entreprise emportée par la première gorgée), puis je m'appuyai des deux mains au comptoir. «Ç'aurait dû être un bon endroit où mourir. La caverne ouvrait à l'ouest, au-dessus de la cime des arbres. Les derniers flocons de soleil sang et or jouaient à l'horizon. Quand j'ai entendu quelque chose derrière moi, j'ai cru que les dieux m'avaient entendu. Il s'est approché. Son souffle s'est posé sur ma nuque. *Dis-moi une chose. Tu veux vivre ?* m'a-t-il demandé. À ce jour, je ne me rappelle pas si j'ai répondu oui ou non. Peu importait. Il a continué : *J'ai vu cet endroit en rêve. Je suis soulagé d'y être enfin.* Puis il m'a pris dans ses bras et a pressé les dents contre ma gorge.»

Je me rappelais le paysage de plus en plus sombre, les ultimes flocons de lumière, la nuit qui descendait en moi, la manière dont il buvait, au rythme de mon cœur — le rythme de la terre même. C'était un endroit si ténu, si aérien, entre la vie et la mort. De là, l'univers évoquait un sourire fragile.

«Lorsqu'il s'est ouvert le poignet puis l'a porté à mes lèvres, je me rappelle lui avoir demandé pourquoi. *Parce qu'il faut que quelqu'un témoigne,* m'a-t-il répondu. *Mon temps touche à sa fin. Je ne peux rien faire de plus. Maintenant, bois.* Et j'ai bu, bien sûr.»

Je souriais, les larmes aux yeux.

Caleb avait oublié sa cigarette, qui avait brûlé jusqu'au filtre et dont la cendre était tombée sur le tapis. Mia essayait de faire les calculs émotionnels correspondants. Elle avait à peine six siècles, elle était fermement décidée à passer le cap du millénaire maudit, mais vingt mille ans ?

«Qu'est-ce qui lui est arrivé ?» voulut savoir Caleb.

Je ravalai mes larmes. Clignai des yeux. Encore. Il n'y a pas pire idiot qu'un vieil idiot.

«Je ne l'ai jamais vu, répondis-je. J'ai rampé jusqu'au fond de la caverne, où je me suis endormi. Quand je me suis réveillé, la nuit suivante, je n'ai trouvé que ses restes.

— Qu'est-ce que c'était ?»

La jeunesse exige — pour disposer de critères. Premiers instigateurs et dernières destinations.

«Pas grand-chose. Je n'y voyais rien. Il faisait très

sombre. On aurait dit de la cendre humide. J'ai quitté la grotte pour m'enfoncer dans la nuit. J'avais une femme et des enfants, mais je ne pouvais pas retourner en arrière, je l'ai su dès le début.

— Il a fallu que tu te nourrisses tout de suite ?» demanda encore Caleb.

Mia secoua la tête.

«Arrête avec tes questions.»

Elle, en tout cas, se rendait compte de mon état, qu'elle le voie ou le devine. Tu ne serais pas un peu fragile…

Caleb sortit en sursaut de l'histoire et s'aperçut de ce qu'était devenue sa cigarette.

«Oh, merde. Désolé.»

«Monsieur ?» appela la voix de Damien, par le haut-parleur.

Je décrochai le téléphone du bar.

«Oui, Damien ?

— Nous entamons notre approche, monsieur. Nous devrions nous poser dans une vingtaine de minutes.»

Je me tournai vers mes invités.

«Bon. Relevez vos dossiers, s'il vous plaît. Et attachez vos ceintures. On ne va pas tarder à se poser.»

59

On savait que c'était fini avant même d'arriver en vue du complexe de Caminata : quoi qu'il se fût passé, on l'avait raté. Pour des nez aussi raffinés que les nôtres, la puanteur des explosifs et de la poudre subsistait, par-delà les notes de base discrètes d'herbe folle, d'ajoncs et de pluie.

Il s'était produit en route quelque chose de franchement bizarre.

On avait laissé la voiture à quatre cents mètres de là, sur un sentier de craie partant d'un chemin creusé d'ornières, puis on avait grimpé jusqu'à la crête dans une langue de forêt. Un ruisseau courait au fond d'un ravin, une trentaine de mètres sous le couvert. Mia et Caleb le franchirent d'un bond, mais je me sentis obligé d'y patauger. Pas seulement à cause de l'instabilité qui menaçait mes jambes (mon corps avait décidé d'expérimenter diverses anomalies, au sujet desquelles je préférais rester discret), mais par nécessité *psychologique*. Je me demandais vaguement quel effet me ferait l'eau, même si je n'avais aucune raison terrestre de croire qu'elle avait rien d'exceptionnel. Heureusement, j'entamai la traversée quand mère et fils eurent pris assez d'avance pour ne pas voir ce qui m'arrivait.

Ce qui m'arriva, c'est qu'au bout de trois ou quatre pas, de l'eau jusqu'aux mollets, je me persuadai que je ne marchais pas sur les cailloux ronds du lit — bien visibles —, mais sur des cadavres humains.

J'atteignis la rive opposée et m'y hissai, tremblant. La nouvelle idée tordue jaillie de mon cerveau me surprenait, mais pas plus que la correspondance établie par ses soins entre les corps inexistants foulés aux pieds et le vieillard de l'autre nuit — celui de Las Rosas, avec sa béquille, son œil injecté de sang et sa stupéfiante déclaration, comme quoi je me trompais de route. Lui, et le malheureux cheval abattu par la suite à North Vegas, où j'avais suivi Justine. Je les avais pourtant oubliés depuis.

Inutile de dire que je n'en parlai pas à Mia et Caleb lorsque je les rattrapai, à la limite de la zone boisée.

Ils s'étaient allongés à plat ventre sur la crête, leurs jumelles de nuit tournées vers ce qui ressemblait à l'équivalent humain d'un nid de guêpes enfumé, trois cents mètres plus loin. Un bâtiment au toit partiellement effondré, couvert de traces d'explosions, et dont les portes principales avaient été proprement soufflées. Une demi-douzaine d'humains hébétés traînaient dans les parages, hésitant manifestement à abandonner ce qui restait de leur poste.

«Elle n'est pas là», dit Mia.

Satisfaction mécontente. Ses cheveux blonds tirés en arrière la couronnaient d'un chignon aussi dur qu'une boule de billard, dégageant ses belles pommettes slaves et la blancheur superbe de sa gorge. Sans moi, elle aurait fait une carrière de top-modèle. Séances nocturnes, exclusivement.

«Il semblerait que non», acquiesçai-je.

Je la sentais se demander si elle allait se nourrir d'un

des survivants traumatisés qui n'avaient pas quitté le complexe, manifestement incapables d'offrir la moindre résistance. Elle avait au moins une trentaine d'heures d'avance, mais ses dernières tribulations l'avaient transformée en opportuniste. La soif levait la tête en elle, serpent rouge s'éveillant d'une somnolence superficielle (toujours).

« Il nous en faut un vivant, ajoutai-je.

— Ils ne sauront rien, objecta-t-elle. Elle a été emmenée de force. Je dirais bien que c'était sa meute, mais… »

Elle n'eut pas à terminer. Mon odorat me l'avait appris aussi : l'odeur des lycanthropes s'accompagnait du parfum inimitable de notre propre espèce. Des vampires étaient passés par là.

« Deux équipes différentes seraient venues la récupérer ? reprit Mia. Coïncidence improbable.

— Mais plus probable que de nous voir joindre nos forces à celles des garous.

— Combien sont-ils encore, à ton avis ?

— Peu importe. Ne bouge pas de là. »

Je traversai au plus vite les buissons d'ajoncs, plié en deux. Précautions inutiles, car la vigilance des *Militi Christi* s'était effondrée.

Soixante-dix mètres. Cinquante. Vingt-cinq. Il ne restait plus que deux gardes à l'extérieur du bâtiment. En tuer un, attraper l'autre… Je me préparai à une dernière pointe de vitesse.

Sans doute ma chute fit-elle un minimum de bruit mais, assourdis par les explosions ou réduits à l'indifférence, ils ne l'entendirent visiblement pas. Le monde se balança, s'éteignit. Je gisais sur le flanc, le bras gauche coincé sous le corps. Une nausée, une poussée qui me plongea une seconde dans l'obscurité la plus complète, l'instant nécessaire lorsque je revins à moi pour organiser la géométrie transformée. L'herbe qui me chatouillait le visage, une énorme pâquerette piétinée au sourire attristé, l'odeur de la terre humide, des crottes de lapin, du romarin sauvage. Des haut-le-cœur, pendant que l'expression *faible comme un chaton* me traversait l'esprit. Je n'avais jamais accordé à la faiblesse des chatons l'attention qu'elle méritait, mais je me sentais bel et bien *faible comme un chaton*. Je plaignis brièvement tout ce qui était faible de par le monde.

Un mouvement très rapide, au-dessus de moi.

Il me fallut un moment pour lever ma tête de chaton (sur ce qui me semblait être un cou de chaton brisé) et voir de quoi il s'agissait.

Mia.

Une fête pour les yeux — malgré mon état. Elle parcourut les dix derniers mètres d'un seul bond prodigieux. Le premier garde, une femme de moins de trente ans en longue jupe sombre, perdit la moitié de la gorge dans l'unique gifle que lui administra ma compagne et s'effondra ou, plutôt, tomba à genoux, lentement, en essayant de retenir son sang dans son cou, pendant que sa bouche s'ouvrait et se refermait. Elle avait des cils d'une longueur et d'une épaisseur merveilleuses. Son collègue, un blond à la tête carrée et à l'air sévère, trapu et musclé, se tâta vaguement le corps, au ralenti, poussé par un réflexe abstrait à chercher le fusil automatique qu'il avait appuyé au mur trois mètres plus loin. Le coup de pied de Mia — un *gullgi chagi*, pour être exact — l'assomma instantanément, manquant le décapiter net. Deux secondes plus tard, elle reprenait la direction du bois, le type jeté sur l'épaule (il ne pesait pas plus pour elle qu'un sachet de chips).

Elle le laissa tomber par terre sans cérémonie et dit

à Caleb de l'assommer une seconde fois si jamais il se réveillait.

Puis elle revint me chercher.

« Qu'est-ce qui se passe ? »

Bonne question. Je m'étais mis à quatre pattes, mais la position verticale constituait à mes yeux un but aussi lointain que futile. Vision fugace mais très nette de mon vieil ami Amlek, tel que je l'avais vu une nuit à Athènes, cadavre attaché à un piquet de bois, un pieu dans le cœur, des fragments de papyrus cloués à la peau, couverts d'obscénités grecques. *Les noms à mes oreilles / Des aventuriers perdus mes pairs...* La vision s'évanouit.

« Merde », m'entendis-je lâcher, comme de très loin. « Merde, merde, merde. Je ne... je... »

Sur ce, je fus moi-même soulevé sans cérémonie et rapporté sur la crête.

« Va chercher la voiture, Caleb, ordonna Mia.

— Qu'est-ce qu'il a ?

— Va chercher la Jeep, d'accord ? Allez. Tout de suite ! »

Caleb (qui ne se baissait plus non plus) mit moins de dix minutes à revenir (perché au bord du siège pour atteindre les pédales), en seconde et quatre roues motrices, tous feux éteints, alors que personne aux alentours ne risquait plus de voir ni d'entendre le 4 × 4. Je me demandai si la visite agressive de Mia avait eu des témoins et si le reste des forces se terrait à présent dans le complexe, fermement et collectivement décidé à la lâcheté. Ou à la prière. Curieuse petite image de tout ce beau monde à genoux, récitant le rosaire à l'unisson.

« Ça va aller, dis-je. C'est en train de passer. Je vais me débrouiller. »

C'est en train de passer, quoi que ce puisse être. La

faiblesse de chaton, les nausées, le plongeon dans la citerne de goudron. Le vortex des souvenirs. Le corps d'Amlek. *Tu n'as pas l'air en forme.*

On coucha le garde dans le coffre, je m'allongeai sur la banquette arrière, Caleb s'arrogea le siège passager et Mia prit le volant. J'appelai Damien, qui nous attendait au lieu de rendez-vous, fin prêt, avec le camion. L'idée de passer la journée dans un container de transport ne souriait à personne, mais sur la route, nécessité fait loi.

À mi-chemin du but (je me sentais mieux), mon téléphone sonna. Olly, d'Amner-DeVere.

« Alors ?

— Il y a deux heures, m'annonça-t-il. Aéroport de Los Angeles. Un aller simple pour New York. L'avion décolle dans trente-cinq minutes. Désolé de ne pas avoir pu prévenir avant.

— Continuez à suivre la piste. Et communiquez-moi la prochaine transaction le plus vite possible.

— Je suis censé aller à Napa ce week-end. Ma mère…

— Double tarif. Vous n'allez nulle part. »

Silence. Je le voyais parfaitement pousser le sifflement jubilatoire du train à vapeur imaginaire.

« Reçu.

— Le plus vite possible, Olly. Compris ?

— Compris. »

Je raccrochai.

« On est encore loin ? » demandai-je à Mia, qui conduisait bien, avec beaucoup d'assurance.

Ses mains très pâles étaient superbes sur le volant et le levier de vitesse.

« On y est dans vingt minutes. Tu ne veux pas me dire ce qui ne va pas chez toi ? »

Je n'en sais rien. Rien du tout. Aucune idée. Sauf

qu'il ment à chaque mot. Et que le ruisseau était pavé de cadavres.

«Vous avez des passeports?» m'enquis-je.

Caleb se tourna vers sa mère.

«Oui, répondit-elle. Plusieurs. Pourquoi?»

Je pensais aux peurs contre lesquelles luttait Justine. Les vols de nuit. Le monde réel. La brièveté des délais pour se mettre à l'abri. Tout du long jusqu'à Bangkok. À la dure.

«Parce qu'on va en Thaïlande», annonçai-je en composant une fois de plus le numéro de Damien.

60

Talulla

Je me réveillai au lit, en sous-vêtements, dans une chambre du Dernier Repaire — ainsi nommé par le malheureux Fergus, qui n'en aurait plus jamais besoin. Trish avait contemplé les plans des architectes avec une excitation enfantine. L'adorable Trish, toujours trop petite pour ses motos... et ses casques. J'ai l'air d'une naine de science-fiction, disait-elle, mais bon, j'ai pas envie de me retrouver avec la cervelle étalée sur le terre-plein central. Zoë, qui avait la passion des bonnets et chapeaux, quels qu'ils soient, avait un jour essayé un casque intégral, assise par terre. Quand elle avait penché la tête en arrière pour nous regarder, le poids de cette monstruosité lui avait fait faire la culbute. Heureusement qu'elle portait un casque...

Vous n'en voudrez peut-être pas pour vous, mais pour vos enfants, oui.

Je restai quelques minutes immobile, pendant que la déclaration d'Olek résonnait dans ma tête. Jake était mort. Puis Cloquet. Fergus. Trish. En trois ans, j'avais moi-même frôlé la mort une dizaine de fois, voire plus. Mon fils avait été enlevé, ma fille emprisonnée et moi aussi. L'OMPPO n'était plus, mais les *Militi Christi* avaient pris le relais. Le *Big Brother* de Bryce chez les loups-garous… Il y aurait d'autres émissions. De chasse. De jeux. De paris. Le monde posait le regard sur nous. Il se rendait compte qu'il fallait faire *quelque chose*. Le nœud ne pouvait que se resserrer, comme l'avait fort bien dit Olek.

« Hé », appela Madeline.

J'ouvris les yeux. Plafond blanc, incrusté d'halogènes lumière naturelle, réglés bas. Mon lit venait d'être fait, avec des draps craquants tout juste sortis de l'emballage. Il sentait les grands magasins, la civilisation humaine, l'ancienne vie, le tout mêlé à l'odeur réconfortante de la pièce, peinture et plâtre frais. Parquet de chêne clair, pas de fenêtre. (L'essentiel du Dernier Repaire se trouvait sous terre, pour des raisons évidentes.) Appliques à éclairage indirect. Fauteuil relax en cuir vert, à mon chevet, occupé par Maddy. Maquillée à la perfection, comme toujours, en treillis kaki taille basse et tee-shirt noir ayant appartenu à Cloquet. Tongs rouges exhibant ses jolis pieds à la pédicure scrupuleuse et aux ongles vermillon. Elle avait pris le soleil en Italie, mais sa montre avait laissé une marque blanche qui déparait son bronzage.

« Zoë va bien, reprit-elle. Elle est là, en sécurité. Elle joue au jeu de l'échelle au rez-de-chaussée, avec Lorcan et Lucy. »

Je me rendis compte au moment où je me détendis que je m'étais soulevée sur les coudes, le corps tout entier raidi.

« Tu sais où on est ? ajouta Madeline.

— En Croatie ? »

Elle acquiesça.

« Je n'ai aucune idée de la merde qu'ils t'ont injectée, mais il y en avait un paquet. Tu as passé deux jours dans les vapes. On a eu beau raconter à l'immigration que c'étaient les analgésiques qui t'endormaient, ça nous a quand même coûté trois cents dollars. Comment tu te sens ?

— J'ai soif. »

Une bouteille d'eau minérale Jamnica attendait par terre, à côté d'elle. Elle me la tendit. Je la vidai.

« Tu en veux d'autre ?

— Dans une minute. Qu'est-ce qui s'est passé, là-bas ? »

Là-bas. Là où on m'avait capturée. Où j'avais risqué la vie de mes enfants. Une fois de plus. Une partie de la question — oh, une simple *partie* : Tu as couché avec Walker ? Elle fit écran un instant, mais finit par renoncer.

« Non », répondit-elle tout haut.

C'était vrai, mais c'était aussi l'admission qu'elle avait failli le faire.

« Ne t'inquiète pas, dis-je. Je… » Arrivée là, je laissai tomber. « Comment va-t-il ?

— Physiquement, très bien. Il n'a pas une égratignure, même s'il a manifestement failli se faire trancher la gorge.

— Comment m'avez-vous retrouvée ?

— Oh, la la, c'est une longue histoire. On a eu de l'aide. Je ne sais foutre pas par où commencer. »

Elle n'eut pas à s'en donner la peine. La porte s'ouvrit — sur Walker. Pas rasé, en jean noir et chemise assortie, plus les grosses bottes qu'il ne portait plus depuis l'époque de l'OMPPO. Sans doute avait-il maigri.

Échange embarrassé de regards plus ou moins directs entre tous les présents. Maddy se leva.

« Bon, maintenant que tu as décidé de rejoindre le monde des vivants, je vais me servir un *énorme* gin tonic. On attend encore la moitié des meubles, mais la picole et les clopes sont arrivées aujourd'hui, heureusement.»

61

Une fois Maddy partie, Walker s'assit au bord du lit et me prit la cheville à travers l'édredon.

«Je suis désolée», dis-je.

Les restes du sédatif tenaient les larmes à ma disposition, si je ne me montrais pas impitoyable avec moi-même.

Il serra brièvement ma cheville, retira la main — c'est la dernière fois qu'il fait ça, pensai-je —, puis se pencha en avant, les coudes sur les genoux, le regard rivé au parquet flambant neuf. L'innocente réalité s'épanouissait entre nous : c'était nous, oui, nous, mais ça arrivait malgré tout. Les détails d'un amour ardent devaient pourtant bien signifier quelque chose ? Ils devaient bien suffire ? Mais ils s'en venaient puis repartaient, et on restait là, séparés par une distance nouvelle, infranchissable. Je me sentais vieille et lasse. Il arrive qu'on s'exalte de sa propre froideur. Il arrive aussi que ce soit une simple tumeur, répugnante, épuisante. Ce n'était ni la première ni, sans doute, la dernière fois que j'entendais la voix de tante Theresa : Talulla Demetriou, tu es une petite dégoûtante. Une *immonde* petite dégoûtante.

«Merci d'être venu nous chercher», repris-je.

Le pouvoir des mots simples. *Merci.* Je déglutis, déglutis, mais les larmes n'en vinrent pas moins, saisissantes par leur chaleur intime sur mes joues. Ma mère s'était toujours reproché ses propres larmes, peu fréquentes. Plus on est dure, plus elles sont destructrices. C'est le prix de la dureté. Je me dégoûtais brusquement.

«On n'y est pas allés tout seuls, dit Walker. Des vampires nous ont aidés, figure-toi.

— Hein?»

Il me raconta. Sans me regarder. En employé sur le départ qui passe les choses en revue pour son successeur.

«Lorcan a sorti le livre de Quinn de ton sac. Sans ça, je n'aurais pas pensé à Olek. Il y a peut-être bien quelqu'un pour écrire cette merde, après tout.»

L'éther se contracta entre nous lorsqu'il me décrivit l'équipe de vampires et en arriva à Alyssia.

«On dirait qu'elle t'a marqué», observai-je.

Silence, puis :

«Arrête.»

Tout bas. S'il s'était énervé, ç'aurait été plus facile à entendre. Je résistai à l'envie de demander (inutilement) : Arrêter quoi ?

Il se leva. Lorsqu'il baissa les yeux vers moi, souriant, toute la honte, tous les remords que mon petit ego efficace avait tenus en respect se précipitèrent. Sur mon visage, je le savais.

«Arrête d'essayer de passer la main en douceur», ajouta-t-il.

Le sourire était bien le sien, exprimant à cet instant son opposé.

Ce n'est pas moi qui détourne les yeux, en principe. Même là, je faillis ne pas le faire, parce que je me dégoûtais. Puis je cédai, dans un flot renouvelé de larmes brûlantes. Une petite victoire à la Pyrrhus pour lui. « Je suis désolée » — la phrase me remonta aux lèvres. Pas la peine, pensa-t-il.

On resta immobiles — il me regardait pleurer — jusqu'à l'insupportable, puis il s'éloigna de deux pas. La pièce avait besoin d'une fenêtre à laquelle il serait allé regarder dehors. La grammaire de l'instant l'exigeait. Mais la chambre n'était qu'une chambre — innocente. Conçue par nos soins.

« Je ne sais même pas pourquoi je te le dis, reprit-il, mais les vampires nous ont aidés parce que j'ai donné ma parole à Olek que tu irais le voir. C'est ça le contrat. L'histoire. »

On savait lui et moi que j'irais, que j'en avais toujours eu envie, mais je n'en posai pas moins la question :

« Tu as donné ta parole ?

— Il l'a acceptée. En type de la vieille école. Rien ne t'oblige à la respecter, évidemment, mais puisque tu avais de toute manière l'intention d'y aller… » Je ne le contredis pas. « Ça n'a pas eu l'air de le surprendre. Il est peut-être au courant du scénario. »

L'idée que tout ça ait un but, un sens, rendait Walker réellement malade. Parce que, dans ce cas, il avait subi ce qu'il avait subi pour obéir au dessein. Il y obéissait toujours. On avait tellement aimé s'embrasser — ça nous excitait à un point presque gênant. Je me vis ouvrir la bouche, là, maintenant, pour lui dire : Je t'aime. Je t'aime vraiment.

Mais je ne le dis pas. Je restai couchée, il resta debout, à endurer tous deux la souffrance et l'horreur de ce qui arrivait. L'instant soi-disant insupportable nous oblige à nous décevoir car nous le supportons. Le rire résigné est là, offert, l'hilarité de notre durabilité propre.

« Il est en Inde, reprit Walker. J'ai les détails. Il veut que tu y ailles pour la pleine lune. »

Sitôt le mot « Inde » prononcé, une impression de déjà-vu s'était imposée à moi. Je m'apercevais qu'en discutant au téléphone avec Olek, je l'avais imaginé dans ce genre d'endroit. Superficiellement, *cinématographiquement* improbable pour un vampire.

« Mike et Natasha y seront aussi. »

Mike et Natasha. Point final. La succession des éradications avait donc vraiment commencé. Et alors ? C'était ce que je voulais, non ?

Walker gagna la porte, l'ouvrit. Toute la tendresse passée se leva dans ma poitrine. J'étais sur le point de lui dire : Ne t'en va pas, je t'en prie. Ne fais pas ça. Pardonne-moi. Je t'en prie, je t'en prie, je t'en prie. Ce serait tellement bon s'il s'approchait, s'il me prenait dans ses bras, s'il me serrait contre lui ; il ne s'agissait pas d'une pensée, mais d'une sensation physique, d'une meurtrissure de l'air autour de moi. Je m'imaginai le dire, je m'entendis le dire, je goûtai la suavité que m'apporterait notre étreinte. Mais avec la suavité viendrait la certitude, tel un coup de fusil, que je n'aurais pas dû faire une chose pareille.

« Les enfants ne seraient pas en sécurité là-bas, dit-il sans me regarder. Tu ferais mieux de nous les laisser. On s'en occupera jusqu'à ton retour.

— Et à mon retour ? »

Par moments, on a besoin de se faire mettre les points sur les i.

Il se retourna. Beau, malgré l'épuisement. J'aurais aimé me lever et le rejoindre. Le silence se prolongeait. On aurait dit qu'une membrane nous séparait, qui se déchirait de seconde en seconde. Les yeux dans les yeux, les choses menées jusqu'à l'extrême limite de la fin, à la certitude sans mélange qu'il était impossible de revenir en arrière. Le cadeau énorme de notre passé et de notre avenir potentiel, trésor invisible dont émanait une lumière dorée à la douce chaleur.

Walker me tourna le dos, franchit la porte, la referma derrière lui.

62

Justine

Los Angeles, New York. New York, Dublin. Dublin, Istanbul. Istanbul, Delhi. Delhi, Bangkok. Le tout en première classe. Pour débarquer plus vite à l'atterrissage.

Le New York-Dublin était de toute manière risqué. Six heures. Dès le décollage, je me demandai avec incrédulité ce que je faisais. J'avais pris de bonnes résolutions pour éviter d'être idiote, mais c'était la chose la plus idiote que j'aie jamais faite. Les *et si* écartés jusque-là me revenaient en foule hideuse rassemblée autour de mon siège, enfonçant agressivement ses doigts accusateurs dans ma chair. Et si l'appareil avait un problème ? si on nous déroutait ? si le pilote était obligé de tourner en rond une éternité avant d'obtenir l'autorisation d'atterrir ? si l'immigration me retardait ? si une alerte à la bombe ou un incendie provoquaient la fermeture de l'aéroport ? Je crois que je ne bougeai pas d'un cil pendant les trois premières heures, les yeux rivés à mon écran vidéo sans le voir. Quand le générique de fin apparut, je n'avais pas la moindre idée du film qui venait de passer. Je consultai la carte du vol. Distance restante. Temps restant. Ça ne fit qu'empirer. Je n'y pouvais rien, à part rester assise à flipper. Le personnel proposait en permanence toutes sortes de trucs.

Champagne, nourriture, chocolats. Il s'imaginait que j'avais un problème, parce que les autres passagers de première prenaient tout ce qu'on leur offrait. Les sièges n'étaient pas serrés, heureusement, mais j'avais envie de fumer. La cigarette m'aurait aidée. Je me contentais — bien obligée — de me lever à répétition pour aller aux toilettes me laver les mains et la figure. Ça m'occupait.

Le pire était encore à venir. Dans le hall des arrivées d'Istanbul, je levai les yeux vers une télé branchée sur CNN, le son coupé. Le sous-titrage turc m'étant incompréhensible, il me fut difficile de mettre le doigt sur ce qui me dérangeait, dans la scène. Je regardais juste le théâtre d'un crime, un de plus : les lumières, les voitures de police, le ruban jaune, la foule, le flic qui tournait le dos aux caméras, les mains sur les hanches. Je ne voyais pas pourquoi ça passait au journal.

Jusqu'au moment où je m'aperçus que c'était la maison de Karl Leath.

Coupure, retour au studio télé. Une présentatrice, une blonde dont la tête ne me disait rien, accompagnée de trois invités, y compris un prêtre. Je restai là à regarder, les mains gonflées et lourdes, persuadée que ma photo allait apparaître, avec un commentaire du genre : «La suspecte, filmée par les caméras de surveillance alors qu'elle quittait les lieux, est considérée comme extrêmement dangereuse...» D'une seconde à l'autre, maintenant. D'une seconde à l'autre. Mon visage. À l'écran.

Rien.

Le studio. Deux minutes d'une conversation soucieuse, puis passage à Justin Timberlake.

Justin. Justine. L'ensorcellement. Le monde ricanant laissait échapper un indice.

Idiote, idiote, idiote.

J'arrivai à l'hôtel de l'aéroport avec moins de trente minutes de marge. Si j'avais eu des bagages, j'étais foutue. Remplir la fiche fut de toute manière une véritable torture, car le soleil cherchait à ralentir le monde. Deux crétins d'Atlanta qui m'avaient coiffée au poteau se plaignaient à la réception qu'on leur ait attribué des lits jumeaux au lieu d'un double. L'éclairage du vestibule rappelait Noël, avec ses scintillements et ses éclats de lumière démultipliés qui m'enfonçaient des échardes derrière les yeux. J'étais en nage, je tremblais, mes mains ne voulaient pas se tenir tranquilles pour signer. Le réceptionniste me demanda si je me sentais bien.

Heureusement, les salles de bains des grands hôtels sont des pièces aveugles. Le soleil les déteste.

J'étais dans un état si lamentable que je faillis laisser tomber.

N'empêche que je m'obstinai. Qu'aurais-je pu faire d'autre ?

Je parcourus Internet, à la recherche du moindre renseignement sur le meurtre de Karl Leath. Autant que je puisse en juger, il n'existait aucun enregistrement de caméras de surveillance, aucun portrait-robot ni dessin policier artistique de Justine Cavell l'Idiote, aucune *suspecte*. J'avais laissé le flingue et mes empreintes partout, mais comme je n'avais pas de casier judiciaire, il n'existait rien à quoi les comparer dans les bases de données. (Les années de merde vécues avant que Nounours ne me prenne sous son aile m'apparurent en un clin d'œil. C'était un miracle que je n'aie jamais été arrêtée, une bénédiction dont je n'avais pas eu conscience, à l'époque. J'en prenais maintenant conscience.)

Internet martelait des histoires de garous et de vampires avec une intensité nouvelle. La mort de Leath n'était qu'un des innombrables exemples de ce que la population voyait de plus en plus comme l'œuvre des monstres. Pas les monstres de la presse de caniveau, mais les *vrais*. Les religions tonnaient. Twitter débordait de gens qui demandaient si le gouvernement allait encore rester longtemps les Bras Croisés. Le nombre des «fausses vidéos» démontées s'amenuisait. Un groupe de scientifiques publiait ce qu'il qualifiait de «preuves par l'ADN irréfutables». Les monstro-sceptiques se retrouvaient dans la même situation que les climatosceptiques, sur un morceau de banquise en constante régression.

Je consacrai sans doute deux heures à éplucher tout ça dans la salle de bains, en me disant que c'était nécessaire. Qu'il me fallait des renseignements. Qu'il n'était plus question d'agir en aveugle, sur un coup de tête. Mais je savais que c'était juste une manœuvre dilatoire. Je remettais à plus tard ce que je ne pouvais remettre à plus tard.

Il fallait que je me nourrisse.

Au départ, je m'étais dit que j'irais dans le quartier le plus pauvre. Que je trouverais un SDF. Risque d'enquête minimum. Un vieux puant la pisse, avec sa bouteille et ses sacs. Mais, à en croire Internet, les bidonvilles d'Istanbul disparaissaient à toute allure. Sulukule, l'ancien quartier des Roms, avait été abattu pour céder la place à des immeubles de standing neufs. Tarlabasi était quasi désert. Il n'y restait guère qu'un coiffeur, au magasin inutilement ouvert entouré de gravats et de bâtiments condamnés. Je pris un taxi pour m'y rendre juste après le crépuscule, mais fus incapable de descendre de voiture. Arrivée au pied du mur, je me dis que je ne trouverais personne, ce qui me persuada de regagner aussitôt la place Taksim. J'étais tellement flippée, tellement partie que je faillis me jeter sur le chauffeur quand il s'arrêta à un feu rouge dans une rue tranquille. C'était un type mince d'une vingtaine d'années, guère plus, à la peau huileuse et à la petite tête ornée d'une moustache disproportionnée. Sa pomme d'Adam semblait nettement trop agitée, quand il me parlait en me regardant dans le rétro. Je m'aperçus que je me penchais vers lui, dans l'odeur de son déodorant et de son produit pour cheveux, du samosa et du piment qu'il avait mangés un peu plus tôt, des cigarettes et du café turc qu'il affectionnait. Peut-être l'aurais-je mordu si le feu n'était pas repassé au vert à ce moment-là. Je me radossai, horrifiée d'avoir frôlé la catastrophe. Ma vie allait-elle vraiment être comme ça ? Une guerre permanente contre ma volonté hésitante ? J'avais beau disposer d'une liste d'entreprises proposant de la compagnie, il n'y en avait guère pour fournir des services masculins. Masculins et *gays*, à la rigueur... mais les hétérosexuelles étaient réduites à la portion congrue. Hypocrisie religieuse, je suppose. De toute manière, la seule pensée de téléphoner (les pubs précisaient toutes «English Spoken») pour dénicher un type exerçant chez lui, d'aller là-bas, d'y être admise, de faire ce que j'avais à faire puis de repartir... J'avais peur que les appels soient enregistrés. Les agences de réservation se faisaient payer par carte. L'immeuble risquait d'être placé sous vidéosurveillance. Je ne sais pas, c'était peut-être juste le côté surréel de la chose, l'idée de passer un coup de fil à une entreprise pour prendre un rendez-vous au cours duquel tuer quelqu'un.

Je finis par demander au chauffeur de me laisser devant la boîte de nuit la plus proche.

«Je crève de faim, bordel de merde, lança le type une fois de retour à son hôtel avec moi. Mais ça peut carrément attendre. Viens un peu par ici.»

Il s'appelait Mick; anglais — de Manchester. Pas vilain dans le genre ouistiti, un peu à la Robin Williams. Son insolence bon enfant et son corps musclé en salles (mis en valeur par un Levis noir et un tee-shirt blanc moulant) lui valaient assez de succès pour qu'il y gagne une assurance voyante qui devait plaire à beaucoup de filles. Il passait une semaine de vacances à Istanbul avec ses «potes», «entre mecs», mais le groupe s'était désintégré pendant la tournée des grands ducs. Je n'avais pas eu à me donner trop de mal, vu qu'il était déjà saoul quand il m'avait branchée, au bar — «'Lut beauté, qu'est-ce' tu bois?»

Au début, jouer les hésitantes intéressées malgré elles m'avait gênée aux entournures. Je me sentais comme bouffie, j'avais du mal à me concentrer sur mon rôle. Dieu sait ce que j'avais raconté. Pourtant, le plaisir de la soif s'était insinué dans la conversation en quelques minutes. Le mystère de ce qu'il y a à l'*intérieur* fascine la soif. Le plaisir qu'elle apporte alors rappelle celui qu'on éprouve juste avant d'ouvrir un cadeau de Noël. C'est chouette de faire durer le suspense, mais plus on attend, plus il devient fascinant. Discuter avec Mick (je lui dis que je m'en tenais à l'eau minérale, ce qui ne l'empêcha pas de me commander une Budvar, à laquelle je ne touchai évidemment pas), c'était porter le paquet à mon oreille, le flairer, le secouer pour voir s'il faisait du bruit… tout en sachant que je ne supporterais ça qu'un certain temps. Cette jouissance avait aussi un côté plus sombre : on sait la chose la plus importante de la vie de quelqu'un qui, lui, ne la sait pas — on sait que cette vie va s'achever. Parce qu'on va la prendre. Je trouvais ça à la fois écœurant et excitant. Rien à voir avec le besoin aveugle, le réflexe corporel qui m'avaient poussée à tuer Leath (son esprit s'était apaisé en moi, introverti, enfant admettant qu'on ne le laissera jamais sortir de sa chambre). Il s'agissait de tout autre chose : un mélange de délice et d'assurance triomphante, de dégoût et de solitude. J'allais évidemment progresser, y prendre de plus en plus de plaisir, mais la frontière entre plaisir et néant était mince, au loin. D'où ma peur — et une soudaine envie de retrouver Nounours. Je ne pouvais pas faire ça sans savoir que d'autres le faisaient aussi. J'aurais été l'être le plus solitaire du monde. Comment les psychopathes isolés survivaient-ils ? Une seconde de folie, parce que Mick venait de me toucher pour la première fois, posant la main sur ma hanche et se penchant vers moi afin de se faire entendre malgré la musique, me chatouillant l'oreille de son souffle : je m'étonnai que les psychopathes n'aient pas fondé de société secrète, à la manière des francs-maçons.

« Où es-tu descendu ? » demandai-je à Mick en lui retournant le contact.

Dans le taxi, il m'embrassa. Mon instinct me hurla de le repousser.

Mais pas l'instinct qui comptait. Pas le nouveau.

Il avait la bouche brûlante et douce, un arrière-goût de bière qui laissait filtrer l'énorme martèlement de son sang. À ma grande surprise, je lui rendis son baiser avec une passion avide.

Mais pas la passion qu'il croyait.

« Il faut que j'aille aux toilettes », annonçai-je, une fois dans sa chambre. « Déshabille-toi et allonge-toi. »

Je n'arrive pas à croire que j'aie pu dire une chose pareille. Il me trouva robotique, malgré le floutage de l'alcool, et me répondit par une sorte de sourire/ froncement de sourcils (comme un mauvais acteur), suivi d'un haussement d'épaules accompagné cette fois d'un sourcil arqué (toujours comme un mauvais acteur) qui signifiaient : D'accord. Bizarre. Mais bon, c'est pour baiser. S'il te faut ça, ma poule.

Dans la salle de bains, je me déshabillai, moi, fourrai mes vêtements dans le placard sous le lavabo puis me regardai dans le miroir. J'avais toujours détesté ma tête, mais il s'y trouvait maintenant quelque chose de neuf pour me rendre mon regard : la curiosité.

Mick s'était allongé sur le dos, nu, les mains derrière le crâne. Il avait réfléchi à ce qu'il allait dire à mon arrivée, mais l'oublia quand j'arrivai en effet. C'était intéressant de le voir soudain exister sans aucune stratégie ni affectation, dans une sorte de pureté.

Lorsque je le rejoignis sur le lit, à quatre pattes au-dessus de lui, son sexe s'épaissit et me frôla la cuisse.

Mes crocs s'animèrent. Mes ongles, tous. La soif, corps plus robuste, plus grand logé dans le mien, qui lui servait de gant. Curieuse vision de Nounours, au téléphone, les sourcils froncés. Fugace.

Le sang, enfant qui me tendait les bras. Mick ouvrit la bouche.

Il n'eut pas le temps de dire un mot, car je lui plantai les crocs dans la gorge en mordant de toutes mes forces.

Le maîtriser ne me posa aucun problème, tant ses gesticulations manquaient de puissance. Je lui nouai les jambes autour des cuisses et lui serrai les bras derrière le dos sans même lever la tête. Il me suffit de laisser mes dents où elles étaient. Mon adversaire ne pesait rien. Plus il se débattait, plus son énergie passait en moi. Une part détachée de mon être avait envie de lui dire d'arrêter, de renoncer à lutter, puisque c'était totalement inutile. Pourquoi gâcher ses derniers instants dans quelque chose d'aussi futile ?

Une part de mon être très détachée, la part minuscule qui regardait la scène à la télé.

Le reste de moi était énorme, chaud, rouge sombre. Le sang de Mick me pénétrait pendant qu'il gigotait sous mon corps, quasi livré à moi qui le buvais. La sensation ne ressemblait à rien que j'aie jamais connu, pas même à ce qui s'était produit chez Leath, avec qui tout était passé au crible de la rage. Avec Leath, je cherchais à m'effacer, à m'extraire de ce que je faisais, mais la rage m'y ramenait de force. Avec Mick, c'était à la fois suave et lourd, comme si le sang venait en moi de son plein gré, parce qu'il en mourait d'envie. La joie. Boire Mick était une joie suffocante.

Les images arrivaient vite, au hasard. Non, pas les images. La compréhension. Trois ans, assis sur un tapis au milieu du cercle tracé par des rails miniatures, enchanté de tourner encore et encore avec le train mécanique pendant que maman, brune au doux visage, le regarde les bras croisés en riant devant son enchantement si pur et si simple, et il l'aime il aime le train il aime la chose qui s'anime quand il déplace la petite manette métallique puis s'arrête quand il la redéplace puis se ranime et ainsi de suite, il a de la magie dans les mains parce que c'est lui qui décide lui qui arrête ou anime le train. Il tombe face contre terre sur un terrain de foot humide, dans le feu de l'action, il respire la bonne odeur de boue et d'herbe il a un brusque aperçu du monde façonné de boue et d'herbe avec les mers et les océans que la gravité y accroche et la partie continue autour de lui sous un ciel bleu et blanc hâtif, alors une sorte d'excitation jaillit de nulle part pendant une seconde ou deux, portée par la simple réalité des choses... Un visage féminin tout proche, blondeur douceur chatte humide et brûlante délicieusement serrée autour de sa verge, la fille minuscule entre ses bras se donnant tout entière passionnément égarée et lui égaré aussi prêt à la fendre en deux et simultanément à vénérer la douceur qu'elle lui offre. Le moment où Tony dit au bar ça va péter où ses bras et ses genoux se remplissent d'adrénaline juste avant qu'il se retrouve en pleine mêlée à jouer des pieds et des poings mais comme emporté dans une autre sorte de douceur, ça lui rappelle la fièvre quand sa chambre est devenue si bizarre gonflée de silence, quelqu'un casse une canette de bière et il s'imagine ce que ça ferait si le type la lui fichait dans la figure la chirurgie esthétique, tous ses potes le vannent en le traitant de prétentieux ils ont raison d'accord mais il s'aime pour ça il aime sa tête son corps sortir rasé de frais et la ville lui disant que tout peut arriver les couleurs les lumières du bar tous les bars les boîtes les femmes qu'on y trouve il ne se lassera jamais des femmes de la manière dont elles le regardent ça veut dire oui et puis aussi la manière dont elles posent leur sac à main sur leur genou plié pour y chercher quelque chose et surtout cette drôle de position quand elles se passent les bras derrière les omoplates pour dégrafer leur soutien-gorge ça a l'air physiquement impossible mais c'est tellement adorable...

STOP.

Le cœur. Ne laisse pas le cœur s'arrêter. Le tien te prévient.

Je roulai du lit jusqu'à terre, où je restai quelques secondes immobile, hébétée, gavée non seulement du sang mais aussi de la vie tout entière de Mick, passée en moi. Comment continuerais-je à trouver de la place? Comment? Six mois de ce régime? Cinq ans? Dix? *Vingt mille*? Impossible.

Schmoldu l'avait pourtant dit : on continue à trouver de la place, parce que chaque vie en *fait*. Chaque vie qu'on prend — comme chaque livre qu'on lit, y compris les mauvais — rend un peu plus grand.

Je dirais que je passai quinze ou vingt minutes couchée par terre, à écouter le bourdonnement de l'air conditionné et le silence bruyant comprimé autour du cadavre de Mick. Si je ne faisais pas attention, je me laisserais aller à rester là toute la nuit. Enfin, ses dernières heures.

Je ne pouvais pas me le permettre. Pas cette idiotie supplémentaire. Il fallait que je sois à *mon* hôtel quand le soleil se lèverait, dans moins de trois heures. Je me terrerais dans ma salle de bains et me préparerais à partir pour Delhi le soir même. Voilà ce que je me disais, allongée à côté du lit, quand la pensée me vint que ce genre de pensées ne me semblait déjà plus bizarres, mais normales.

Je pris une douche. Frottai. Regardai l'eau virer au rouge autour de mes pieds en me disant que c'était juste la première fois d'une longue série. En réfléchissant aussi à la logistique physique du meurtre. Combien de temps faudrait-il au personnel de l'hôtel pour se rendre compte que quelque chose clochait? Combien de temps fallait-il à un corps pour se mettre à puer?

Mon propre corps se sentait follement bien. Une force vivante, infatigable dans mes doigts et mes mollets. J'aurais aimé être agressée sur le chemin du retour pour donner un exutoire à toute cette puissance.

Sitôt rhabillée, j'essuyai avec une serviette tout ce que je pensais avoir touché de mes mains, même si ça ne servait à rien vu que, de nos jours, c'était une question de fibres microscopiques et d'ADN. Puis je quittai la chambre et refermai la porte derrière moi en utilisant du papier WC, pour éviter de laisser un dernier jeu d'empreintes (et en me félicitant de ne pas avoir bêtement oublié ça). Si mon sens de l'orientation ne me trompait pas, je me trouvais à une demi-heure de marche de mon hôtel, maximum. Je voulais rentrer à pied pour sentir la nuit et les humains vivants autour de moi.

63

Walker

Elle est partie. C'est un soulagement. Comme toutes les fins.

Je passai la journée à vérifier la sécurité, pour avoir quelque chose à faire. Je n'aurais pas supporté la compagnie des enfants, Lorcan se conduisant en créature supérieure, suivant sa bonne habitude, Zoë rechignant à me perdre de vue. Elle oublie un moment — elle laisse Lucy lui faire la lecture ou Maddy lui essayer du vernis à ongles et du rouge à lèvres —, jusqu'à ce que le souvenir lui revienne brusquement. Là, elle demande où je suis, aussi souvent sinon plus qu'elle demande où est maman.

Maman est partie voir un sorcier, ma puce. Elle est partie à la chasse au dahu. On ne le dit pas, mais on le pense. C'est dur de le leur cacher. Peut-être le savent-ils, d'ailleurs. Les enfants en savent toujours plus qu'on ne le croit.

« Tu le ferais, toi ? » demandai-je à Lucy. Je me tenais en hauteur, sur la passerelle, le rempart ou le balcon, comme vous voudrez, à examiner les fixations des mitrailleuses cachées sous les bacs à fleurs en béton — il suffit d'appuyer sur un interrupteur pour faire reculer

394

les plantes. « Si tu pouvais revenir à la normale, prendre un nouveau départ… tu le ferais ? »

Elle buvait un verre de vin blanc, appuyée au parapet. Pieds nus, en robe d'été vert pâle imprimée de minuscules fleurs jaunes. Par moments, la brise soufflait ses cheveux en avant et faisait claquer sa jupe. Quelques nuages blancs traversaient gaiement le ciel d'un bleu craquant. Je me disais : On pourrait résister longtemps, ici. Mais pas éternellement. S'ils venaient assez nombreux, tôt ou tard, ils nous auraient. (Et ils finiront par venir assez nombreux. Bien sûr. Ce n'est qu'une question de temps.)

« C'était ça, mon nouveau départ, répondit Lucy. Il ne m'en faut pas davantage. Je n'en veux pas. » Une gorgée de vin, dont l'odeur de raisin me parvenait. Ça me faisait envie. « Si j'avais des enfants, peut-être, pour eux. »

Elle est prête à accueillir un homme, je le sens. Pas moi, mais elle dégage quelque chose… une aura. Notre petit clan ne lui suffit pas, et pourquoi lui suffirait-il ? Il ne me suffit plus, à moi. Il m'aurait suffi, je me le dis et me le répète. Il m'aurait suffi, avec Talulla.

○

Plus tard, passé minuit, on frappa à ma porte. J'étais assis au bord de mon lit, le regard fixé par terre. Je venais de prendre une longue douche brûlante, de me raser pour la première fois de la semaine, de me couper les ongles des mains et des pieds. Un rituel, comme si je me vouais à continuer, mais un rituel pathétique. Quand je me tournais vers l'avenir, je ne voyais rien, à part un monde minuscule, plein de chambres où rester seul. Les possibilités s'égrenaient dans mon esprit

— voyager avec Mike et Natasha, trouver une nouvelle meute, mettre sur pied une force organisée pour se préparer à ce qui s'annonçait... mais toutes ces visions menaient au bout du compte à une image de solitude où j'étais assis dans le hall des départs d'un aéroport, parcourais les rues calmes et déprimantes d'une petite ville méditerranéenne, conduisais un pick-up dans un trou du Midwest. Jake avait vécu plus de cent cinquante ans de cette manière. Je ne voyais pas comment.

« Entrez. »

Madeline. Je le savais. Je le voulais. Une partie de moi. En nuisette de soie ivoire qui lui arrivait bien au-dessus du genou. Elle vint se poster juste devant moi. Le silence s'étira.

« Je ne suis pas le prix de consolation, dit-elle enfin. Je ne le fais pas pour toi. Je le fais pour moi. »

64

Talulla

Toutes les dispositions ayant été prises pour le voyage, je m'aperçus que ç'aurait été l'horreur si j'avais dû m'en occuper moi-même. Zagreb-Delhi, Delhi-Kolkata, Kolkata-Bhubaneswar — dans un petit avion précaire. L'envoyé d'Olek, Grishma (un type très classe malgré sa taille modeste, aux pommettes hautes et aux yeux sombres fringants dans un petit visage), vint me chercher en voiture. Le trajet me parut interminable jusqu'à Jogeswarpur, à huit kilomètres de la réserve forestière de Balukhand Konark.

De toute manière, je me sentis mal dès l'arrivée. La pleine lune allait se lever dans quarante-huit heures, et le *lukos* se livrait à ses fastidieuses tentatives habituelles, soubresauts et contorsions prématurés, spasmes et gifles griffues inutiles. Je n'avais pas eu deux heures de bon sommeil depuis Zagreb, mes yeux irrités et les nerfs douloureusement palpitants de mes ongles en témoignaient.

Le... le quoi ? le laboratoire (?) d'Olek occupait un ancien ashram à la limite de la réserve, mais on ne l'aurait jamais deviné sans les rares statues usées du Bouddha souriant disséminées dans le jardin. Jardin d'ailleurs spectaculaire, touffu, exubérant, véritable stéréotype empressé de l'Orient exotique — rouges sanglants, éclaboussures jaunes, roses frémissants —, même si je n'y reconnaissais que quelques fleurs (bougainvillées, jasmin et lauriers-roses). Deux énormes banians se dressaient parmi les citronniers, les tamariniers, les goyaviers et les pêchers, tous chargés de fruits. Trois étangs verts peuplés de grands poissons dodus somnolents — des carpes koï? — et un patio dallé semi-circulaire devant lequel était disposée une imposante sculpture abstraite (un torque ovoïde en pierre bleue polie, au centre percé d'un trou) occupaient les places d'honneur. Les bâtiments proprement dits, trois constructions rectangulaires interdépendantes au toit plat et aux vitres teintées, comportaient deux étages (et sans doute un niveau souterrain, minimum, même si je n'avais au départ aucune certitude à ce sujet). Un balcon en fer forgé en faisait tout le tour, entre les premier et deuxième étages. Il s'est retranché ici, me dis-je. C'est peut-être normal, à la fin. On pose ses bagages, on accepte de se considérer quelque part comme chez soi, et peu importe si on a encore des siècles à vivre. Je n'avais remarqué en arrivant aucun garde ni système de sécurité, mais ça ne prouvait rien.

Grishma consulta sa montre.

«M. Olek ne va pas tarder à nous rejoindre. En attendant, puis-je vous offrir un rafraîchissement? Une tasse de thé? Quelque chose d'un peu plus énergique?»

Il m'avait entraînée par un vestibule aux murs de plâtre blanc et au dallage de terre cuite jusque dans une bibliothèque tapissée de livres du sol au plafond, meublée de trois canapés Chesterfield en cuir vert, d'un grand bureau en plexiglas et d'un fauteuil relax blanc futuriste, l'ensemble disposé sur trois ou quatre vastes tapis indiens (voire persans ou chinois, pour ce que j'en savais) à franges bleu et or, aux motifs d'une intrication exquise. Les derniers rayons du soleil très bas étiraient sur toute la longueur de la pièce l'ombre d'un énorme *Asparagus plumosus* bienveillant, disposé sur un présentoir à plante en bois foncé. Un lampadaire art déco haut perché occupait un recoin, globe de verre porté par des nymphes jumelles. Un livre ouvert attendait, retourné, sur un des canapés.

«Un verre d'eau me suffira, merci, répondis-je. Je peux fumer?

— À cent pour cent», affirma Grishma, que cette idée avait l'air de réjouir discrètement.

Il retourna dans le vestibule chercher un cendrier — un beau plat en cuivre monté sur un pied d'ébène — qu'il posa à côté du sofa le plus proche.

«Je vais vous chercher de l'eau.»

Le *lukos* tordit violemment ma colonne vertébrale.

«Finalement, je crois que je vais aussi prendre un scotch, si vous en avez.

— Talisker, Glenmorangie, Oban, Laphroaig ou Macallan?»

Pas mal, pour quelqu'un qui ne buvait pas.

«Macallan, s'il vous plaît. Sec»

À la tienne, Jacob Marlowe. Après tout, c'est une bibliothèque. Désolée d'être une lycanthrope aussi minable, tout compte fait. C'est ta faute. Il ne fallait pas mourir.

Grishma reparut moins de cinq minutes plus tard, chargé d'un plateau en argent. Il alluma le lampadaire.

«Je vais vous laisser, annonça-t-il. Ne vous gênez pas pour jeter un coup d'œil aux livres, en attendant.»

Ou encore : Ne quittez pas la bibliothèque.

Je ne la quittai pas. J'allumai une Camel puis ramassai le volume posé près de moi sur le canapé. *Hommes et Femmes*, de Browning, première édition. Ouvert à «Le chevalier Roland s'en vint à la tour noire». Un poème que j'avais déjà lu, à la fac, et qui me rappelait le rêve, sans que je sache pourquoi. Le rêve du vampire. Le seul que j'aie fait ces derniers jours. Ces dernières nuits. Je me mis à lire :

Je pensai tout d'abord : il ment à chaque mot,
Cet estropié chenu, à l'œil plein de malice
Détourné pour épier l'effet de son mensonge
Sur mes yeux, et dont la bouche pouvait à peine
Cacher la joie qui la plissait et la ridait
Devant une victime encore ainsi gagnée.

«Merveilleux, hein?» lança une voix.

Je levai les yeux. Je n'avais pu me plonger que quelques secondes dans ma lecture, mais il faisait nuit noire à l'extérieur. Le globe de la lampe brillait.

Olek — j'avais reconnu sa voix — se tenait sur le seuil.

Je ne m'attendais pas à ça puisque, de gré ou de force, je m'attendais à Omar Sharif, alors que je me trouvais devant un petit quinquagénaire replet (en termes humains) à la fine moustache, au teint chocolat au lait, aux yeux noirs malicieux et aux lèvres pleines, pour l'heure souriantes. Ses dents me parurent d'une blancheur surnaturelle. Il portait un jean noir délavé et une *kurta* en coton blanc, des tennis Adidas en daim vert, une grosse bague en or et grenat à l'index gauche.

«C'est à mon sens un des poèmes de langue anglaise les plus remarquables.

— Je m'en souviens plutôt mal», répondis-je.

Lorsqu'il s'approcha pour me tendre la main, je pris

conscience de ce que j'aurais dû remarquer instantanément. Il ne sentait pas.

Ou, plutôt, il ne sentait pas le vampire. Il sentait le
patchouli, le dentifrice et le citron. Mon expression dut
être révélatrice.

«Talulla... je peux vous appeler Talulla, j'espère?

— Oui.

— Et vous allez m'appeler Olek, bien sûr. Non, je
n'ai pas l'odeur à laquelle vous vous attendiez. Je sais.
J'en suis enchanté. J'ai énormément travaillé sur les
inhibiteurs d'odeurs, mais nous en parlerons une autre
fois. Vous dites que vous ne vous souvenez guère du
poème? Mais asseyez-vous, asseyez-vous, je vous en
prie.»

Je m'étais levée pour lui serrer la main. Il attendit
que je reprenne place sur le sofa puis s'installa sur le
bureau industriel en plexiglas, les jambes pendantes.
Pas de chaussettes. Des chevilles brunes délicates.

«Je me rappelle qu'il parle d'un chevalier qui
cherche la tour noire.» Je me pliais si facilement à la
folie tranquille de cette rencontre que je me demandais
si on n'avait pas mis quelque chose dans mon verre. «Il
traverse un paysage de cauchemar. C'est *long*.

— Vous vous rappelez si Roland *trouve* la tour
noire?»

Je ne voyais pas quelle importance ça pouvait bien
avoir, mais n'en torturai pas moins mon cerveau.

«Non, j'ai oublié. Il la trouve?»

Olek sourit, une fois de plus. Il avait un visage
immensément sympathique. Au point que, dans un
film, il aurait joué un méchant psychopathe.

«Je ne veux pas vous gâcher le poème. Allez vous
coucher avec le livre, ce soir, et voyez par vous-même.»

De plus en plus fou. Browning comme livre de

401

chevet, chez un vampire. En Inde. D'accord. Pourquoi pas ?

« Mais vous désirez peut-être vous rafraîchir ? Vous n'allez pas manger, évidemment. »

J'écrasai la Camel dans le cendrier. Me giflai mentalement.

« Écoutez, je ne voudrais pas être impolie, mais pourquoi ne pas juste me dire ce que je fais ici ?

— Vous êtes ici parce qu'il m'est possible de vous guérir, répondit-il sans une seconde d'hésitation. Ou, disons-le, parce qu'il m'est possible de guérir vos enfants, ce qui vous importe davantage. Vous êtes ici parce qu'ils sont encore assez jeunes pour échapper au piège du monde qui se referme. Vous avez vu la vidéo. D'une manière ou d'une autre, votre espèce va affronter de dures épreuves. La mienne aussi, très probablement. Votre visage est connu. Vos enfants, eux, ont une chance. » Il s'interrompit. La pleine puanteur des vampires me parvint brusquement. « Mikhail, Natasha… Entrez, je vous en prie. »

Je levai les yeux. Konstantinov et Natasha se tenaient sur le seuil. Il avait l'air épuisé.

« Mikhail n'a pas dormi, expliqua Olek. Il tenait absolument à surveiller les moniteurs, dans la journée, malgré mes efforts pour le rassurer. »

Je ne les avais pas vus depuis près d'un an, mais ils n'avaient pas changé d'un iota, si on oubliait le manque de sommeil dont souffrait manifestement Konstantinov. Bien sûr. L'amour palpable qui les unissait n'avait pas changé davantage. Autosuffisant, contenu, au-dessus des lois, humaines ou autres, cet amour faisait d'eux leur propre loi. Je ne m'aperçus de l'angoisse qui m'étreignait qu'en prenant conscience du soulagement dû à leur présence.

«Je vais vous laisser un peu d'intimité, reprit Olek. Servez-vous donc un autre verre, Talulla.»

Quand il fut reparti, on échangea un long regard, Natasha, Konstantinov et moi.

«Vous supporteriez que je vous embrasse?» m'enquis-je.

On s'étreignit en se bouchant le nez et en riant, alors que notre puanteur mutuelle n'avait rien de drôle. Natasha sortit la pâte spéciale en levant les yeux au ciel.

«Il nous a proposé une solution de rechange, mais on ne pouvait pas prendre de risques. Désolée.»

Ils étaient arrivés deux jours plus tôt.

«Il y a des caméras de vidéosurveillance partout, m'expliqua Konstantinov. Il y avait aussi des gardes, mais on lui a dit de s'en débarrasser.

— Comment fais-tu pour ne pas dormir? m'étonnai-je.

— Les moniteurs sont en bas, sous terre. Je voulais être sûr. Ça va. Une journée, j'y arrive.»

Chaque fois qu'il prenait la parole, Natasha le regardait avec une assurance tranquille. L'émerveillement que Jake et moi nous étions inspiré l'un à l'autre — par opposition au presque-émerveillement partagé avec Walker. Une conversation maladroite se préparait, je le compris dans une petite explosion d'angoisse : elle commencerait dès que l'un d'eux me demanderait des nouvelles de Walker.

«Alors, qu'est-ce qui se passe avec ce type?» demandai-je, moi, par précaution.

À eux deux, ils me racontèrent ce qu'ils savaient. Olek était vieux. Très vieux. C'était aussi ce que leur espèce avait de plus proche d'un médecin-chef.

«Il semblerait qu'on ait nos propres maladies, ajouta Natasha. On ne sait pas du tout lesquelles.

— Je crois qu'il faut être vieux pour les attraper,

justement, intervint Konstantinov. Enfin bon, quoi qu'il en soit, c'est un scientifique. *Le* scientifique. L'espèce n'a pas de secret pour lui, du point de vue physique. Quand l'OMPPO a été dissoute, les cinquante familles ont acheté un max de données aux anciens chefs. Tout a atterri chez lui. Au départ, il travaillait sur le projet Hélios. Il nous a dit qu'il s'en était retiré depuis, mais qui sait?»

Le projet Hélios, ou les recherches persévérantes des vampires pour guérir leur «nocturnalité». Les garous en étaient devenus partie intégrante sans le vouloir, parce que le virus qui les affectait jusqu'à une date récente les empêchait de transmettre la Malédiction à leurs victimes humaines survivantes, mais donnait aux sangsues qu'ils mordaient une tolérance accrue au soleil.

«Et ma guérison à moi? m'enquis-je.

— Dieu seul sait ce qu'il en est, répondit Natasha. Il n'a pas voulu nous en parler. Ça t'est réservé. La seule chose qu'il nous ait dite, c'est que ça n'a absolument rien de scientifique. Qu'est-ce qu'il veut, en échange?

— Je ne sais pas. Aucune idée. Sans doute rien que je sois disposée à donner.

— Vous vous rappelez Christopher Devaz?» demanda Olek, de retour sur le seuil, les mains dans les poches.

On se tourna vers lui avec ensemble.

Devaz était un des deux gardes de l'OMPPO que j'avais Transformés quand l'organisation m'avait capturée, trois ans plus tôt, un sombre crétin d'origine goanaise gonflé d'amour maternel que j'avais facilement séduit, par une posture paradoxale de répugnance morale et de besoin libidinal (je ne jouais la comédie qu'en partie). La pleine lune venue, la Transformation ne lui avait pas laissé le choix : il m'avait aidée à m'évader. Comme on pouvait s'y attendre, ça ne lui avait pas plu.

«Oui, je me le rappelle, acquiesçai-je. Pourquoi?

— Ce n'est plus un loup-garou», affirma Olek.

Je l'examinai, à la recherche de signes indiquant qu'il mentait ou se lançait dans une stratégie quelconque. Rien. Il se contentait de me regarder droit dans les yeux.

«Parce que vous l'avez guéri.

— Parce que je l'ai guéri.»

Le plus terrible, c'était qu'il disait la vérité, je le savais. Ça n'aidait pas. Je me sentais épuisée. Il me semblait que les kilomètres parcourus et les longues heures de voyage s'étaient soudain posés sur moi, accrochés à moi comme... oui, comme des chauves-souris vampires géantes. Et plus la fatigue me pesait, plus le *lukos* s'acharnait. Fais gaffe, Ducon, me dis-je. Il y a de quoi te *guérir*, ici. Apparemment.

«Vous voulez le voir? me demanda Olek. Il est à la cave.»

65

Il y avait bel et bien un laboratoire. Évidemment. Et deux niveaux souterrains, le moins un consacré audit laboratoire. Je n'en vis qu'une partie, mais sans doute occupait-il toute l'étendue au sol du bâtiment. Ce que j'en vis ne m'apprit d'ailleurs pas grand-chose. Un mur tapissé de produits chimiques, en bouteilles ou en pots. Trois gros réfrigérateurs. Un tas d'appareils rappelant des magnétoscopes ou des lecteurs de DVD miniaturisés, dotés, me souffla mon intuition, d'une puissance technique inversement proportionnelle au nombre de leurs diodes clignotantes. (Au XXIe siècle, les gadgets qui n'ont l'air de rien sont les plus redoutables.) Des écrans de contrôle, deux ordinateurs portables, ouverts, des étagères et des étagères de lecteurs ZIP. Des chemins de câble. Une odeur entêtante de médicaments qui me rappela le laboratoire de chimie du lycée, ma meilleure amie, Lauren, et son obsession d'un semestre pour les explosifs artisanaux. Deux portes. Derrière l'une desquelles j'entrevis une montagne d'autres gadgets et le coin d'une table en acier brossé.

« Nous allons descendre au niveau inférieur, m'annonça Olek. J'espère que ça ne vous dérange pas de m'y accompagner sans témoin. Cette partie-là n'est que pour vous. »

Konstantinov et Natasha eurent beau protester, mon impatience régla les choses. Nous étions les seuls occupants de la maison, à l'exception de Grishma, et j'avais beau ignorer ce qu'Olek voulait de moi, ce n'était évidemment pas ma vie.

La volée de marches suivantes nous mena, lui et moi, devant une porte ouvrant sur un espace aux divisions plus complexes. Tout était carrelé de blanc étincelant — corridors, murs, sols, plafonds —, une propreté d'hôpital qui aurait donné à deux ou trois gouttes de sang l'air particulièrement menaçantes. Mais on n'en voyait pas trace. Les portes étaient en acier, dont une extrêmement lourde, l'air avait quelque chose de rassis, comme dans les toilettes des avions, et il flottait une odeur nouvelle, des relents d'éther qui me chatouillaient les narines, au grand déplaisir du *lukos*. Je pensai aux chiens policiers qui éternuaient dans *Luke la main froide*.

Olek me précédait de deux mètres, la démarche détendue, mais son aura se réchauffait. Le stress lui faisait maintenant dégager une vague odeur de vampire, exacerbée par le confinement.

« Par ici », dit-il en ouvrant une porte, sur la gauche.

« Ici », c'est-à-dire dans une de ces pièces qu'on voit au cinéma (mais dont j'avais toujours pensé qu'elles n'existaient plus, en admettant qu'elles aient jamais existé), quand la victime examine à travers un miroir sans tain une rangée de suspects.

« Il ne nous entend pas, continua Olek. Il ne nous voit pas non plus, évidemment. Je veux juste que vous le reconnaissiez. »

De l'autre côté de la glace, Devaz, couché en chien

de fusil sur un lit pliant, le regard perdu dans le vague. Pieds nus (la plante pâle de ses pieds bruns m'affecta d'une curieuse compassion attristée), en pantalon de pyjama bleu ciel et marcel de coton blanc. Pas malade, apparemment. Juste insupportablement malheureux. Sa petite chambre était vide, hormis le lit.

«Il ne souffre absolument pas, reprit Olek, et je ne le garderai pas prisonnier beaucoup plus longtemps, mais je veux m'assurer que vous le reconnaissez. Vous voulez entendre sa voix?»

L'homme allongé devant moi avait quelque chose de vide qui me mit curieusement en colère, même si je ne savais trop contre qui ou quoi.

Olek appuya sur le bouton de l'interphone.

«Christopher? Comment vous sentez-vous?»

Devaz sursauta légèrement au bruit, mais ne se leva pas pour autant. Au contraire, il se recroquevilla un peu plus sur son lit. J'essayai de le toucher mentalement. C'était moi qui l'avais Transformé : j'aurais dû y arriver instantanément, sans le moindre effort.

DEVAZ?

Rien.

DEVAZ, C'EST MOI.

Toujours rien. J'aurais aussi bien pu m'adresser à un seau et une serpillière.

«Je vous promets de vous laisser sortir dans deux jours, Christopher», reprit Olek.

Pas de réponse. Devaz regardait toujours dans le vague.

«Christopher?

— Allez-vous-en, s'il vous plaît, dit-il enfin tout bas. Je vous en prie.»

Je reconnus sa voix. Si ce n'était pas le véritable Devaz, c'en était une imitation très convaincante.

«Bon, OK, c'est lui», dis-je, une fois de retour dans le couloir blanc. «Et alors?

— Alors, répondit Olek, les mains dans les poches, nous attendons la pleine lune. Là, vous constaterez que Christopher n'y est plus soumis. Qu'il est redevenu humain, pour dire les choses simplement. Ergo, la méthode est fiable.» Et rend manifestement suicidaire. «Bon. La méthode. Suivez-moi.»

On rebroussa chemin jusqu'à la porte la plus lourde — épaisseur de chambre forte ou de sous-marin —, à pavé numérique. Elle dévoila une autre table en acier, sur laquelle était posé un conteneur en métal un peu plus gros qu'une mallette, également doté d'un pavé numérique. Olek essaya de ne pas trop montrer qu'il voulait m'empêcher de le voir taper le code et j'essayai de ne pas trop montrer que je n'essayais même pas. À ma grande surprise, le *lukos* s'était complètement figé.

Petit soupir d'hydraulique, bourdonnement de mécanisme de précision — déverrouillage. Mon hôte ouvrit le conteneur.

«Regardez.»

La mousse qui tapissait l'intérieur était creusée d'une alvéole abritant une plaque de pierre blanchâtre — le genre de support que j'imaginais aux Dix Commandements —, à laquelle il manquait deux fragments, le coin inférieur gauche et une portion de l'arête droite. Un trou circulaire grossier, de la taille d'une balle de tennis, en occupait le centre exact, tandis qu'une écriture aux symboles obscurs la couvrait de haut en bas. Ainsi que des taches de sang humain (mon nez confirmant ce que m'apprenaient mes yeux) qui dataient de quelques semaines. Des semaines. Pas des millénaires.

«Vous vous souvenez sans doute que le journal de

Quinn était accompagné d'une tablette de pierre, reprit Olek. La voici. »

Je n'y touchai pas. Je pensais à toutes les fois où j'avais vu des artefacts très anciens, dans les musées. Des pointes de flèche, des poteries, des momies — sous verre, forcément. Malgré cette barrière, les objets dégageaient une énergie discrète, silencieuse mais très nette, qui réduisait à néant le temps séparant leur époque de la nôtre et surprenait l'observateur, parce qu'elle constituait la preuve de l'existence du temps, de son écoulement bien réel, de l'apparition et de la disparition des civilisations comme des individus. Elles naissaient par millions, elles vivaient une vie bien remplie, puis elles mouraient. Et de petits morceaux de pierre ou d'argile traversaient intacts le temps, témoignant qu'il avait existé quelque chose avant elles. Autour de ces artefacts, le silence avait une qualité différente, car jamais le vacarme de la modernité ne l'avait brisé.

… mais il fallut attendre le retour sur les berges d'Itéru pour

« Je vais être franc, reprit Olek. Ce n'était à mes yeux qu'une expérience. Je n'y croyais absolument pas. En ce qui me concernait, il s'agissait d'un galimatias comique, contraire à tous les principes auxquels je suis attaché. J'aimerais pouvoir adopter la posture scientifique et dire qu'un phénomène inexpliqué aujourd'hui n'est pas pour autant définitivement inexplicable. Je crois à Ockam. Toutes choses égales par ailleurs, il faut chercher une explication en termes connus, pas se lancer dans l'invention d'autres phénomènes censés expliquer ceux qui posent problème. Mais je dois bien avouer que j'ai été ébranlé. Ébranlé et sidéré. S'il en va bien comme il semble en aller, honnêtement, ça change tout. Maintenant encore, je ne peux pas dire que j'y crois vraiment…»

Il était parti pour le petit voyage de son propre étonnement. Depuis que la chose (quelle qu'elle soit) s'était produite, il n'arrivait pas à s'en détourner. Il n'arrivait pas à la *dépasser*.

Je me rendais enfin compte que, jusqu'alors, je n'avais pas pris au sérieux la possibilité d'inverser la Malédiction. Enfin, pas vraiment. Je n'étais pas venue poussée par la croyance à la guérison, mais attirée par ce qui s'agitait sous la surface des événements. L'impression que quelque chose m'appelait, me demandait de l'aider à sortir. Comme si j'étais — mon Dieu, mon Dieu — un élément nécessaire à une histoire. Depuis la nuit où le vampire m'avait rendu visite. *À la prochaine.* Lorsque j'ouvris la bouche pour dire ce que je dis ensuite, l'écœurement, l'excitation et la lassitude se levèrent en moi telle une Trinité misérable.

«On ne peut pas dire que Devaz vous fasse une bonne pub, mais comment ça marche?»

66

Justine

À Bangkok aussi, je frôlai la catastrophe. J'arrivai à l'hôtel moins d'une heure avant le lever du soleil, dans un état si lamentable que je donnai l'équivalent de 100 dollars au chauffeur de taxi puis m'engouffrai dans le hall sans même attendre la monnaie.

« Vous n'avez pas l'air bien », dit une voix derrière moi, pendant que je faisais la queue à la réception, tremblante. « Je peux peut-être vous aider ? »

Je me retournai. Un grand brun bedonnant en jean, chemise blanche et blazer noir. La cinquantaine tout juste entamée, la raie sur le côté, les lunettes à monture dorée, le visage lunaire au petit sourire agaçant… et au nez coiffé d'un pansement chirurgical matelassé. Des bleus partout. Je pensai aussitôt à un accident de voiture… puis, je ne sais pourquoi, la certitude s'imposa que ça n'avait rien à voir. Que quelqu'un lui avait *fait* ça. Pour de bonnes raisons. Il avait aussi une odeur assez spéciale : eau de Cologne amère, sauce tomate mangée depuis peu, plus un élément que je mis un moment à identifier : encens.

« Hein ? » marmonnai-je, pendant que le moindre de mes muscles se contractait et que mon cerveau stupide reconnaissait la musique d'ambiance portée par l'air conditionné, une mauvaise reprise de «Dreams», de Fleetwood Mac.

«Vous avez l'air bouleversée», reprit le type, comme s'il n'avait jamais rien vu de plus agréable que mon bouleversement. «Je me demandais juste si vous… si je pouvais vous aider.»

Je restai un instant figée, mentalement bloquée, les mains, les pieds, la gorge pleins de sang de plus en plus paniqué. Le soleil, grand sourire dément prêt à se dégager de l'horizon. Les cellules de mon visage hurlant en silence.

«Non, ça va, merci.»

Sur ces mots, je tournai le dos au casse-pieds, mais je le sentais toujours derrière moi, souriant, à croire que son sourire n'était qu'un fragment de celui du soleil, un de ses messagers, de ses éclaireurs. Je me demande ce que j'aurais fait si mon tour n'était pas arrivé, mais l'homme d'affaires qui me précédait ramassa son attaché-case et se dirigea vers les ascenseurs. Je me retrouvai brusquement devant la réceptionniste, une belle Thaï de vingt ans maximum, rayonnante.

«Bienvenue au Sofitel, madame. Vous avez réservé?»

Je dus me concentrer sur la fiche à remplir, mais mes mains tremblaient tellement que j'eus du mal à signer.

Le type ne bougeait toujours pas. Je le sentais derrière moi, je sentais l'espèce d'énergie prétentieuse qu'il dégageait. Je repensai à toutes les erreurs idiotes commises par négligence depuis mon départ de Los Angeles. Je ne demandais qu'une chose, à ce moment-là, le temps de faire ce que j'avais à faire. Il ne me faudrait pas vingt mille ans. Quarante-huit heures me suffiraient.

«Désolée, madame, mais il semblerait que vous

vous soyez trompée de code PIN. Vous voulez bien réessayer, s'il vous plaît ?»

J'aurais volé dans les plumes du type à ce moment-là — je lui aurais dit de reculer, bordel de merde, je l'aurais boxé, je lui aurais hurlé dessus, je ne sais pas —, si son téléphone n'avait pas sonné. Il s'éloigna pour répondre, en italien.

Je ne relevai les yeux qu'une fois les formalités remplies (dans mon état de terreur, il me fallut deux tentatives supplémentaires pour rentrer correctement mon code PIN ; je le connaissais, c'était juste que je n'arrivais pas à contrôler mes putains de mains). Le casse-pieds n'était plus nulle part en vue, et de toute manière je n'avais pas le temps. Je gagnai ma chambre du dix-huitième étage, accrochai à la poignée de la porte la pancarte DO NOT DISTURB, m'enfermai à clé, éteignis la lumière puis me réfugiai dans la salle de bains.

67

Remshi

Je me laissai tomber sur le lit, dans un état franchement terrible.

«Qu'est-ce qui te donne à penser qu'elle est en danger?» me demanda Mia.

On venait de prendre nos chambres au Novotel de Suvarnabhumi. Pas franchement le premier choix, mais les magouilles quasi infaillibles de Damien ne suffisaient pas à retarder le lever du soleil, d'où l'impossibilité de s'éloigner davantage de l'aéroport. Les derniers jours avaient été frustrants. On serait allés plus vite en prenant des vols commerciaux, mais on aurait trop risqué de perdre la nuit — sans la pièce noire spéciale de mon appareil. Je voyais la lumière du jour embraser Justine sur son siège d'avion, à l'arrière d'un taxi ou dans le hall d'un hôtel exactement semblable à ce Novotel, et cette image me torturait. Hannah m'avait appelé trois jours plus tôt avec les renseignements nécessaires sur Duane Schrutt. *Duane*. Mes tâtonnements — Dale, Wayne — constituaient une gêne mineure, une poussière dans l'œil de mon esprit. Une gêne mineure, je le répète, car la gêne majeure était en réalité trop majeure pour être qualifiée de gêne. C'était un désastre. À répétition. J'avais subi plusieurs épisodes supplémentaires de… de quoi? D'inconscience; de nausées, l'esto-mac vide; de *faible comme un chaton* — je me las-sais de l'expression. Lever la main ou tourner la tête me demandait alors une énergie que je ressentais — dans mes muscles, mes veines, mes os — comme une impossibilité logique. Je n'avais aucun appétit. Le stock de sang de l'avion était à l'entière disposition de mes compagnons. Caleb n'aimait pas mon abstinence. Il la trouvait désagréable, à la manière dont les jeunes humains trouvent désagréable l'odeur de pastilles Vicks et d'urine des vieillards. Je lui disais que ça n'avait pas d'importance. Qu'à mon âge, on n'avait tout simple-ment pas besoin… on n'avait tout simplement pas aussi soif. Je le décevais maintenant de manière alarmante, ça se voyait. Ces vicissitudes ne m'avaient pas empê-ché d'ouvrir un compte suisse numéroté à Genève au nom de Mia puis d'y transférer cinq millions de dol-lars pour lui mettre le pied à l'étrier. (Après la mise à l'index des cinquante Maisons, il ne lui restait qu'un pitoyable compte courant à la Chase Manhattan. Autant cacher de l'argent dans une boîte à café.) Cinq mil-lions, ça paraît beaucoup. Ça ne l'est pas. Pas même en termes humains, de nos jours. Après tout, on est à l'époque de la blague d'économiste : *Un milliard par-ci, un milliard par-là… on ne va pas tarder à parler* sérieusement *argent.* J'ai vu des candidats de jeux télé perdre toutes dignité et retenue en gagnant *cent mille dollars*! Combien de temps croient-ils en profiter? Ils s'imaginent que leur vie a changé. Bien sûr que non. Sauf s'ils misaient aux courses à un million contre un et qu'ils gagnaient. Là, ils découvriraient peut-être où les emporterait la liberté. Qui et ce qu'ils sont vraiment… Quoi qu'il en soit, une espérance de vie infinie réduit cinq millions à rien. À de la *menue monnaie.*

«Tu m'entends? insista Mia.

— Hein? Oh... oui, bien sûr. Désolé. Je ne sais pas. C'est une nouvelle. Elle... elle est investie émotionnellement avec cette victime. Je lui ai promis de ne pas la quitter. J'espère juste qu'on n'arrive pas trop tard. Elle est un peu imprévisible.»

Les mains dans les poches de son blouson de cuir, Mia me regardait de haut. Elle était vraiment d'une beauté extraordinaire. La blondeur froide, le bleu froid des yeux, la peau d'une froide blancheur, la bouche d'un rouge chaleureux. Contraste saisissant, parfait. La beauté persiste à s'en venir et s'en aller, s'en venir et s'en aller... On ne peut le lui reprocher, car elle ne sait rien faire d'autre.

«Qu'est-ce qui se passe? s'obstina-t-elle. Qu'est-ce que tu as? Tu souffres?»

Tu ne serais pas un peu fragile, Nounours? m'avait demandé Justine, il y avait bien longtemps, semblait-il. Par moments, lorsque j'étais contraint de réfléchir à mon sens du temps, j'avais l'impression de regarder par la vitre d'un wagon pour découvrir que ses roues frôlaient le bord d'une falaise infiniment haute. Je me contraignis à m'asseoir, m'essuyer les yeux, pousser un petit rire.

«Tout va bien. Excuse-moi, je suis un peu... Désolé. La gentillesse me meurtrit.

— La gentillesse.

— Caleb et toi avez été très gentils avec moi.»

Un réflexe la poussa à répondre que je les payais — l'énorme réflexe tendu, toujours prêt, destiné à éliminer les sentiments à tout prix. Mais elle en vint à bout, difficilement, les mots au bord des lèvres.

«Tu devrais me donner le double de ta clé, murmura-t-elle à la place. Au cas où tu dormirais trop longtemps.»

Au cas où tu aurais une autre crise. Tous les vieillards que j'avais entendus dire : Je ne veux être un fardeau pour personne.

« Tu as entièrement raison. »

Je lui donnai le double, simple morceau de plastique
magnétisé, puisqu'il en va maintenant ainsi dans les
hôtels. Signe de mon état, cette constatation m'emplit
à nouveau les yeux de larmes idiotes. La pensée que le
monde humain allait de l'avant avec son courage vacil-
lant, sa folie inspirée, ses renversements sanglants, son
ignorance assourdissante. Il est difficile de ne pas aimer
la persévérance de votre espèce à faciliter les choses
du point de vue physique, alors que ça laisse juste
davantage de liberté pour se détruire mentalement et
que vous le savez, à présent. Les tire-bouchons. Les
planches à repasser. Les avions. Les téléphones portables. Vous me tuez avec tout ça. Marcher sur la Lune !
Des humains assis, tranquilles, à parler de marcher sur
la Lune. Conscients du barbelé mathématique vicieux
où ça va les enrouler, de l'échelle, du gigantisme ridicule de la tâche, oui, conscients de cet avenir, mais
persuadés malgré tout que ça se fera, parce que cette
entreprise géante se fragmente en milliers de détails
— y compris la manufacture de minuscules compo-
sants isolés et la nécessité de un moins un égale zéro.
Le labeur que vous êtes disposés à investir à partir de
là me brise le cœur. Et, dès que c'est fait, vous pas-
sez à autre chose. Mars. Le projet Génome. Le CERN.
J'y vois une sorte de nymphomanie, de satyriasis de la
conscience, une promiscuité irrémédiable du *continuer*.

Ça me manquera.

À la porte, Mia se retourna.

« Ça ira ? Tu ne veux pas que je... »

Je crus un instant qu'elle me demandait si je ne vou-

lais pas qu'elle reste avec moi, puis je compris qu'elle
envisageait de m'aider à gagner la salle de bains.

« Ça ira, assurai-je. Désolé. Tu dois trouver…

— Je trouve que tu dis trop souvent désolé. »

Ne te remets pas à pleurer. Ne recommence pas ces
couinements obscènes.

« Dors bien », ajouta Mia.

Un instant plus tard, elle était partie.

Me laissant affronter seul le sommeil — et le rêve.

68

Talulla

La «méthode» ne me fut ni expliquée ni démontrée.

«Quand vous aurez la preuve qu'elle fonctionne, me dit Olek. Sinon, vous trouverez ça trop incroyable, je vous assure.»

Il m'agaçait un peu, mais c'était son spectacle, il le ferait donc jouer comme il l'entendait. Au moins, il me dit ce qu'il voulait de moi. Je le suivis dans les escaliers jusqu'au niveau moins un, puis à travers les deux premières pièces du laboratoire. Une autre porte de chambre forte (où donc les *prenait*-il? Se les faisait-il livrer par la voie des airs?) ouvrait sur une troisième salle, identique à la première, quoique plus visiblement destinée à des expériences de physique. Il s'y trouvait un matériel impénétrable de verre et d'acier, mais aussi un tas d'appareils aux clignotements minimalistes et une très grosse unité réfrigérée — à pavé numérique.

«L'OMPPO n'est plus, nous le savons vous et moi, dit Olek. Ç'a toujours été une organisation mal fichue, peu réactive… on n'aurait jamais dû la qualifier d'*organisation*… mais ses spasmes d'agonie ont semé le chaos. Le chaos *total*. Peut-être en avez-vous été informée, mais nous lui avons acheté son matériel de recherche et ses découvertes. Les dirigeants nous ont presque tout vendu, parce que nous leur avons fait une meilleure offre que les *Militi Christi*. Ils bradaient l'ensemble pour obtenir des liquidités.»

Mon hôte faisait tourner autour de son index sa bague en or et grenat, mise en valeur par sa peau sombre.

«Leur division scientifique était complètement désorganisée. Il y avait eu tellement de changements de personnel, de directives conflictuelles venues d'en haut, de fuites précipitées. Murdoch… vous le connaissiez, bien sûr… Murdoch n'obéissait qu'à sa propre loi… Bref, je ne vais pas vous ennuyer avec les détails, mais en un mot comme en cent, ils ne savaient même plus à la fin de l'histoire de quoi ils disposaient du point de vue scientifique. Ils avaient consacré un argent et un temps fous à la recherche sur les lycanthropes… qui se trouvent faire partie de mes domaines d'expertise.»

Il tapa un code sur le pavé tactile, et le frigo s'ouvrit avec un halètement. Il y faisait manifestement plus froid que dans une chambre froide normale, mais les petites volutes d'air en expansion qu'il expulsa s'évanouirent rapidement, dévoilant des étagères couvertes de thermos noires. Olek me fit signe d'approcher. Parmi tous ces conteneurs noirs s'en trouvait un blanc, un seul.

«Pas question de le sortir, me prévint mon guide. Je ne peux pas me permettre une remontée de température significative avant d'être prêt à m'en servir.»

Pause. Théâtrale. Pendant laquelle il ne put dissimuler complètement son sourire.

«Bon, je donne ma langue au chat, soupirai-je. Qu'est-ce que c'est?»

Le sourire s'élargit.

«Vous n'avez vraiment pas deviné? Le virus.»

Il n'en dit pas davantage, se contentant de me

laisser additionner deux et deux, avant de refermer le réfrigérateur.

«Ils disposaient du matériel biochimique nécessaire pour le synthétiser. Tout était là, dans leurs notes et leurs données, ils étaient juste trop bêtes pour le voir. Ç'a été un jeu d'enfant. Je déteste les clichés, mais là, il est réellement impossible de relever le niveau.»

La fatigue m'avait envahie. Richard, mon ex (mon ex *humain*) avait un faible agaçant pour un proverbe français : *Plus ça change, plus c'est la même chose.*

«Vous voulez m'infecter, devinai-je. Une seconde fois. Vous n'êtes pas sérieux ? Non, oubliez ça, je sais que vous êtes sérieux. Je suis devenue tristement douée pour savoir quand les gens sont sérieux.

— Bien sûr que je le suis. Les vampires mordus par un loup-garou infecté montrent une tolérance accrue au soleil. Avez-vous une idée de mon âge, Talulla ?

— Bien sûr que non.

— Je suis né au vampirisme il y a plus de sept mille ans. Je suis vieux, y compris d'après les critères de mon espèce, et il ne me reste guère de temps. La lassitude finit par s'installer, même dans un monde aussi perversement fascinant que celui-là. D'ailleurs, je ne suis plus celui que j'ai été. Je présente des signes de… bref. Tout ce que j'ai appris au fil du temps me dit que je ne vais pas vivre éternellement. Vous lisez Bowles ?

— Bowles ?

— Paul Bowles. Le romancier. Je l'ai vu tout à la fin de sa vie, à Tanger. Un homme charmant. Figurez-vous que sa femme et lui ont vécu un moment à Brooklyn avec W. H. Auden et Gypsy Rose Lee. Dali a aussi passé quelque temps avec eux. Ils ont dû avoir des soirées extraordinaires ! Apparemment, ils cuisinaient à tour de rôle. Vous avez peut-être vu *Un thé au Sahara* ? »

Je l'avais vu, en effet. Avec Richard. Dans mon ancienne vie. Debra Winger, des Bédouins, du sexe — je ne me rappelais pas grand-chose d'autre. Le film ne poussait pas à lire le livre. Olek estimait que j'avais plus de chances d'avoir vu le film que lu le livre, ce qui me vexa (pourquoi pas ?) d'autant plus qu'il avait raison.

« Bowles en personne fait une brève apparition à la fin. Il se lance dans un petit discours qui est devenu célèbre, poursuivit Olek. Un extrait du roman, évidemment. Il dit : *Parce que nous ne connaissons pas l'heure de notre mort, la vie nous apparaît comme une source inépuisable. Les choses ne se produisent pourtant qu'un certain nombre de fois, un nombre d'ailleurs très réduit. Combien de fois encore te rappelleras-tu certain après-midi de ton enfance, si intimement inclus à ton être que tu ne peux concevoir la vie sans ces instants ? Quatre ou cinq fois, peut-être, et peut-être même moins. Combien de fois encore regarderas-tu la pleine lune se lever ? Vingt fois, peut-être. Une infinité, semble-t-il...* » Sourire, une fois de plus. À ma grande surprise, les larmes lui étaient montées aux yeux. « Je veux revoir le bleu des océans, Talulla. Je veux revoir l'ombre des feuillages dans l'herbe verte et regarder le soleil se lever. Pardonnez-moi le fumet du présage, mais j'ai le sentiment de ma finitude. »

Étonnant, ma foi. Un vampire pouvait-il désirer in fine autre chose que le soleil ? Tous autant que nous étions, pouvions-nous désirer in fine autre chose que ce qui nous était interdit ? Qui le savait mieux que moi ?

« Ça ne vous coûte rien, continua-t-il. Vous avez déjà été infectée. Je vous l'injecte, vous me mordez, nous suivons tous les deux notre chemin, chacun de notre côté. J'ajouterai l'antivirus dans la balance, vous le prendrez quand vous voudrez. Tout le monde y gagnera, puisque vos enfants mèneront en échange une vie normale, sans persécutions. Vous aussi, d'ailleurs, si vous en avez envie. Votre visage est connu, certes, mais je peux vous donner les coordonnées de quelques bons chirurgiens esthétiques. Vous vous occuperez vous-même des papiers d'identité, vous avez les contacts et les ressources nécessaires. Je vous ouvre une porte qui vous ramènera si le cœur vous en dit à la vie que vous avez perdue.»

Il avait l'air éminemment civilisé. Éminemment sain d'esprit. Je me demandai une fois de plus si on m'avait droguée ou s'il se livrait à une manipulation mentale de sangsue, car la simplicité de l'équation m'apaisait. Je me voyais aller chercher Zoë et Lorcan à l'école à Manhattan. Les livres. Les devoirs. La pleine lune perdait tout intérêt (sauf un intérêt esthétique bénin). Fini, le sang sur les mains. Étaient-ils assez jeunes pour oublier? Pourrais-je leur dire que tout n'avait été qu'un rêve?

«Pourquoi ne pas vous être servi de Devaz?» demandai-je. Malgré la suavité d'Olek, la vision de désespoir offerte par son prisonnier était encore toute fraîche. «Vous aviez un loup-garou à disposition. Je suis sûre qu'il aurait accepté de vous rendre service, d'autant plus qu'il doit être fauché. Il l'aurait fait pour cinquante dollars.

— Exact, acquiesça Olek. Quand je l'ai trouvé, il l'aurait fait pour un paquet de cigarettes ou une bonne paire de chaussures. Mais à ce moment-là, il me manquait encore quelques pièces essentielles du puzzle. Et je crains de m'être laissé emporter par la curiosité concernant la guérison. Vous ne pouvez pas savoir à quel point le timing m'a déprimé. Mais je tiens à répéter que quand j'ai testé la recette sur Devaz, c'était dans un esprit de scepticisme absolu. Je ne m'attendais tout simplement pas à ce que ça marche. Quelle leçon!»

Le réfrigérateur bourdonnait. En ce qui concernait Olek, il avait dit ce qu'il avait à dire. «Le chevalier Roland s'en vint à la tour noire» s'imposa soudain à ma mémoire : *Je pensai tout d'abord : il ment à chaque mot.*

«Remontons, décida mon hôte. Je ne m'attends pas à ce que vous me répondiez sans avoir la preuve de la guérison, évidemment. Et je ne veux pas que Mikhail et Natasha commencent à se demander si je ne vous ai pas fait quelque chose de déplaisant.»

Sur le dernier palier avant le rez-de-chaussée, il s'arrêta, se retourna.

«Vous êtes trop polie pour poser la question, mais je tiens à vous assurer avant de rejoindre nos amis que vos besoins alimentaires seront satisfaits. Il vous suffira de vous éloigner de cinquante mètres sous le couvert, passé le jardin. Cela vous semble-t-il acceptable?»

Je n'acquiesçai que parce que c'était la chose la plus simple à faire.

«Très bien, conclut-il. Allons retrouver nos compagnons.»

69

L'absurdité possède un élan propre auquel s'abandonner. De même que l'épuisement. Olek nous laissa «échanger les nouvelles», Konstantinov, Natasha et moi (Walker faisait le quatrième, l'invisible, bruyamment passé sous silence; sans doute avait-il résumé la situation à Konstantinov au téléphone… et, franchement, qu'y avait-il de plus dans la version intégrale?). Mais à deux heures du matin, le décalage horaire et le *lukos* rageur m'avaient menée jusqu'à mes limites. Je gobai quatre comprimés de codéine et gagnai ma suite, à l'étage, avec un grand verre de Macallan. On m'avait réservé un salon au parfum de cèdre orné de boiseries foncées, de peintures sur soie indiennes, d'un luth et d'une statue de Krishna, ainsi qu'une chambre aux murs pâles apaisants, au lit dominé par un énorme mandala encadré et au dallage couvert d'une vingtaine au moins des fabuleux tapis à franges. La salle de bains, avec baignoire indépendante et douche à l'italienne, était carrelée d'une mosaïque d'une douzaine de bleus différents. Des bâtonnets d'encens à la frangipane y brûlaient dans un minuscule pot en cuivre. Grishma, visiblement récuré de frais et les cheveux brillantinés, m'escorta avec une déférence parfaite jusqu'à mes

appartements, où il me remit un peignoir et les ser-
viettes blanches assorties. L'ensemble n'avait manifestement jamais servi. Les plaisirs sensuels s'offrent
en toutes circonstances, et j'étais à la fois assez fatiguée et assez mal à l'aise pour les prendre. Au bout
d'une heure de trempette, quand les cachets et l'alcool
m'eurent débarrassée de toute la nervosité dont ils pouvaient me débarrasser, je me glissai dans le grand lit
double. Il m'accueillit tel un amant qui m'aurait attendue mille ans.

Ce fut alors que je remarquai *Hommes et femmes*,
de Browning, posé sur la table de nuit en ébène. Le
volume était ouvert au début du poème «Le chevalier
Roland s'en vint à la tour noire»,

Tout ce qui en moi était capable de m'adresser un
message le fit aussitôt : *Dormir.*

Mais, bien sûr, je m'emparai du recueil.

Je pensai tout d'abord : il ment à chaque mot,
Cet estropié chenu, à l'œil plein de malice
Détourné pour épier l'effet de son mensonge
Sur mes yeux, et dont la bouche pouvait à peine
Cacher la joie qui la plissait et la ridait
Devant une victime encore ainsi gagnée.

L'orateur n'est autre que le chevalier (ou l'«infant»)
Roland, dernier survivant d'une bande de courageux
gaillards partis à la recherche de la tour noire. Suivant
les indications du vieil infirme diabolique (qu'il croit et
déteste tout à la fois), Roland s'engage dans un curieux
paysage d'horreurs et de difformités.

Pourtant, docilement,
Je pris le tournant qu'il montrait ; non par orgueil,

Ni par espoir se rallumant en vue du terme,
Mais par joie d'entrevoir un terme, quel qu'il fût.

C'est un long voyage (trente-quatre stances) à travers une fantasmagorie solitaire où Roland croise, entre autres, un cheval misérable.

Un cheval roide, aveugle, les os à fleur de peau,
Était là, hébété, quoi qu'il y pût bien faire —
Rejeté, comme usé, par l'écurie du diable ! —

Vivant ? Mort aussi bien, pour ce que j'en savais,
Avec ce cou tendu, plissé, maigre et rougeâtre,
Et ses yeux clos sous la crinière couleur de rouille.
Rarement fut tant de misère si grotesque :
Je n'ai jamais vu bête que j'aie haïe ainsi —
Méchante, à coup sûr, pour mériter cette peine !

Animaux mutilés, arbres torturés, boue apparemment «pétrie avec du sang», ruisseau où, forcé de marcher, le chevalier se persuade qu'il foule des cadavres de noyés. À mi-traversée, il plonge sa lance dans le lit du cours d'eau pour vérifier :

Ce peut être un rat d'eau que je perçai du fer
Mais pouah ! Son cri semblait celui d'un jeune
  enfant...

Je levai les yeux du livre.
J'avais entendu des pleurs de bébé.
Non, pas des pleurs... mais leur introduction, leur préambule, ce qu'on entend dans les instants périlleusement brefs où une intervention — avec nourriture,

couche propre, berceuse, baiser — empêche parfois de justesse les véritables pleurs.

Je me redressai.

Silence.

Presque-silence. La plomberie de la salle de bains refroidissait, et les cigales me régalaient de leur musique d'ambiance.

Pas de bruit humain. Pas de bébé.

J'étais plus que disposée (plus qu'assez ravagée, macallanée, analgésiquée) pour décider qu'il s'agissait de… de n'importe quoi. Une hallucination auditive, le fruit de l'assoupissement, la paranoïa ridicule de l'*Abbaye de Northanger*. Mais, malgré moi, je me levai, traversai le salon lambrissé, entrouvris la porte de la suite, à peine.

Le murmure bas de Natasha et Konstantinov, au rez-de-chaussée, rien de plus. Je tendis l'oreille au-delà de ce chuchotis. Étirai mon ouïe à travers les atomes compacts de la demeure.

Rien. Pas de bébé.

On chasse les choses de son esprit.

Je refermai la porte et regagnai le lit. Le poème.

Le voyage de Roland ne fait qu'empirer au fil des lieues de solitude infernale. Il cherche le réconfort dans l'évocation de ses valeureux amis — les autres chevaliers qui partageaient sa quête —, mais sa mémoire ne suscite que des visions grotesques et lamentables, car ses compagnons sont morts de manière honteuse, dégradante.

Il poursuit donc sa route sans espoir, le poème tout entier décrivant cette obstination désespérée, stance après stance. On y sombre, tandis que le paysage devient de plus en plus hideux :

Tantôt pustules, à couleur vive et sinistre,
Tantôt plaques, où la stérilité du sol
Crevait en mousse ou en matières suppurantes ;
Puis un chêne roidi, ouvert d'une crevasse
Comme une bouche convulsée qui fend sa lèvre
En béant à la mort, et meurt de son horreur.

Était-ce *réellement* un bébé ?

Il me sembla reprendre brusquement conscience. J'avais dû m'endormir en lisant. On trouve ça marrant, quelque part, fascinant, que la conscience plonge puis réémerge de cette manière.

Je me souvenais d'une scène, dans *Dracula*, je crois, où le comte apportait un bébé aux trois femmes vampires pour qu'elles s'en nourrissent.

Je me souvenais de la nuit où j'avais tenu un bébé dans mes grandes mains sombres en me demandant si je pouvais le tuer et le manger.

Le sujet souffre d'anxiétés relatives aux bébés, déclara mon thérapeute intérieur. Il s'ennuyait. L'ennui du thérapeute constitue le point final de toute thérapie.

Je me secouai physiquement. Pour me réveiller. Bêtement décidée à terminer le poème. (Malgré le souvenir de Devaz, recroquevillé sur son lit, qui me revint subitement. S'épanouit dans ma tête telle une grande fleur froide. Demain, j'essaierais de lui parler. Comment n'y avais-je pas pensé plus tôt ? Ma lenteur stupide m'horrifia, dans la chambre apaisante qui me soufflait de ne pas me montrer aussi dure avec moi-même. Avais-je *réellement* été droguée ? Tout ce qui m'entourait semblait décalé. Je me demandai une seconde si Natasha et Konstantinov en personne… Non. Pas eux. Leur amour et leur vigilance martelants en témoignaient. Seigneur, que m'arrivait-il donc ? À mon arrivée, j'étais bêtement restée assise dans la bibliothèque, j'avais demandé un scotch puis pris ce putain de livre sur le canapé. Comme si j'attendais mon audience avec un dignitaire mineur.)

Roland, totalement désespéré, maintenant, découvre de l'autre côté du ruisseau une chaîne de montagnes impossible à traverser.

> *Car regardant, je m'aperçus, confusément,*
> *Malgré l'ombre, que la plaine s'était changée*
> *En monts de tous côtés — s'il faut donner ce nom*
> *À de grands coteaux laids, vrais tas, surgis soudain.*
> *Comment fus-je surpris, devinez-le vous-même !*
> *Comment leur échapper n'était pas plus facile.*

Mais je savais. C'est ça, le truc. Le lecteur du poème sait toujours, quand il arrive aux montagnes.

> *Cependant je croyais à demi reconnaître*
> *Un méchant tour, qui me fut joué, le Ciel sait*
> *   quand —*
> *Dans un rêve mauvais, peut-être...*

Ma tête en feu me semblait énorme. Le *lukos* en avait assez de la lecture ; il avait recommencé à s'agiter, déchirait le voile tendu par la codéine et le scotch, me torturait de ses coups de griffes et de pattes rageurs. Mon rêve, mon unique rêve, le rêve auquel j'en étais réduite, tout proche, constituait un espace profond qui me collait à la peau — à croire qu'un vortex s'était ouvert dans le lit : si j'y tombais, si je m'y laissais tomber en douceur, j'y trouverais le vampire, le sexe, paradoxalement dense et transcendant, la plage au crépuscule, l'eau noire, la poignée d'étoiles.

D'un trait de flammes, il me fut révélé, soudain
Que c'était là ! Ces deux collines à ma droite
Baissées comme taureaux luttant, corne dans corne,
Tandis qu'à gauche, un grand mont chauve... Igno-
    rant, sot,
Qui somnoles au moment même de la crise
Que tu t'es préparé toute ta vie à voir !

Les mots erraient, des ailes d'insectes leur poussaient, puis ils s'éloignaient en bourdonnant. Toute
la folie du monde, absorbée sans protester ce jour-
là, croissait en moi jusqu'à sa taille véritable inassi-
milable. Il me semblait avoir laissé les heures et les
jours entasser sur moi leurs fardeaux moelleux mais
pesants : je m'étais rendu compte trop tard que je ne
pouvais plus respirer, que j'étouffais.

Tu es épuisée, c'est tout. C'est la *fatigue*, Lu. Je
m'imaginais mon père en train de me l'expliquer. Je
m'imaginais petite fille. Je me sentais toute petite dans
le grand lit. Le rêve m'aspirait, trou noir où j'allais
tomber et d'où je ne ressortirais jamais.

Qu'était-ce au plein milieu, si ce n'est la Tour même ?
Épaisse, ronde, aveugle ainsi qu'un cœur de sot,
Faite de pierre brune, sans rien qui lui ressemble
Au monde...

Bien sûr qu'on sait. Le poème tout entier donne une
impression de déjà-vu croissante. Comme quand on
tombe amoureux. On *tombe* amoureux.
. Roland contemple la Tour Noire — et on s'aperçoit
qu'on ne s'est même pas demandé pourquoi il la cherchait. C'est une quête, oui, mais que va-t-il gagner à la
remplir ? Le poème ne le dit pas, et on ne se pose pas

la question. Quand on commence à lire, on signe un contrat. Comme avec la vie.

Et donc, quand il la trouve? Cette chose qui a failli le tuer et qui a mené tous ses compagnons à une mort aussi sanglante que honteuse?

... le bruit est partout?
Il tintait, s'enflant comme cloche. À mes oreilles,
Les noms de tous les paladins défunts, mes pairs —
Et qu'un tel était fort, et tel autre était brave,
Et ce troisième heureux ; cependant tous jadis
Perdus ! Un instant sonne un glas d'années de deuil.

Ils étaient là, rangés au long des monts, venus
Afin de voir mon dernier jour, cadre vivant
Pour un tableau de plus ! Dans un flot de lumière
Je les vis et je les reconnus tous. Pourtant
Sans trembler, j'embouchai la trompe et sonnai
« Le Chevalier Roland s'en vint à la Tour Noire ! »

70

Justine

Jusqu'ici, je m'étais contentée de courir après ma propre bêtise. Je m'aperçus d'ailleurs dans le taxi que je ne savais même pas s'il était là. Chez lui. J'avais son numéro de fixe — pourquoi ne pas avoir tenté un coup de fil ? Parce que j'avais peur d'entendre sa voix ? Parce que, comme celle de Leath, elle me rappellerait que je n'étais rien ?

De toute manière, je l'entendais dans ma tête. Depuis. Sa voix dans ma tête, le battement de son cœur contre moi, un cœur apparemment aussi gros qu'une tête de taureau.

Il vivait dans une maison, sur une colline, à une vingtaine de kilomètres de Bangkok. Google Map m'en avait montré la photo aérienne, mais impossible de contraindre la petite silhouette humaine à me livrer une image de la rue. Le satellite m'avait juste donné un toit rouge, une cour dallée rose saumon, ornée de plantes colorées poussant dans de gros conteneurs, et une petite piscine bleu pâle. Les pubs télé réduisaient toujours une vie réussie à un type sirotant un cocktail au bord d'une piscine, vautré sur une chaise longue, alors que les piscines des images satellite ressemblaient aux carreaux d'une mosaïque. Jamais plus je ne verrais un bassin au soleil. Pas dans la vraie vie. Ça devait être carrément bizarre pour Nounours d'avoir perdu le jour depuis des milliers d'années, avant la télé, la photo, Internet. Avant même l'imprimerie correcte. Je lui avais demandé quel effet ça lui faisait de voir le jour sur papier ou écran. Il m'avait dit qu'au début, c'était un vrai miracle. Qu'il avait fondu en larmes devant son premier film couleurs et qu'il était resté là à regarder, les joues ruisselantes. Mais qu'au bout d'un moment, ça rappelait l'air recyclé.

Le taxi me déposa à un kilomètre de la maison, sur une route qui montait la colline en lacets. Il était plus de deux heures ; le soleil se lèverait dans trois heures cinquante-cinq minutes. Je ne voulais pas avoir trop de temps. Je voulais même être obligée de faire vite. Le temps m'évoquait un compagnon imprévisible, capable de me pousser à quelque chose d'idiot. L'air thaï était bien tel que je m'en souvenais — chaud, compact et doux —, mais il se débattait dans mes narines toutes neuves. Asphalte suant, terre à la puanteur de serre, suave et dense, accompagnés où qu'on aille de gingembre en train de frire, de noix de coco, de riz et d'égouts. Des deux côtés de la route s'étiraient trois ou quatre rangées de palmiers, entre lesquelles couraient les allées de gravier blanc menant à la vingtaine de maisons alentour. À mi-chemin du sommet, je me retournai. Un practice brillamment illuminé, que je n'avais pas encore remarqué, s'étendait en contrebas. Quelques types y fumaient, riaient, tapaient dans des balles de golf. Ils avaient l'air un peu saouls. Je me demandai une seconde s'il était là en bas, s'il faisait partie de la bande, mais un minimum de concentration me permit de constater qu'il s'agissait de jeunes en «uniforme» : pantalon à carreaux ridicule, pull à coll en V et même chaussures de snobinard. Lui, je ne l'imaginais qu'en salopette bleu foncé, puant l'huile de moteur, la cigarette et la sueur.

Je m'arrêtai devant le mur qui défendait la piscine du patio. Mes mains tremblaient. Deux lampes brillaient dans la maison (de plain-pied, celle-là aussi, même s'il n'existait pas plus différent du trou à rats de Leath); l'une derrière une fenêtre en verre givré — sans doute la salle de bains —, l'autre dans une pièce plus vaste, presque à l'opposé. Je m'étais beaucoup demandé ce que je ferais s'il n'était pas seul. Je m'étais dit et répété que je saurais gérer, au cas où. Sauf que je ne savais pas, en réalité. La question m'avait juste tourné dans la tête comme les fringues dans un sèche-linge. Je l'avais laissée tourner sans connaître la réponse. Sans même croire au fond à son utilité.

Je passai par-dessus le mur.

La facilité de la chose m'aida. La force et le silence auxquels je ne m'étais pas encore habituée. Des amis qui, maintenant, seraient toujours là avec moi.

La porte n'était pas fermée à clé.

Elle ouvrait dans un petit vestibule carrelé de blanc, totalement vide si on oubliait le short de bain mouillé abandonné par terre. Odeur de chlore et d'oignon brûlé. Derrière la deuxième porte à droite s'élevait le son de la télé.

71

Il ne dormait pas. Il était assis en sous-vêtements dans un fauteuil en rotin, les pieds sur le lit, l'ordinateur portable sur les genoux. Les détails sautent aux yeux : je remarquai aussitôt l'ongle noirci de son gros orteil droit puis ses grands pieds gras. Il était tout entier grand et gras, le torse couvert d'une véritable toile d'araignée de poils gris sale. Une odeur de whisky et de cigarette l'enveloppait. Sa sous-occlusion dentaire et ses bajoues en poires lui donnaient une tête de bulldog. Ses cheveux, rejetés en arrière, avaient viré au gris et s'étaient raréfiés, mais ses favoris et ses sourcils restaient veinés de noir sur son énorme tête. Un verre et une sorte de croissant attendaient sur une petite table en plastique blanche, à côté de son fauteuil.

Le sol s'inclina sous moi, m'obligeant à me cramponner à la poignée de porte pour garder l'équilibre. Le bruit le fit sursauter, violemment.

Son ordinateur bascula, mais je ne cherchai pas à regarder l'écran. Je savais ce que j'y verrais. Quelque chose dans quoi je tomberais.

La scène aurait pu être comique, car il voulut ramasser le portable tout en dissimulant l'avant de son caleçon mais, la panique aidant, donna un coup de pied dans l'appareil, qui alla heurter le bas du lit et se referma à moitié. Alors il se jeta à genoux pour l'attraper. Moi, un poing me serrait les entrailles, parce qu'une facette distincte de mon être voyait bien que ce serait marrant dans une vidéo de YouTube. Il y avait un livre à la maison, à Los Angeles, *Voir le voir*. Voir les choses sous des angles assez nombreux menait à une forme d'épuisement.

«Qu'est-ce que… Qu'est-ce que vous fichez là, bordel de merde? Qui… Foutez-moi le camp! Qu'est-ce que vous croyez, à entrer comme ça, nom de Dieu?

— Rien.»

Prononcer ce seul mot me demanda beaucoup de temps, du moins me le sembla-t-il.

«Qui êtes-vous? C'est une putain de propriété privée.»

Quelque chose dans la manière dont je le regardais, dans mon immobilité absolue. L'idée lui vint soudain que j'étais armée, parce qu'il ne percevait en moi aucune peur.

Je n'avais pas peur. J'étais juste tentée, une tentation pesante de droguée, de me coucher par terre et de laisser arriver ce qui allait arriver, une fois de plus. Il avait vécu, toutes ces années durant — les images me venaient : il poussait un chariot dans un supermarché, en proie à l'ennui ; il vidait un cendrier ; il contemplait sa bière, les yeux plissés au soleil, allongé sur une chaise longue. Malgré ses crimes, il ne lui était rien arrivé. Il avait même gagné au Loto. Une fortune. Un jour, une religieuse avait dit à la télé que la souffrance ouvrait la voie à la grâce. Que pardonner à ceux qui vous faisaient souffrir ouvrait la voie à la grâce. Nounours, lui, disait : S'il existe un Dieu, il est accro à la foi. Mais, sans le mal, personne n'a besoin de la foi. Je ne peux pas me passionner pour un Dieu dont la divinité est basée sur une dépendance de drogué.

«Qu'est-ce que t'as pris, bordel? Du *crack*?»

Son érection avait disparu. Maintenant qu'il s'était levé, je distinguais les petites poches de graisse au-dessus de ses genoux. Son gros ventre luisant. La panique refluait en lui. Il ne me croyait plus armée, juste défoncée. Mais ce qu'il avait fait, ce qu'il était, les secondes les heures les jours les années passés à le cacher, obligeaient son esprit à examiner à une vitesse folle les différentes manières dont mon intrusion pouvait être liée à son secret et en dépendre.

Le dégoût me souleva à nouveau. Le dégoût qui, en cas d'inaction…

S'il n'avait pas bougé, s'il ne s'était pas approché, je serais peut-être restée paralysée.

Il tomba quand je le frappai. Je ne me rappelle pas. Mes pieds ne touchaient plus terre. L'air défilait sous moi. Je dépassai un tableau bon marché encadré de blanc, où un matador tout d'or et de rouge portait l'estocade à un taureau (le cœur aussi gros qu'une tête de taureau, l'ensorcellement). Un réveil digital, dont le chiffre 9 scintillant me rappela la sensation de manquer de sommeil, quand les paupières papillotent.

Ne bois pas.

Je ne voulais pas savoir.

Mes ongles plongèrent si facilement dans la chair tendre de sa gorge. J'étais sur lui. Sur son corps, solide matelas à eau. Son visage tout proche. Les capillaires de ses yeux. Son haleine à l'odeur de déshydratation au whisky. Son cœur tête de taureau. La familiarité de son pouls.

Quand j'en aurai fini avec toi, tu seras tellement crade que tu n'arriveras *jamais* à te nettoyer.

Ne bois pas.

Je ne voulais pas savoir. Non non *non*.

Ma main se referma sur la tuyauterie humide de sa gorge. Tira. Il en sortit une bonne partie. Ses yeux écarquillés se révélèrent trop petits pour toute sa surprise, ses jambes s'agitèrent à des kilomètres de là, tentant quelque chose, une autre répartition de son poids qui ne lui ferait aucun bien. Sa faiblesse fit remonter en moi fatigue et dégoût. Le pouvoir que j'avais sur lui éveillait ma colère, mais me donnait aussi une impression de vide. Quand l'ongle de mon pouce traversa un gros vaisseau sanguin glissant — une artère, je suppose —, son sang se déploya en l'air comme un éventail espagnol. Je n'aurais su dire ce que je voulais : que le moment soit davantage, qu'il soit assez, qu'il soit *extra*ordinaire. Les faits étaient ordinaires — les veines, la fontaine faiblissante du sang, les talons gras qui martelaient le sol, le visage qui passait par des expressions futiles. Ma colère et mon impression de vide s'en trouvaient accrues. Je compris brusquement que je n'irais pas chez ma mère, parce qu'elle se réduirait elle aussi à une collection de faits. Une petite collection. Voilà ce qui arrivait : les faits ordinaires rapetissaient les gens concernés — ou, plutôt, grandissaient ceux qui parvenaient à les voir. Les êtres perceptifs devenaient plus vastes que les faits, assez pour les contenir, de gré ou de force.

Ne bois pas.

Mais il le fallait. Il le faut toujours. Il faut savoir.

72

Remshi

Il pleuvait. Fort. Un de ces déluges asiatiques évoquant de brusques explosions d'ardeur religieuse. Caleb avait insisté pour nous accompagner, alors que sa mère ne voulait pas qu'il vienne. Mon état le fascinait.

Mon état.

À vingt mille ans, on finit par croire qu'on a tout vu.

Leçon à méditer sur le choix de mes déclarations. Parce que je n'avais pas vu ça. «Ça», autrement dit un pot-pourri de symptômes en pleine expansion, depuis les plus bénins — tête en feu, vision périphérique à la bordure psychédélique d'arcs-en-ciel sur verre taillé ou de pixels pétillants, pieds et mains fourmillants — jusqu'aux plus graves — brusques crises de soif éclatantes, indissociables de nausées tonitruantes à l'idée de boire. Je n'avais pas bu *du tout*. Pas depuis Randolf, qui me semblait remonter à une éternité.

J'aurais supporté l'ensemble sans l'avalanche continuelle des souvenirs. Je suis habitué aux flashs, aux bombes incendiaires, aux fugues de la remémoration, mais il s'agissait là d'inondations. De *crues* qui enflaient en moi telles des eaux noires hallucinogènes, menaçant de me priver d'air. Les choses, les gens, les endroits, les bribes de conversation, immenses remontées asphyxiantes de détails inassimilables qu'il fallait pourtant assimiler, ces poussées se faisant parfois duelles : la vue depuis le toit terrasse d'un temple minoen que j'aimais tout particulièrement heurtait de front dans l'œil de mon esprit le salon d'une famille salvadorienne dont les six membres, décapités, évoquaient des mannequins brisés sous un chœur de mouches extatique ; la salle de massage incrustée d'or du palais de Xianyang, avec la jolie masseuse que Qin Shi Huang aimait tant non seulement pour ses talents manuels, mais aussi pour sa réserve apparemment inépuisable de blagues salaces... accompagnée d'un petit tambour blond barbouillé de boue, errant, en larmes, parmi les morts d'Hastings et poussant un brusque hurlement à la vue du corbeau qui cueillait dédaigneusement les yeux d'un archer défunt ; la ligne des toits de Paris au clair de lune, avec la tour Eiffel inachevée... joue contre joue d'un conteur sumérien édenté, au visage aussi brun et luisant qu'une selle graissée, qui riait dans la lumière du feu. Un unique thème persistait : les amis défunts. Amlek, un pieu dans le cœur, sur une place du marché grecque ; les restes noirs et visqueux de Mim, entourés de Hittites bouche bée dans la clarté des torches ; la photo de la tête d'Oscar piquée au bout d'une perche, dans la main d'un officier SS, à Berlin ; Gabil quittant la caverne pour ramper vers le soleil levant...

Ce déluge, oui, privé de la logique du corps — mais, à travers ce chaos, la pensée que s'il était arrivé malheur à Justine, si elle avait eu le moindre ennui, c'en serait trop pour moi, je ne le supporterais pas.

«C'est lui qui aurait dû rester à l'hôtel», déclara Caleb.

Il m'arrivait si manifestement d'être ailleurs qu'il parlait parfois de moi comme si j'étais sourd.

Mia ne répondit pas. Damien nous avait fourni une camionnette Transit (équipée d'un compartiment noir rudimentaire, puisqu'une plaque d'aggloméré séparait l'arrière du pare-brise), qu'on avait garée au pied de la colline, au bord de la route menant chez Duane Schrutt.

«Ne bouge pas de là», ordonna Mia à Caleb.

Il n'y prêta aucune attention, descendit côté passager puis resta planté sous l'averse battante, manifestement mécontent de sa décision. Il ne grossirait jamais, malgré sa maigreur cruelle. La pluie me réveilla légèrement, hiatus bienvenu. Pots en or ciels nocturnes *Kojak* Cadillac fluo vols d'étourneaux chameaux somnolents Shakespeare inconscient la tête (pas chauve) sur la table de la taverne statue de la Liberté illuminée a giorno Farrah Fawcett dont le sourire donnait toujours un peu l'impression qu'on lui avait fourré deux doigts invisibles dans les joues pour les étirer vent frémissant froissant l'herbe de la prairie obscure village paysan russe illuminé tout en douceur par la neige scintillante montant jusqu'aux cuisses... Tout cela et bien plus encore disparut momentanément. La réapparition était pour bientôt, je le savais.

«Ça va? me demanda Mia. Tu tiens... ?»

Tu tiens debout? Car, à vrai dire, je ne me débrouillais pas très bien. Je rassemblai ma volonté, à croire que je voulais soulever un piano, malgré mes poignets cassés, et finis par me retrouver à la verticale. Par redresser le dos et pencher la tête en arrière pour laisser la pluie me tomber quelques instants dans la figure. Elle me fit le plus grand bien. N'y pense pas. Concentre-toi sur ce que tu as à faire.

Ne pense pas à quoi? Au fait que tu sais quelque chose sans savoir quoi?

« Ça va, acquiesçai-je. Allons-y. Je sens qu'elle est là. Tout près. »

Elle se trouvait dans la chambre de Schrutt, blottie contre le mur sous un tableau de mauvais goût représentant un matador avec un taureau. Les genoux relevés jusque sous le menton, les bras noués autour des jambes, le regard fixe, le visage et la poitrine couverts de sang. On l'aurait crue tout droit sortie d'un film d'horreur. D'un film gore, même. Ce qui, bien sûr, était le cas.

« Il ne lui était rien arrivé. » Elle n'avait absolument pas l'air surprise de nous voir débarquer. Ses yeux sombres rougis étaient adorables. « J'ai regardé en lui. Leath, oui, ça lui était arrivé. Mais pas à lui. »

Je m'approchai d'elle. Ne pleure pas, vieil idiot. Quoi que ce soit (je savais ce que c'était ; pas besoin de télépathie), ça l'avait brisée de manière à ce qu'elle grandisse. Lorsque je lui touchai l'épaule, je sentis son passé se racornir, durcir, devenir quasi négligeable. Quasi. J'étais si heureux de la trouver en vie. Je m'étais persuadé de sa mort, allez savoir pourquoi. Une terrible impression de mort s'était imposée à moi.

« Viens, ma puce, on y va. N'y pense plus. »

La trouver physiquement intacte représentait un pur plaisir, comme une chute de neige dans une forêt. Ses précieux détails. Merci, me dis-je. Oui, merci beaucoup.

« Je suis désolée, reprit-elle. Je suis sincèrement désolée. »

Ce n'était pas à moi qu'elle s'adressait, mais à elle-même. À son ancienne version, pour qui la vengeance n'avait aucune suavité, mais représentait un triste enseignement.

Je la pris dans mes bras et la serrai quelques secondes contre moi. L'épuisement et la palpitation douloureuse de mon corps me semblaient des signaux émanant d'une cellule capitonnée, à des centaines de kilomètres de là.

«Il faut y aller», intervint Mia.

Caleb retrouvait intact le malaise imposé par son enveloppe juvénile. Il avait beau être plus vieux que Justine en tant que vampire, elle le verrait toujours comme un enfant. L'énergie investie dans sa conscience de soi se mobilisait, foyer de chaleur concentrée tout proche.

«Il ne faut pas rester là», insista Mia, merveilleusement calme.

Mais Justine posa la tête sur mon épaule et ne fondit pas en larmes. Un instant de néant s'écoula, de simple paix, parce que je la tenais, vivante, bien réelle dans mes bras. Caleb, qui fouinait, ramassa l'ordinateur.

«Ne regarde pas, dit Justine.

— Hein? Quoi donc?

— S'il te plaît. S'il te plaît, n'y touche pas.»

Il se tourna vers Mia.

«S'il te plaît», répéta Justine.

Il reposa l'appareil par terre.

«Prête?» demandai-je à Justine. Schrutt se débattait toujours en elle, je le sentais. Elle avait bu sans en éprouver le besoin, sans soif. Voilà pourquoi le sang luttait contre elle. Elle n'aurait pu faire pire que rester assise dans son coin. Il aurait mieux valu qu'elle bouge, qu'elle dépense son énergie pour encourager, forcer la conversion.

«J'ai les jambes toutes molles, dit-elle. Je suis désolée, Nounours. Je te fais des ennuis.»

Je l'embrassai sur le front et la pris par la taille pour l'aider à se remettre sur ses pieds.

Je m'aperçus alors que je n'arrivais pas à me remettre sur les miens.

73

Talulla

La lune n'allait pas tarder à se lever. Les fibres du peignoir paradisiaque, si moelleuses soient-elles, torturaient ma peau par abrasion. Je pensais au malheureux Lorcan et aux tourments qu'il éprouvait dans sa chair (sans parler de son esprit) avant la Transformation. Zoë ne présentait pour l'instant aucun symptôme ni effet secondaire discernables, mais ça ne durerait peut-être pas. Autant que je le sache, c'étaient les deux premiers lycanthropes nés de toute l'histoire. Et si la puberté marquait en ce qui les concernait le début d'une nouvelle phase ? Si l'adolescence leur réservait toutes sortes de mauvais tours hormonaux qui feraient passer mes tribulations mensuelles pour le thé de l'après-midi ?

Vous n'en voudrez peut-être pas pour vous, mais pour vos enfants, oui.

Lorsque j'avais demandé à parler à Devaz, un peu plus tôt, Olek avait secoué la tête.

« Je regrette, mais j'ai mis Christopher sous sédatif. Il devient claustrophobe, le pauvre. Il se réveillera bien assez tôt. »

Mon stratège passait toujours au crible ses moindres mots, à la recherche d'une tentative de manipulation, en vain. Outre qu'Olek restait indéchiffrable, je me découvrais incapable de garder l'esprit affûté. Depuis mon arrivée, où je m'étais assise dans la bibliothèque, on aurait dit qu'un tranquillisant gazeux m'enveloppait à chacune de mes inspirations d'une couche d'engourdissement supplémentaire. Tout ce que je faisais présentait un curieux caractère d'inéluctabilité, comme si l'air même m'obligeait en douceur à bouger, que je porte mon verre de Macallan à mes lèvres, monte l'escalier ou parcoure laborieusement «Le chevalier Roland», la nuit précédente. Je n'arrivais pas à chasser ce poème de mon esprit, coincée que j'étais dans une sorte de cercle vicieux mental affolant : La tour noire, c'est la fin... L'intérêt d'arriver à la fin, c'est de se rendre compte qu'on est arrivé à la fin... la quête n'a pas de but... La tour noire, c'est la fin... La fin, c'est l'accomplissement... ma première pensée fut, il ment à chaque mot...

On frappa à ma porte.

«Vous êtes prête?» s'enquit Olek quand j'allai ouvrir.

Sa tenue de détente avait cédé la place à un costume en lin lavande et une chemise en étamine vert pâle. L'excitation exaltait une fois de plus son odeur. Supportable, mais inconfortable, avec ma nature capricieuse si près de la surface. J'eus malgré moi un mouvement de recul.

«Oui, ajouta-t-il, je suis désolé. Je vous attends dans le jardin, d'accord?»

La porte de la bibliothèque, ouverte, me dévoila Natasha et Konstantinov, installés sur un des canapés. Ils écoutaient les suites pour violoncelle de Bach, elle allongée, les pieds nus posés sur ses genoux à lui, qui les caressait distraitement. Ils partageaient une vague pitié ravie pour le reste du monde, qui ne jouissait pas d'un amour pareil. Leurs regards se levèrent vers moi — Natasha, silencieusement interrogatrice : Ça va ?

Je hochai la tête. On oublie à quoi on répond de cette manière. Oui, ça va. À part les idioties pré-tuerie habituelles. J'étais plus divisée que d'habitude, aussi. La faim imposait bien sûr son tympanisme sanguin, aggravée par le repas avorté du mois précédent — l'impatience du *lukos*, danseuse de cabaret se tortillant sous ma peau. Pourtant, mon moi humain subsistait, lourd, statique, étonnamment dégoûté de lui-même. Et la conscience fanée, lépreuse, se traînant dans mon sillage, impuissante, tout juste capable de dire et de répéter que c'était immonde et que j'aurais dû avoir honte. Mais je me fichais de la conscience ; ce qui me tracassait, c'était la fatigue, l'humaine fatigue de savoir que la vie allait devenir de plus en plus difficile. La mienne et celle de mes enfants.

Olek fumait une cigarette dans le jardin, adossé à la grande sculpture de pierre bleue. À mon arrivée, il se redressa, souriant. La lune dépasserait l'horizon d'ici deux minutes. Le peignoir aurait aussi bien pu être infesté de vermine ou doublé de barbelés. Une de mes vertèbres gonfla, avant de reprendre sa place. Les nerfs de mes doigts et de mes orteils s'enroulèrent, vibrèrent. J'avançai de deux pas titubants, crus que j'allais tomber, mais repris l'équilibre.

« Vous trouverez ce qu'il vous faut jute derrière les banians, là, dit Olek. Mais ne vous pressez pas. Prenez votre temps, je vous en prie. » Son excitation se manifestait par un calme physique luxuriant et un sourire inextinguible — une énergie ravie terriblement séduisante. « Une fois prête, revenez à la maison, descendez au labo puis rejoignez-moi au niveau inférieur, celui où je vous ai emmenée hier, devant la cellule de Christopher. Vous m'y trouverez, je vous le promets. Il sera humain. Humain, trop humain, comme le veut l'expression consacrée.» Olek lâcha son mégot et l'écrasa de la pointe de sa chaussure. «Maintenant, je vais vous laisser.»

Pas une seconde trop tôt.

À dix mètres des banians qu'il m'avait montrés, j'arrachai le peignoir et tombai à quatre pattes. De grosses fleurs rouges me frôlaient les épaules et les seins. La terre chaude tintait sous moi. Le *lukos* cessa ses gesticulations épileptiques burlesques pour se tourner vers les forces fluides qui me tordaient les os et s'emparaient de mes tissus. Passa la main du haut en bas de ma colonne vertébrale tel un pianiste exhibant ses enjolivures. Impression de deux énormes bulles de papier bulle explosant dans mes genoux. La tête du monstre se frayant son chemin par secousses dans la mienne — la seconde où on se dit que la peau va se déchirer, *forcément* —, compression émoussée du crâne animal suivie d'un bond, quand les canines jaillissaient des gencives et qu'enflait la langue brûlante. Brève douleur saisissante dans le poignet gauche, car le radius et le cubitus se désynchronisaient. Puis les griffes, ensemble, cri de joie collectif au bout des doigts et des orteils ; cinq secondes des dernières expansions, conscience forcée par un étroit tunnel obscur jusqu'à une renaissance brutale.

Vous trouverez ce qu'il vous faut.

Je trouvai, en effet.

Dix-neuf ou vingt ans, nu, effondré, quasi inconscient, au pied d'un arbrisseau autour duquel on lui avait lié les mains. Je le pris très vite. La drogue — et l'ardeur de la faim — lui épargnèrent de longues souffrances. Repas lamentable, car le meurtre avorté du mois précédent avait laissé le *lukos* désespéré, et le désespoir m'obligea à me hâter. Trop pour badiner, pour jouer, pour jouir des délices quasi insupportables de la prolongation, lorsque la proie voit ce qui va se passer, ce qui se passe. Je me contentai de lui ouvrir la gorge et de tomber comme un avion en panne dans le sang et la viande sombre que je dévorai avidement, à peine consciente des fragments de vie associés — un bateau de pêche, le petit visage de sa mère, à l'incisive manquante, l'air chaud soufflant au-dessus de lui quand il parcourt à vélo une rue flamboyante de soleil, sa main sur le sein nu d'une vendeuse du marché, des jours et des jours de soleil sur l'eau, le claquement des flots contre la coque le bois du plat-bord agréablement chauffé par le soleil le vent attrapant la fumée de sa cigarette le tambour de l'épuisement dans ses mollets ses épaules ses poignets. Puis la faim mua en satiété meurtrie qui m'obligea à m'arrêter, car elle ne tarderait pas à devenir écœurement. Une partie de moi en avait envie, une partie de moi voulait aller jusqu'au dégoût parce que les choses avaient mal tourné, parce que je me sentais perdue, parce que le monde en avait après nous et que faisais-je, à part briser le cœur des hommes de bien, trahir mes enfants, et qu'étais-je à part une immonde petite dégoûtante jamais contente, quoi qu'elle puisse avoir ?

Le ciel était dégagé. Le jardin luisait et scintillait, conscience impassible, silence joyeux où aurait dû tonner le jugement de Dieu. Dressée près de la sculpture, je laissai la lune obèse me baigner de sa clarté. *Elle ne te purifiera pas.* Mon souffle s'apaisa. La vie dévorée trouva son chemin hésitant vers le chœur des morts engloutis.

Enfin, je regagnai la maison.

«Allez-y», me dit Olek, à la porte de la pièce au miroir sans tain. «Vous aurez la preuve que ça marche.»

J'étais surprise qu'il veuille bien me voir seul à seule. L'odeur de son espèce, à présent épaisse et sombre à mes narines, menaçait de retourner mon estomac bien rempli.

Je tendis le doigt. Vous d'abord. Natasha et Konstantinov avaient beau m'attendre au rez-de-chaussée, un instinct profondément ancré me soufflait d'être prudente. Il comprit. Hocha la tête et me précéda. Je dus me baisser pour le suivre. Mes dimensions de lycanthrope rapetissaient la pièce — et plaquaient l'odeur du vampire contre moi.

«Vous voyez», dit-il.

Devaz était assis sur son lit, les genoux remontés jusqu'au menton, la tête basse. Inchangé. Intransformé. Humain.

«Comment vous sentez-vous, Christopher?» demanda Olek par l'intermédiaire de l'interphone.

Le prisonnier leva la tête. Malgré ses yeux rouges, il avait l'air complètement normal. Il n'aurait pas dû. Il aurait dû avoir le même air que moi. Je me demandai un instant si mon hôte n'avait pas appris à isoler une pièce de manière à la protéger des effets de la lune, mais j'avais moi-même été enfermée loin sous terre plus d'une fois. Ça n'y avait rien changé.

«Laissez-moi sortir.»

Devaz paraissait toujours aussi épuisé.

Indifférent à sa requête, Olek relâcha le bouton de l'interphone et se tourna vers moi.

«Alors? Vous êtes impressionnée?»

Sans répondre, je ressortis, la tête basse. Il me suivit.

«Je ne vais pas vous expliquer maintenant comment

ça marche, ce serait fastidieux. Vous aurez des questions, qui nécessiteront évidemment vos capacités vocales habituelles. En attendant, reposez-vous, digérez, réfléchissez. Vous êtes ici chez vous, avec vos amis. Après vous, je vous en prie. »

De retour dans le vestibule, au rez-de-chaussée, il s'alluma une nouvelle cigarette.

« Si vous préférez ressortir, ne vous gênez pas. Il n'y a pas d'autre maison à trois kilomètres à la ronde, vous ne serez pas dérangée. Et ne vous inquiétez pas pour les restes. On s'en occupera. J'ai du travail au labo, mais si vous avez besoin de quoi que ce soit, faites-moi prévenir par vos amis. »

Je passai la nuit dans le jardin. Rassasiée, objectivement furieuse, en proie à une tristesse intermittente. Quand je pensais à Walker. À l'avenir. À mes enfants.

74

Justine

Je l'avais déjà vu comme ça. Après Londres. Après la Crète. Après Talulla. La tête en feu. Les membres comme enflés. L'haleine puante. Sombrant par moments dans l'inconscience, et incohérent quand il était conscient. Sans force : lever la main lui coûtait un effort, et il n'arrivait pas à en faire autant de la tête.

« Il faut le ramener à l'hôtel, décida Mia. On ne peut pas passer la journée ici, vu son état. »

Par « ici », elle voulait dire dans le Transit. Où il avait fallu porter Nounours depuis la villa de Schrutt. On s'était arrêtés à mi-chemin de l'aéroport parce que, à un moment, il s'était brusquement assis, prêt à vomir. Sauf qu'il n'avait pas vomi. Il avait juste eu des nausées, comme si on lui avait donné une série de coups de poing dans le ventre. Il nous restait trois heures de nuit. Je savais de mieux en mieux ce genre de choses, sans avoir besoin de montre.

« Qu'est-ce qui lui arrive ? demandai-je. C'est normal ? »

Mia secoua la tête.

« Je n'ai jamais rien vu de pareil. Je n'en sais pas plus que toi. »

Bizarre. On se cherchait les uns les autres à tâtons,

mentalement. Schmuck m'avait transmis le nécessaire à leur arrivée, dans la confusion des premiers instants — AMIS. PAS PEUR. CONFIANCE. —, mais les deux autres et moi continuions à tester nos limites. Mia avait fini par dresser un bouclier, poliment, si je puis dire, genre, Il s'en passe déjà assez, il vaut mieux discuter. Quant au gosse, il avait beau rester grand ouvert, je lui fichais une paix royale. Moi, je ne savais même pas si je *pouvais* me protéger.

Je ne me sentais pas bien non plus : je n'aurais pas dû boire sans en éprouver le besoin, mais je n'avais pas pu m'en empêcher. Le corps délirant de Nounours surchauffait l'arrière de la camionnette. Le gamin, Caleb, était sorti fumer sa clope. Silencieux, terrifié, fasciné. Il sentait que je débutais tout juste.

« Ça lui est déjà arrivé il y a deux ans, expliquai-je. Quand il cherchait... il cherchait un loup-garou.

— Talulla.

— Vous la connaissez ? »

Mia sourit sans montrer aucun signe de plaisir.

« C'est une longue histoire. Aucun rapport. Mais oui, je sais qui c'est.

— Il croit... »

Je m'interrompis, car je me demandais ce qu'il m'aurait laissée raconter. À voir la tête de Mia, elle captait, de toute manière. Je ne pouvais manifestement pas me protéger. Elle me sentit aussi penser que c'était complètement idiot. Il croit que c'est la réincarnation de sa maîtresse morte. Réflexe mental : elle aussi, elle aurait qualifié ça de conneries, de grand n'importe-quoi, de conte de fées. Immédiatement suivi d'un autre réflexe : Comment pouvions-nous écarter de cette manière les contes de fées ?

J'avais pris la tête de Nounours sur mes genoux. Il

tremblait. Ses lèvres bougeaient, mais je ne comprenais pas ce qu'il racontait.

« Hein ? Quoi ? Dis-nous ce qu'il faut faire ! » Ses yeux s'ouvrirent soudain, fixés sur moi. « Nounours ? Oh, bordel... Qu'est-ce qu'il faut faire ? Tu as besoin de sang ? Tu veux du sang ? »

Il sourit, comme s'il voyait tout autre chose. Pas moi. Quelque chose de très éloigné.

« Ni par l'espoir se rallumant en vue du terme, mais par joie d'entrevoir un terme, quel qu'il fût.

— Hein ? Oh, bordel, Nounours, on... »

Un spasme le secoua, un de plus, le soulevant presque en position assise, à croire qu'on lui avait passé une chaîne au cou, puis il retomba en arrière sur mes genoux. Une morve rosâtre lui coulait du nez. Mes mains étaient sans force.

« Oh, mon Dieu, m'entendis-je dire. Mon Dieu, mon Dieu...

— Bon, dit Mia. Tu peux te faire obéir du pilote ?

— Hein ? Oui, pourquoi ?

— Appelle-le et dis-lui de se préparer à décoller. Dieu sait comment on va lui faire traverser l'aéroport dans cet état... Il va falloir trouver quelque chose...

— Mais qu'est-ce que tu racontes ?

— Dites, on passe la nuit ici ou quoi ? »

Caleb venait d'apparaître à la portière arrière, ouverte.

« Monte », répondit Mia, avant de se tourner vers moi. « Je connais quelqu'un qui va peut-être nous aider. »

75

Talulla

Je passai presque toute la journée du lendemain à dormir, mais me réveillai malgré tout trois heures avant le coucher du soleil, ce qui me persuada de descendre au labo cuisiner Devaz. La guérison avait manifestement son prix ; je voulais savoir lequel.

Pas de chance, les portes du premier palier étaient fermées à double tour. Autant pour le « Faites comme chez vous ». Le silence régnait. Il ne restait pas trace du sang que j'avais étalé partout la veille ni, d'ailleurs, de ma proie, derrière les banians. Sans doute Grishma se chargeait-il des corvées douteuses — mon odorat me signalait son absence. Il ne me restait qu'à attendre. Je me servis un Macallan et me fis couler un bain. « Le chevalier Roland » fredonnait vaguement sur la table de nuit, mais l'idée de m'y replonger me dégoûtait. J'avais beau connaître la fin, chaque lecture représenterait le même triomphe désespéré du renoncement tournant en rond. D'une certaine manière, le poème allait bien avec cet endroit, si différents que soient superficiellement les deux paysages. Il allait bien avec le côté lent, surréel de tout ce que j'avais vu ou fait depuis mon départ du Dernier Repaire. Avec le rêve du vampire. Avec moi.

Le bain et le single malt ne firent pas grand bien à mes nerfs. Le *lukos* luttait contre la loi lunaire, toujours aussi alerte, crocs et griffes plantés dans chaque seconde, minute, heure de rancune. Soudaine tentation colossale d'appeler Walker et de parler aux enfants, mais quand je sortis de l'eau et m'habillai (jean, tee-shirt en coton noir, Doc Martens rouges — chaussures peu pratiques par une chaleur pareille, mais les tongs flambant neuves posées près de mon lit par Grishma seraient pires qu'inutiles en cas de problème), il me semblait en avoir perdu le droit. Chaque instant passé en ces lieux — dans ce vertige au ralenti — avait beau me rapprocher de l'inertie, je n'arrivais pas à m'en arracher. Au coucher du soleil, je n'avais rien fait que m'asseoir au bord de mon lit, le regard rivé au sol.

Quand on frappa à ma porte, je crus qu'il s'agissait d'Olek — ou de Grishma, qui venait me chercher en son nom.

C'était Konstantinov.

«Mets ça. Je veux te parler.»

Cette saleté de pâte pour nez.

«Qu'est-ce qui se passe?» demandai-je après m'en être munie.

La confrontation me soulageait et m'attristait tout à la fois. Parce que je ne pouvais mentir à Konstantinov. Il ne mentait jamais, lui. Et il savait toujours quand on le faisait. Son regard détruisait l'énergie dont on avait besoin pour ça.

«Écoute, reprit-il. Je sais que ça ne va pas, entre Walker et toi. Je ne te pose pas de questions. C'est vos affaires. Vous pouvez vous séparer, mon amitié vous reste acquise. À tous les deux. Pour toujours. Compris?»

Terrible et rafraîchissant. Les manières directes, les mots simples, l'absence de stratégie. Il m'obligeait à prendre conscience que je n'étais pas souvent comme ça. Que c'était du gaspillage de ne pas être comme ça. Mon corps, dont je n'avais pas perçu la tension, assise sur le lit, se détendit dans une sorte d'agréable défaite.

«Compris, acquiesçai-je.

— Tu te dégoûtes un peu, en ce moment. Je n'ai pas à te dire que tu ne devrais pas te dégoûter. Ça te regarde. Mais ne laisse pas cette impression prendre les décisions à ta place.

— Tu crois que je le regretterais? Si j'acceptais la guérison? Si je la donnais à mes enfants?

— Je crois que tu regretterais de t'être décidée par dégoût, c'est tout.»

Et ce fut tout, en effet. Des conversations qui, avec d'autres, auraient duré des heures d'ennui punitif se terminaient avec lui au bout d'une demi-douzaine de répliques. La vérité forgeait l'économie.

Silence étrange, purgé, moi assise sur le lit, lui debout devant moi, grand, sombre, figé — bénédiction de ma vie de bénédictions… tempérées par une malédiction : ces bénédictions ne me suffisaient jamais, si nombreuses soient-elles.

Konstantinov regagna la porte, l'ouvrit.

«Il t'attend au labo. Quand tu veux. Si tu as besoin de nous…

— Je sais. Mikhail?»

Il se retourna.

«Oui?

— Tu lui fais confiance?

— Je ne sais pas, avoua-t-il en secouant la tête.

— Tu ne sais pas?

— Je n'arrive pas à le déchiffrer. Du tout. Désolé. Je ne peux en dire qu'une chose : jusqu'ici, tout ce qu'il nous a raconté s'est révélé parfaitement exact. Mais ça ne prouve rien. On ne sait pas ce qu'il ne nous a *pas* raconté, forcément.»

Nouveau silence ; peut-être l'éther de la chambre allait-il partager avec nous des informations cruciales.

Il n'en fit rien.

«Bon.» Je me levai. Un nœud de *lukos* se dénoua dans mes épaules. «Je vais voir ce qu'il a à me dire.»

76

Olek m'attendait dans la chambre forte, en Levi's et *kurta* blanche flambant neuve à col mao, une fois de plus. La mallette contenant la tablette de pierre n'avait pas bougé de la table en acier. Elle était ouverte. Il tenait dans la main gauche une enveloppe fermée.

« Les dernières pages du journal d'Alexander Quinn… sauf une, que je ne vous donnerai qu'une fois remplie votre part du marché. » Olek laissa tomber l'enveloppe sur la table, devant moi. « Vous les lirez quand vous voudrez, mais je vais vous les résumer. C'est l'histoire d'un *gammou-jhi* qui a vu le jour bien après que Liku et Lehek-shi sont allés où vont les morts, un millier d'années avant la première dynastie égyptienne. Il s'agit de Ghena-Anule, un prêtre-mage d'une soixantaine d'années que ses pouvoirs de prêtre et de mage n'ont pas protégé de la morsure d'un de vos ancêtres. Par la suite, Ghena-Anule a consacré toute son énergie à chercher un remède à la Malédiction. C'était un des derniers Maru et, à en croire ce compte rendu, le tout dernier Anum, les membres de la tribu doués de la capacité de voyager… de manière transcendantale, je suppose… entre les mondes supérieur, inférieur et mitan. Un des derniers capables de *converser avec les dieux*, ainsi que le rapporte la traduction de Quinn. Au fait, ne vous gênez pas pour lever les yeux au ciel si vous en avez envie. Je vous assure que telle a été ma réaction car, je vous le répète, je suis un scientifique. Le baratin mystique ne me plaît pas du tout, pour dire le moins. Incidemment, vous avez l'air fatiguée. Comment vous sentez-vous ? Vous vous êtes reposée ? »

Je n'étais pas fatiguée. Ou, plutôt, je l'étais, mais une sorte de morne énergie claustrophobe se frayait son chemin à travers la fatigue. La chambre forte en était pleine, comme d'un bruit subsonique qui finirait au bout du compte par casser les oreilles. J'essayais de me représenter Jake et ma mère, dans leur casino de l'au-delà, souriant devant la scène, secouant la tête, attendris mais en proie à une incrédulité compatissante. J'essayais ; je n'y arrivais pas. Cette émission-là passait sur une chaîne qu'ils ne captaient pas. Ils n'obtenaient qu'une neige de pixels et un sifflement d'électricité statique. Jake posait son verre sur la feutrine, donnait un coup de poing dans la télé, protestait : Qu'est-ce qui se passe, bordel ?

Ne te fatigue pas à chercher un sens à tout ça, Lu, il n'y en a pas.

« Ça va, répondis-je. Terminez donc votre histoire. »

Il sourit. Je me demandai soudain si Devaz se trouvait toujours dans sa cellule. L'odorat persistant du *lukos* me signalait une présence humaine toute proche, mais elle n'avait pas son odeur à lui.

« Ghena-Anule a commencé par s'adresser au monde supérieur, reprit Olek. Aux gentils de la cosmogonie. Dans l'économie morale, c'est l'appel à la compassion. »

Il s'interrompit. Je ne le regardais pas, je regardais par terre. C'était un de ces moments — une de ces situations — où l'absurdité de ce qui se passe vivifie la banalité du contexte, rafraîchit les humbles molécules des murs, du sol, de la table, de la lumière. Tout cela, et la continuité martelante irréprochable de son propre corps. Oui, il se passe bel et bien ce qui se passe, et on est là, obscènement vivant. J'étais extrêmement consciente du poids de mes mains, accrochées à mes poignets. Vision fulgurante : une caverne où je reposais, transformée, les bras terminés par des moignons. Amputée. Le pétillement de la repousse me chatouilla un instant avec une intensité si convaincante que je relevai les yeux vers mes mains pour vérifier que j'étais victime d'une illusion.

Oui. Elle n'en raviva pas moins le rêve, le visage du vampire. Je viens te chercher.

La pause d'Olek visait évidemment à signaler que nous savions tous deux où menaient les appels à la compassion divine : nulle part.

« Ghena-Anule s'est donc tourné de l'autre côté, continua-t-il. Il s'est mis à prier le monde inférieur, en demandant non la compassion, mais un marché. Il semblerait qu'il ait fini par être entendu. Muni ? »

Le dernier mot avait été prononcé un ton plus haut.

Une vieille Indienne aux grosses lunettes à monture foncée entra, souriante, un porte-bébé sanglé au torse. Avec, bien sûr, un bébé dedans. Tout petit. Quelques semaines, probablement. Le nouveau-né dont je n'avais pas imaginé les cris, l'autre nuit. Que j'avais écarté de mes pensées. L'inconnue portait un jean ample, des Nike flambant neuves et une tunique bleu et blanc à fleurs. Sa tresse de cheveux gris descendait jusqu'à son coccyx. Ses yeux gris-vert dominaient deux rides profondes, qui couraient de la courbe de ses narines aux coins de ses lèvres. Elle sentait l'huile de jasmin et le tabac, mais l'odeur du bébé — couche propre, Sudo-crem et talc — retenait l'essentiel de mon attention. La vieille femme semblait parfaitement à l'aise, plan-tée juste devant la porte de la chambre forte, souriante. Elle se balançait doucement, ses deux maigres mains élégantes enveloppant le porte-bébé de leur cocon.

«Muni ne parle pas anglais, reprit Olek. Mais, fran-chement, ça n'y changerait rien, de toute manière.»

L'odeur du bébé avait fait exploser les premiers sou-venirs des jumeaux, effacés par les trois ans écoulés depuis leur naissance. Trois ans. Impossible. Un matin, Zoë avait dit à Cloquet que ses oreilles ressemblaient à du bacon. Vertige momentané. Le bourdonnement sub-sonique de la pièce venait d'augmenter d'un cran, l'air s'y révélait chaud et flexible. Mon haleine empestait, et je me sentais débordante, le visage picotant. Je savais ce qui allait suivre. Les choses les plus répugnantes, les plus décevantes, ont toujours un peu d'avance sur elles-mêmes, elles se font toujours connaître par la manière dont le cerveau s'ouvre pour les accueillir. Il leur offre un chemin neural qui a toujours existé, en attendant la forme adaptée. Je pensais au Christ à Geth-sémani, des perles de sang sur le front, qui priait qu'on écarte de lui la coupe mais savait déjà qu'il n'en serait rien. Impossible. La grammaire divine de Chomsky lui garantissait la nécessité de ce qui arrivait. Je pensais à Devaz, recroquevillé sur son lit, si évidemment vide, si évidemment au bout de son être.

«Un enfant de la pleine lune, déclara Olek. De moins de trois mois. Il existe un rituel, il existe des mots… du charabia, *a priori*, je vous l'accorde, mais couché sur la page qui m'appartiendra tant que vous n'aurez pas rempli votre part du marché. Si jamais vous les pronon-cez… si jamais vous posez la pierre sur la terre nue…»

Si vous l'éclaboussez de votre sang, si vous égorgez le bébé, si son sang se mêle au vôtre puis coule par le trou percé au centre de la tablette, il emportera l'âme du nouveau-né jusqu'au monde inférieur, où Amaz s'en emparera puis vous libérera de la Malédiction.

À en croire Wittgenstein, on n'apprend jamais rien. On se rappelle.

Ça y ressemblait fort. Un souvenir tristement halé vers la lumière.

Olek se mit à rire, conscient que j'avais deviné.

«Après tout, que sommes-nous censés croire? Que des divinités… auxquelles, pour commencer, nous ne croyons *pas*… des déités du monde d'autrefois s'agitent toujours au ciel, sous la terre ou je ne sais où, métaphysiquement parlant? On peut bien dire que ces choses-là existent hors du temps, tel que nous le comprenons, mais franchement… *franchement*… c'est comique. Oui, comique.» S'il fallait se fier à son expression, c'était même si risible qu'il en était tout émoustillé. «Je vous assure que ces bêtises m'inspirent à moi aussi le plus grand mépris, mais figurez-vous que ça marche. Vous avez vu Devaz. Je ne peux que vous dire, Regardez Devaz, s'il vous plaît.»

Oui, oui, pensai-je, je l'ai regardé.

Il manquait toujours quelque chose. Quelque chose que ce qui m'entourait cherchait à me dire. Ou, plutôt, cherchait à garder savoureusement secret — la pierre en constituait le petit cœur d'intelligence.

Sur un geste d'Olek, la vieille femme sortit, sans perdre son sourire ni cesser de bercer le bébé. Ses Nike s'éloignèrent en couinant dans le couloir.

«Il y a une entourloupe, affirmai-je. Laquelle?» Ma voix me semblait légèrement ralentie, cassette tournant à peine en dessous de la vitesse normale. «Je veux dire, ce n'est pas vraiment surprenant, hein. On tue et on mange un être humain par mois. Les bébés…» Je pensais à la nuit où, transformée, j'avais tenu un bébé humain entre mes mains en attendant que quelque chose en moi me dise que je ne pouvais pas, que c'était trop. La petite tête se découpait sur fond de lune. J'attendais, j'attendais… «Les bébés ne font pas exception», conclus-je.

Olek me regardait. Le clinicien désintéressé — le scientifique —, fasciné, détaché de ce qu'il devait tirer de cette histoire.

Là encore, la réponse me parvint juste avant qu'il ne me la donne. Je compris alors comment Devaz s'était retrouvé dans un état pareil.

«On ne peut pas célébrer le rituel à la pleine lune. Il faut le faire sous forme humaine.»

La pièce se vida de son atmosphère. Tous mes muscles se détendirent.

Au rez-de-chaussée, quelque chose de gros creva une fenêtre.

77

Je précédai mon hôte jusqu'à la deuxième volée de marches — l'alarme ne l'avait pas empêché de fermer à double tour la mallette et la porte de la chambre forte —, mais il me dépassa sur le palier sans toucher terre. Des voix fortes me parvenaient, accompagnées de bruits de casse. Apparemment, les meubles volaient.

Puis la voix d'Olek domina le vacarme :

«Arrêtez! Arrêtez immédiatement! Tous!»

Ils se trouvaient dans la bibliothèque. La grande fenêtre avait volé en éclats, l'Asparagus plumosus gisait sur le parquet, dans un triste petit dégorgement de terre, deux des trois canapés avaient été renversés, et les livres jonchaient le sol. La puanteur vampirique faillit m'obliger à rester dans le couloir.

Natasha était tombée à quatre pattes près du bureau moderne, le front entaillé.

Konstantinov avait plaqué quelqu'un contre une des étagères.

Une jeune brune — une vampire — que je n'avais jamais vue cherchait à se remettre sur ses pieds, les mains et le visage en sang.

Caleb — Caleb! — apparut soudain derrière la fenêtre cassée.

«Lâche-la! hurla-t-il en bondissant dans la pièce. Lâche-la *tout de suite*, espèce d'enculé!

— Lâche-la, s'il te plaît, Mikhail, fit Olek en écho sans élever la voix. Tout le monde se calme tout de suite. Du calme du calme du *calme*.»

Instant fragile où chacun se demanda si cet ordre allait suffire. Le tintement d'un éclat de verre tombant de la vitre brisée.

Konstantinov lâcha sa victime et fit un pas en arrière. Alors je la reconnus.

Mia.

«Qu'est-ce que c'est que ce bordel, soit dit sans vouloir vous offenser?» reprit Olek.

Je viens te chercher.

«On a besoin d'aide», annonça Mia en rajustant son blouson puis en écartant ses cheveux blonds de son visage. Je ne l'avais pas vue depuis nos adieux maladroits en Crète, deux ans plus tôt, même si j'avais parfois senti qu'elle gardait un œil sur moi en se demandant si elle allait me tuer. Je lui avais sauvé la vie, mais j'avais aussi enlevé son fils et menacé de l'exécuter. Nous gardions nos distances, étonnamment fascinées l'une par l'autre. «Remshi est malade, ajouta-t-elle.

— Remshi? répéta Olek.

— Il est dehors», expliqua-t-elle. Puis, à Caleb: «Je t'avais dit d'*attendre*.

— Doux Seigneur. Remshi est là? s'exclama Olek. Par tous les dieux tutélaires, mais c'est extraordinaire! Dites-lui donc de nous rejoindre.»

Personne ne fit mine de bouger. La pièce restait sous le choc de la violence qui venait de s'y déchaîner.

«Il ne peut pas», intervint Caleb, vexé de s'être fait sermonner et de se sentir (relativement) impuissant.

Surpris de me voir, aussi. «Il n'est même pas capable de marcher.»

À la prochaine, avait-il dit.

Mais il n'était sans doute pas conscient de ma présence, pour l'instant, alors que je l'étais de la sienne.

Olek le descendit au laboratoire.

«Je vais voir si je peux quelque chose pour lui», dit-il après l'avoir allongé sur la table en acier brossé. Seule la brune (qui se bouchait le nez en cherchant à maîtriser ses haut-le-cœur occasionnels) et moi l'avions suivi, sans échanger un mot. «Talulla, très chère, je suppose que vous… Ne partez pas avant que nous n'ayons eu l'occasion de discuter plus avant, je vous en prie. D'accord?»

Je ne répondis pas, mais il vit bien que je ne partirais pas. Je pensais — dans la tempête de mes pensées — au malheureux Devaz, qui avait retrouvé son humanité au prix de son humanité. Dieux d'autrefois ou pas, il y avait toujours là un certain sens de l'humour noir.

«Je croyais que c'était de votre faute, me dit la jeune vampire dans le couloir du rez-de-chaussée.

— Quoi donc?

— Je croyais que c'était de votre faute s'il était tombé malade comme ça, la dernière fois. Maintenant, je me demande.»

Une brusque bouffée de son odeur me rappela une des premières découvertes que j'avais faites sur lui. En Crète, entourée de sangsues, je n'avais rien remarqué, mais quand il s'était assis à un ou deux mètres de moi, lors de notre dernière rencontre, je m'étais aperçu que Remshi ne sentait pas.

Il ne sentait toujours pas. Qu'est-ce que ça pouvait bien signifier?

«Écoutez, je ne sais pas qui vous êtes, répondis-je à la fille. Il serait peut-être plus simple de discuter dehors. Une minute.»

Je regagnai la bibliothèque, où Natasha et Konstantinov remettaient les meubles en place. Elle me donna un tube de pâte anti-odeur.

«Ils sont à l'étage, au salon.» Elle parlait de Mia et Caleb. «Qu'est-ce que ça veut dire?

— Je n'en sais rien. Restez là, d'accord? Il faut que je parle à la fille.»

Dans le jardin, je tendis la pâte à mon interlocutrice.

«Ce n'est pas la panacée, mais ça arrange les choses.» Comme elle hésitait, je m'en appliquai moi-même. «Allez-y. Sérieux. Ça ne pose aucun problème. On s'en sert tous.»

Elle obtempéra, mais ne se rapprocha pas pour autant de moi. Je m'assis sur un banc de pierre sculpté adossé à une énorme bougainvillée.

«Commençons par le commencement. Qui êtes-vous?»

78

Elle n'en pouvait plus de la nouveauté du trop plein trop tôt de l'épuisement des kilomètres aériens de la peur la peur la peur pour lui. Voilà pourquoi elle — Justine — me raconta tout. Ou, du moins, elle m'en raconta tellement, avec une telle ingénuité, qu'elle ne me cacha sans doute rien par calcul.

« C'est vrai ? me demanda-t-elle au bout d'une bonne heure. Vous êtes… Je veux dire, qui êtes-vous ? »

Les muscles de mon dos étaient en proie à des écrasements granuleux. Le *lukos*, indifférent à l'intrigue, luttait toujours pied à pied sur la route qui le ramenait au repos.

« Vous voulez dire, suis-je la réincarnation de la maîtresse qu'il a perdue depuis des millénaires ? »

Ça ne la fit pas rire, pas vraiment, mais à en juger par son expression, elle comprenait que je comprenne le ridicule de la supposition. Enfin, le ridicule apparent.

« Je vais vous dire franchement, continuai-je. Je ne crois pas à ces conneries. L'au-delà, Dieu, la réincarnation, les rêves, les indices, la destinée, la magie. L'intrigue. Je ne crois pas que le monde ait une putain d'intrigue. Non, vraiment pas. Mais depuis que je l'ai rencontré, depuis la première fois que je l'ai vu, en

Crète… et après, quand il m'a rendu visite… depuis, il est là, dans ma tête. Et je fais ce rêve.» Nos regards se croisèrent. «Oui, je sais, un *rêve*. Mais bon, bref, je fais ce rêve…» J'hésitai. Puis je me dis, Eh merde : elle a été honnête, elle. «Oh, bordel. Enfin, voilà. C'est en partie un rêve érotique…» Elle baissa les yeux. «… mais pour l'essentiel, on est tous les deux sur une plage. Au crépuscule. On marche. Ça n'a l'air de rien, dit comme ça, mais il y a une sorte d'étrangeté… Je sais : c'est un rêve. C'est normal qu'il y ait une sorte d'étrangeté. Mais ce n'est pas la même chose. J'ai l'air complètement à la masse, hein. Désolée.

— Vous n'auriez pas une cigarette ?»

Il restait deux Camel filtre — tout juste — dans mon paquet souple froissé. Et une allumette — tout juste — dans la pochette d'un bar d'aéroport. Échange de regards. Pas vraiment de rire, là non plus.

«Le fait est que vous êtes là tous les deux», reprit-elle.

Je l'aimais bien. Elle apprenait vite. Si elle survivait ne serait-ce que deux ou trois ans, elle représenterait une force non négligeable. On sentait qu'elle avait été blessée, mais la brutalité qu'elle pouvait s'infliger et l'avidité lui permettaient de dépasser ses souffrances.

«Quand je l'ai quitté, à L.A., je voulais qu'il se sente libre de partir à votre recherche, continua-t-elle. Seulement il est parti à ma recherche à moi. Ce qui l'a mené ici. À l'autre bout du monde. Au même endroit que vous.

— Ma foi, ceux qui croient au destin diraient sans doute que c'est le destin.

— Et vous ?»

Je me rappelai ma conversation avec Maddy, au retour de l'aéroport de Rome. *Depuis que je le connais,*

j'ai l'impression qu'il ne s'agit pas de hasard. On dirait
que quelqu'un regarde ce qui se passe. Ou l'invente.

«Ça me déplaît assez pour que je n'y croie pas.»

C'était la première fois que je pensais une chose pareille. Forster l'avait bien dit : Comment puis-je dire ce que je pense avant de voir ce que je dis ?

«Et vous, comment vous êtes-vous retrouvée ici ?» s'enquit Justine.

Bon. Oui.

Le seul fait d'ouvrir la bouche me donna l'impression de m'arc-bouter contre un épuisement gigantesque, mais je lui racontai tout. Il y avait évidemment entre nous une entente troublante, mais j'en avais tellement assez de peser les rations narratives que j'aurais fait de même avec n'importe qui. Tout. Le livre de Quinn. Le mythe des origines. Les exécutions chinoises. Salvatore et Bryce. Les vampires d'Olek. Le *monde* humain qui nous encerclait. Vous n'en voudrez peut-être pas pour vous, mais pour vos enfants, oui.

«Nous aussi, on a été attaqués par ces cinglés de cathos, dit-elle. À L.A., avant que je parte. D'après Mia, ça va être la guerre totale.

— Ou le show télé total. Ce qui ne les tue pas leur fait faire des shows télé.»

Image de Zoë et Lorcan affrontant des enfants humains : parcours du combattant ; tests de Q. I. ; concours d'orthographe ; émissions de cuisine. Je voyais parfaitement la nouvelle version de *Blind Date*. *L'un de ces trois princes charmants potentiels dissimule un sombre secret... La Cendrillon de ce soir aura-t-elle toujours envie d'aller au bal... lorsqu'elle s'apercevra que la lune est pleine ?*

«C'est quoi, alors, le truc pour guérir ?» demanda Justine.

472

Je savais qu'elle poserait la question, puisque je m'étais interrompue avant de livrer les détails. Je m'étais interrompue, parce que le cocktail d'incrédulité, de dégoût, de sens de l'absurde et de certitude intuitive m'avait donné envie de partir très très loin, au beau milieu de nulle part, et de dormir. J'évoquai Muni, s'occupant du bébé avec le sourire. Devaz, sur son petit lit, le regard perdu dans le vague. Humain.

Justine garda les yeux baissés pendant que je passais les détails en revue. Elle fronçait légèrement les sourcils, un bras plié posé sur le ventre, l'autre pendant — la cigarette quasi intacte à la main. Je racontais sans émotion. Ce qu'on m'avait dit. Ce que j'avais vu.

« Vous n'y croyez pas », dit-elle quand j'eus terminé.

Elle apprenait vite, oui. On ne se connaissait pas depuis deux heures qu'elle se prononçait. Sur moi. Sur ce que je croyais.

« Non, admis-je, mais je n'ai pas eu besoin d'explications pour savoir exactement en quoi consistait le rituel. Et ça n'avait rien d'une supposition éclairée, ça tenait davantage du souvenir. Et puis il y a Devaz. C'était un loup-garou. Ce n'en est plus un. »

Sitôt ces mots prononcés, je compris (tu es lente, Talulla ; tu es tellement bête et *lente*, ici) : Olek ne laisserait jamais Devaz repartir sain et sauf. Sans doute était-il déjà mort. Sans doute Grishma l'avait-il déjà évacué avec soin pour l'enterrer avec soin dans un coin. Curieux petit flocon de dégoût dans la masse du dégoût, d'où je continuai :

« Je pourrais donner à mes enfants une vie normale. »

On dit ça pour voir si on y croit. Comment pourrais-je dire ce que je pense avant de voir ce que je dis ?

Olek reparut une heure avant l'aube.

«Il est conscient, quoique très désorienté, annonça-t-il. Je lui ai donné beaucoup de sang, mais il ne le métabolise pas correctement. Je ne sais pas. Je n'ai jamais rien vu de pareil.»

Justine et moi avions regagné la maison. Mia et Caleb s'étaient douchés et changés, avant de s'asseoir au pied de l'escalier de l'étage. Natasha et Konstantinov condamnaient avec des planches la fenêtre brisée de la bibliothèque.

«Je peux le voir? demanda Justine.

— Allez-y, répondit Olek, mais il est sous sédatif. Je doute qu'il vous reconnaisse. Mia, Caleb, il y a toute la place nécessaire en bas. Installez-vous à votre aise, je vous en prie. Vous avez besoin de boire?

— Demain, répondit Mia.

— Très bien. J'ai tout ce qu'il faut. Talulla, nous avons…

— Je vais me coucher, coupai-je. Je suis épuisée.»

Il me regarda un instant. Sourit. Tira de sa poche l'enveloppe contenant les dernières pages du journal de Quinn et me la tendit.

«Lecture de confirmation. Vous allez constater que je vous ai dit la pure vérité.»

Moi, je me disais : Je monte l'escalier, je range mes affaires, j'attends deux heures et je m'en vais.

Voilà ce que je me disais.

79

Justine

Je ne voulais pas dormir, mais je savais que le sommeil serait le plus fort. Le soleil se lève, et le sommeil vous aspire comme un marécage, un magnétisme infernal.

«Je vous jure que j'ai fait absolument tout ce qu'il était en mon pouvoir de faire pour l'instant, ma chère enfant», me dit Olek en posant un édredon et des oreillers par terre, dans le couloir. «S'il survit aux heures de jour, il aura regagné des forces. Je le soumettrai à d'autres examens. Bien. Vous êtes sûre de ne pas vouloir une des chambres? Je me sens l'âme d'un barbare absolu, à vous laisser dormir là comme un chaton. Un chaton adorable, plein de personnalité.

— Je préfère, répondis-je. S'il se réveille, je le sentirai.»

Olek me serra le bras, un petit sourire bien dessiné aux lèvres. C'était le genre de type dont on n'est jamais sûr de ne pas le détester. Si poli, si charmant qu'on se méfie, en se disant que ça cache forcément quelque chose.

«Bien sûr. Je comprends. Ma foi, je vais vous laisser, puisque vous avez tout ce qu'il vous faut. Je suis au niveau inférieur, si vous avez besoin de moi. Deuxième porte à gauche, au pied de l'escalier. Vous n'avez qu'à frapper. »

Alors c'est elle, me dis-je, une fois seule. *Elle*. Je n'aurais sans doute pas dû me réjouir qu'elle ne croie pas à la réincarnation ; j'aurais dû m'attrister pour ce pauvre Nounours. Sauf qu'elle n'avait pas *exactement* dit qu'elle n'y croyait pas. Elle ne croyait pas au *destin*. Et Nounours s'était lancé à ma recherche, pas à la sienne... ce qui les avait amenés ici tous les deux. Impossible de croire à un grand dessein invisible, un projet divin, une putain d'*histoire* ; impossible de croire à une succession de hasards. Deux hypothèses également inadmissibles ou admissibles, Nounours me l'avait dit un nombre incalculable de fois en parlant des signes, des liens, des correspondances, de cet *ensorcellement* de merde. Il faut à la fois y croire et être conscient que ça ne peut pas être vrai, voilà ce qu'il disait. Il faut apprendre à servir deux maîtres en valet désabusé. Ça m'énervait tellement que je répondais juste Ouais, ouais. Je ne savais même pas ce que ça voulait dire, *désabusé*.

Et maintenant, voilà.

Il est malade. Encore une fois.

Je me couchai en chien de fusil sur l'édredon. La maison fredonnait tout bas, pendant que je me disais : S'il vous plaît, faites qu'il se remette. S'il se remet... s'il se remet, je ne... Faites qu'il se remette, et je serai demoiselle d'honneur à leur putain de mariage. Je vous en prie... je vous en prie... Je vous en prie...

On pense comme ça. Comme s'il y avait quelqu'un à supplier. Même quand on sait qu'il n'y a personne.

Et puis je pensai brusquement à ce que deviendrait mon monde s'il n'y était plus. Le fait brut de son absence. Les pays les visages les ciels les voitures les écrans télé les gens, sans lui pour rendre tout ça supportable.

On aurait dit que la terre se dérobait sous moi.

80

Talulla

Dans ma chambre, je refis mon sac à dos.

Puis je m'assis au bord du lit pour réfléchir.

C'était une belle matinée. Fenêtre ouverte. Ciel bleu. Chants d'oiseaux furieux. Parfums du jardin. Une brise sporadique extrêmement légère m'apportait par moments des relents marins quasi imperceptibles. Ça me faisait un drôle d'effet de me dire que l'océan était là, à moins de trois kilomètres.

Je pris mon téléphone. Décalage horaire. Ils dormaient. Les enfants, en tout cas. Walker peut-être pas.

Peut-être était-il au lit avec Madeline.

Je l'espérais. Un espoir qui ajoutait une fêlure à mon cœur de verre déjà inouï.

Je pourrais donner une vie normale à mes enfants.

Pour l'amour du ciel, Lu, dit ma mère dans mon imagination, réfléchis-y ou arrête avec ça.

Ma mère. Jake. Cloquet. Fergus. Trish. Les morts étaient inimaginablement loin, à une distance qui définissait le deuil. Les vivants n'étaient qu'à peine plus près, à une distance qui définissait la tristesse.

Je pris l'enveloppe, l'ouvris et me mis à lire.

Le résumé d'Olek était très fidèle. Bien sûr. Je n'en

attendais pas moins de lui. Il n'avait aucune raison d'en rajouter.

Les dieux. Les âmes. Les marchés. Les sacrifices. Le dessein caché.

La moindre part de mon être — sauf une — rejetait absolument cette histoire. Celle qui ne la rejetait pas était circonscrite à un souvenir : j'avais deviné exactement ce qu'allait dire Olek avant qu'il ne le dise. Cette part-là admettait que je connaissais toute l'histoire depuis le début. Je pensai aux apôtres partageant le dernier repas, entendant pour la première fois les mots qui allaient devenir le rituel de la transsubstantiation :

Prenez, et mangez-en tous,
car ceci est mon corps, livré pour vous.
Prenez, et buvez-en tous,
car ceci est mon sang,
le sang de l'alliance nouvelle et éternelle...

Sans doute avaient-ils eu l'impression qu'on leur répétait quelque chose qu'ils avaient su à un moment, avant de l'oublier. Le chemin neural — la grammaire de l'âme — avait dû s'ouvrir pour recevoir cette déclaration et la laisser rentrer chez elle. Reconnaissance gigantesque, terrible, exaltante. Sans ça, jamais le christianisme ne serait né.

Grishma (je le supposais) avait posé sur la table de nuit une bouteille de Macallan pleine et un verre propre. Plus un paquet de Camel inentamé, près du «Chevalier Roland». Je rangeai avec soin les dernières pages du journal dans l'enveloppe, me servis un scotch, m'allumai une cigarette et m'approchai de la fenêtre.

Une vie normale.

Écartons le scepticisme quasi total. Quelle vie normale ? Basée sur le fait qu'ils oublient complètement leur vie d'avant. Était-ce probable ? Certainement pas, si je ne guérissais pas, moi aussi. Si je ne guérissais pas, je devrais me séparer d'eux. Les quitter. L'adoption. Un recommencement, avec des parents humains. D'une manière ou d'une autre, les thérapeutes de l'avenir (dix ou quinze ans) contemplaient mon présent avec un sourire radieux.

Je sus alors, tout simplement : j'avais beau croire que le rituel marcherait, je ne le pratiquerais pas.

Réussir à rejeter ce qu'on savait être vrai… sensation bizarre et libératrice.

De toute manière, dit la voix de Remshi dans ma tête, *ce n'est pas pour ça que tu as été amenée ici.*

81

Remshi

Je me réveillai juste avant le coucher du soleil, plus en forme que jamais. J'ignorais pourtant totalement où je me trouvais. Mes yeux ouverts (je ne me sentais pas seulement bien, c'était une *renaissance*) me montraient un plafond blanc, barré par trois néons. Mes narines (vierges, me semblait-il) m'informaient de la présence de produits chimiques et d'air recyclé. Ma conscience (lavée, tirée à quatre épingles, prête à l'action intrépide) affirmait que j'étais exactement — précisément, totalement, inévitablement — où j'étais censé être. Je m'assis.

Bon. Un laboratoire. *Vaguement* familier. Classé de manière à me narguer dans mon placard mental archiplein. Inutile d'essayer de me souvenir : si je pensais à autre chose, ça me reviendrait comme par magie. Je me levai. Le Fouet aurait aussi bien pu être rassasié en moi, car cette humble action physique emplit mes molécules de jubilation. Regardez-moi ça ! Je suis debout ! Merveilleux !

Une lourde porte mémorielle s'ouvrit sur Justine, blottie contre le mur d'une grande chambre, les genoux relevés jusqu'au menton, couverte de sang.

Schrutt. La maison de Duane Schrutt.

Bangkok.

Mia. Caleb…

Je restai quelques secondes immobile à remonter la piste des images. L'avion. La base dévastée des *Militi Christi*. Le bungalow de Leath à North Vegas. Le message de Justine. L'obscurité proche de la mort. L'attaque de Las Rosas. Randolf, le roi du porno. Les deux années perdues.

Vali.

Talulla.

Vali.

Je te reviendrai. Et tu me reviendras. Attends-moi.

Perversement, je n'avais pas fait le rêve. La plage, le crépuscule, quelqu'un derrière moi, la certitude de savoir quelque chose sans savoir quoi. Je ne m'étais pas non plus réveillé la tête pleine de *Il ment à chaque mot*. Dieu merci.

Quel est ton dernier souvenir ? J'avais entraîné Justine à me le demander.

La chambre de Schrutt. Je n'arrivais pas à me relever.

Absurde, vu la manière magnifique dont je me tenais maintenant debout. J'étais la forme platonicienne de la position verticale. Il faudrait se donner du mal pour trouver meilleur exemple de position verticale que celui-là, clamaient mes jambes, ma colonne vertébrale et ma tête chantantes.

Dans la pièce voisine — produits chimiques, réfrigérateurs, gadgets d'une petitesse déstabilisante, là aussi —, Mia et Caleb dormaient toujours, couchés par terre sur des couvertures, emboîtés en petites cuillers, la mère derrière le fils, qu'elle tenait du bras gauche. Il fronçait les sourcils : le pauvre enfant avait une vie de rêve agitée. Son subconscient attardé lutterait à jamais contre le fait immuable qu'il ne deviendrait pas adulte, dût-il vivre des millénaires. Une grande tendresse pour eux s'épanouit en moi. Il faudrait que je prenne mes précautions et transfère davantage d'argent au nom de Mia, plus tard. Que je prenne mes précautions pour qu'ils n'aient plus de problèmes matériels. Je les voyais installés à Big Sur, image qui me réchauffait le cœur.

Justine dormait dans le corridor, roulée en boule sur un édredon. Belle. Je tendis la main pour la réveiller… et n'en fis rien, au bout du compte. À cause de sa beauté fugace, de la suavité de son inconscience, mais aussi parce que je répugnais à perdre la bienveillance sereine, l'impression de veille privilégiée dont je débordais. Si je réveillais Justine maintenant, j'affronterais ses questions, son intelligence avide et son âme ardente ; le martèlement (joyeux) de la narration, de la discussion, des relations et de la signification instaurées. Son énergie réveillerait les autres, et l'heureux problème s'en trouverait aggravé.

Un étau me broya soudainement le cœur. Rien de pathologique, mais le besoin — malgré la pensée qui m'était venue — d'entendre sa voix, de la contempler consciente, animée, en pleine action ; ma petite Justine avisée, au grand courage et au silence parfois terrifiant. Une curieuse remontée d'amour pour elle, pour toutes les facettes chéries de son être ; depuis la timidité avec laquelle elle prenait parfois un livre dans la bibliothèque, discrètement, pour le lire sans que je le sache, sans que je lui pose de *questions*, jusqu'à la rapidité machinale avec laquelle elle se coinçait toujours une mèche derrière l'oreille. Son unicité — abandonnée à ses ongles, ses rêveries, ses quintes de toux, ses souvenirs, ses regards en coin, ses regrets — leva en moi un tel besoin d'elle que je tendis une seconde fois la main pour la réveiller.

Et, une seconde fois, je n'en fis rien.

J'avais le temps. Tout le temps.

Au sommet de l'escalier, une porte ouvrait dans le vestibule à l'agréable sobriété d'une grande maison luxueusement entretenue — cette évidence s'imposait de plus en plus. Un écho âpre résonna vaguement dans ma mémoire... mais non. J'avais beau connaître les lieux, les connaître vraiment, ils n'étaient pas tout à fait prêts à se révéler. Un dernier quartier de lumière solaire orange sanguine me séparait de l'escalier ascendant. Il constituait la pièce maîtresse flamboyante de l'immobile beauté du couloir — il la constituait même déjà (malgré l'idéalisme de Berkeley) quand personne ne se trouvait là pour le voir, entaille colorée d'une finesse et d'une profondeur croissantes sur le grain doré du chêne. Je m'étais dit un jour, il y avait de cela très longtemps — la première fois que j'avais observé les cercles de croissance d'une souche, peut-être —, que s'il existait un Créateur, c'était un artiste compulsif, enclin à la promiscuité : non content de barbouiller les toiles immenses des ciels et des océans (un tableau différent par jour, par milliseconde), il gribouillait des anneaux au plus secret des arbres, dans ces corps dont le droit naturel n'aurait jamais dû permettre la contemplation intérieure.

Si beau fût-il, le rai de lumière me barrait la route de l'escalier, mais trois portes m'étaient accessibles sans que je risque de rôtir. J'allai donc jeter un coup d'œil aux pièces qu'elles dissimulaient. Une cuisine, dont la grande fenêtre donnait sur un jardin luxuriant — manifestement pas occidental. Un salon, meublé de trois énormes canapés et d'une télé à écran plat fixée au mur, plus une petite table en noyer sur laquelle attendait un échiquier, à la partie entamée. Une bibliothèque jonchée de tapis persans, dont une des fenêtres avait été condamnée par des planches; les livres dispersés par terre m'attirèrent, évidemment. Une des premières éditions anglaises de Proust — *Du côté de chez Swann. Don Quichotte. L'Abbaye de Northanger.* Un poche des éditions Arden, *Le Roi Lear* (*Oh! que je ne devienne pas fou, pas fou, cieux propices!*) et un des premiers livres brochés de Bellow (scintillement de l'éther), *Herzog* — *J'ai peut-être perdu l'esprit, ça ne me dérange pas.*

Les opposés ravis avaient beau m'attirer, je les laissai où ils étaient. Comme avec Justine, j'avais le temps. Tout le temps. Les volumes qui jonchaient le parquet me rappelaient la nuit de l'assaut sur Las Rosas. Les *Œuvres complètes* de Browning devaient toujours se trouver, retournées, où elles étaient tombées. À notre retour, je prendrais un petit plaisir distinct à les reposer sur leur étagère. Je n'avais pas relu Browning depuis des années, mais j'avais le temps.

Persuadé de n'avoir passé que quelques secondes dans la bibliothèque, je regagnai le vestibule. Le quartier de lumière avait totalement disparu, libérant le chemin de l'escalier. L'heure était venue — pourquoi pas? — de jeter un œil dans les étages. Les autres pouvaient bien dormir. Je les aimais tellement que je leur adressai mon commandement : Dormez. *Dormez*, très chers. Le monde — si varié, si beau, si neuf — sera toujours là quand vous vous réveillerez. Un bonheur profond m'emplissait. Emplissait mon sang. J'étais plus heureux que… que je ne me rappelais l'avoir été depuis longtemps. Incalculablement longtemps.

Depuis ma jeunesse.

Depuis Vali.

Dont l'odeur me parvint, dès la troisième marche.

Je te reviendrai. Et tu me reviendras.

Je m'arrêtai, cramponné à la balustrade. Le monde vacilla et s'écroula, momentanément. Était-ce…? Était-ce un rêve? Ce n'était pas…

Les années implosèrent. Le sang s'agita dans mon sexe. Oh, Seigneur. (Seulement avec elle. *Seulement* avec elle…) On oublie, oui, on oublie comme c'était bon, l'urgence et la suavité, le besoin monolithique… Deux ans depuis la traction sur la laisse. Deux ans depuis que le poisson de sang dégelé était revenu à une vie éblouissante. Depuis la nuit où je l'avais vue dans les bois à Big Sur. Mais combien de temps, avant? Combien de millénaires où j'avais dû trouver une morne suffisance forcée en n'importe quoi d'autre (épique comédie d'impuissance)? C'était revenu, et la supposée suffisance en n'importe quoi d'autre, le monde sans sexe et impossible à baiser, se trouvaient réduits à l'état de mascarade comique. C'était revenu, et la pensée de la mort m'horrifiait. C'était revenu.

Je ne savais toujours pas où j'étais, mais qu'importait? (Je me sentais sourire, je sentais la chaleur se répandre dans mon visage mes mains mon torse mes jambes.) Qu'importait où j'étais, puisqu'elle y était aussi, puisque la moindre particule subatomique affirmait dans un chant silencieux l'inéluctabilité absolue du lieu? Du lieu, de l'instant, de la joie.

Les kilomètres et les jours s'évanouissaient tel un harnais pourri tandis que je bondissais dans l'escalier pour gagner sa chambre.

Je frappai. Mon cœur tressautait dans ma poitrine comme un ballon d'hélium captif. (Je frappai. Il y a des portes et il faut y frapper, si vertigineusement haut qu'on se trouve. Des verres à renverser. Des sonneries de téléphone à ignorer. Des clés à pêcher dans une poche et à manipuler maladroitement. Le monde accorde les hauteurs dans le seul but de rappeler à ses habitants qu'on n'est jamais trop haut pour l'intraitable banalité.)

Pas de réponse.

Je frappai un peu plus fort. *Je te reviendrai. Et tu me reviendras. Attends-moi.*

Je l'entendis sortir du lit. Des pieds nus approchèrent, témoignant de son poids exact. Le poids de Vali.

Elle ouvrit la porte.

«Je ne suis pas celle que vous croyez», dit-elle.

Talulla

«Je ne suis pas celle que vous croyez», dis-je.

Je n'en dis pas davantage. Les mots que je prononçai constituaient une formule magique qui tissa le sortilège d'un lourd silence vivant. Comme si la foule pressée des questions arrivait à l'instant précis où les portes de mon être se fermaient pour les empêcher d'entrer. Elles étaient toutes proches, détails et spécificités, visages individualisés : Ça va mieux ? Vous êtes vraiment si vieux que ça ? J'ai beaucoup pensé à vous. Qu'y a-t-il entre nous ? Comment est-ce possible ? Mais les portes se fermaient au ralenti, le parquet mollissait et s'inclinait sous moi, une immense envie de me taire m'envahissait — de laisser arriver ce qui arrivait, quoi que ce pût être.

Ce n'était pas tout. Évidemment.

Je rêvais quand les coups à la porte m'avaient réveillée. *Le* rêve. Le sexe ardent qui tantôt s'épanouissait, tantôt plongeait dans les ténèbres, qui s'aiguisait par moments jusqu'à des images distinctes évoquant des archétypes — mes doigts enveloppaient son sexe ; sa tête sombre s'activait entre mes jambes ; ses mains (notre reflet dans un miroir ovale) arrivaient de derrière moi, l'une pour me caresser les seins, l'autre pour se glisser sur mon ventre jusqu'à ma chatte. Mais ces images se fondaient, se superposaient à celle de la plage au crépuscule — la mer sombre et les étoiles dispersées, lui me précédant de quelques mètres, la petite barque couverte de bernaches, à demi ensevelie… Des lambeaux du rêve accrochaient toujours leurs toiles d'araignée à mon esprit pendant que je traversais les tapis bleu et or pour gagner la porte, que j'*arrivais* à la porte, que je l'ouvrais (sachant que c'était lui), que je le voyais là, devant moi.

Superficiellement, il était tel que dans mes souvenirs. Pas plus grand que moi, avec des cheveux sombres mi-longs, une peau brun clair, des yeux noirs qui trahissaient la capacité à prendre du recul, toujours — y compris à son propre sujet —, et à sourire. Superficiellement, il n'avait pas changé.

À la différence qu'il avait l'air dans une forme absurde. L'éclat de sa peau était aussi irréel que dans une pub pour produits solaires. Ses ongles luisaient. Mais c'étaient surtout ses yeux : ils avaient quelque chose de nettoyé, de ravi, une présence renouvelée, une excitation, à croire qu'on lui avait retiré un léger glaucome. Il me rappelait la chanson de Johnny Nash, « I Can See Clearly Now ».

On resta un long, *long* moment à se regarder. À laisser arriver ce qui arrivait. Jusqu'à ce que le silence devienne une troisième présence matérielle, séduisante, coercitive. Du genre à obtenir ce qu'elle voulait. Il s'approcha de moi, posa les mains à ma taille et, par fractions infiniment lentes, se pencha vers moi puis — cette fraction-là arrêta complètement le temps — m'embrassa.

Ce que je sentis — au-dessus, au dessous ou dans la chaleur qui m'emplissait (un frêle filament de conscience de mon être, voile ou fantôme détaché, négligeable, prit note de ma chatte mouillée et *douloureuse*) — c'est la brûlure profonde de la joie, *sa* joie, jaillissement solaire irrésistible, incontestable. Ce que je sentis, c'est que jamais je n'avais été désirée de cette manière — pas même par Jake —, avec une force qui dépassait son réceptacle. Comme si quelque chose d'aussi vaste que l'univers, et dont il portait le poids, s'ouvrait derrière lui — comme s'il arrivait avec tout ce poids à porter —, ici et maintenant, devant moi, qui en étais un critère inévitable. Comme si j'avais attendu ça toute ma vie (Toute ma vie ? Non, beaucoup plus longtemps : ma vie n'était qu'un clin d'œil, un battement de cœur, un souffle — il devait bien exister quelque chose avant ?), exactement ça, ses mains et sa bouche sur moi, avec l'obscurité coulant de son dos en cape noire infinie.

Le baiser fut une certitude addictive immédiate.

Ne me laisse pas m'en aller. Ne me laisse pas m'en aller.

Impossible de dire si ça venait de lui ou de moi. De toute manière, ce ne fut pas formulé à voix haute. Mon filament fantôme négligeable cherchait à rassembler péniblement les lambeaux du réel négligeable… Attends, *attends*… Mais on se déplaçait, sans toucher terre apparemment, poussés par une gravité profonde qui exigeait quelque chose sur quoi nous allonger, l'exigeait, lui, en moi, près, tout près, le plus près possible, et son corps s'adaptait parfaitement au mien, forme connue avant la naissance puis oubliée, définissant et améliorant la mienne. La pièce se brouilla. Loin, très loin, semblait-il, je m'entendis dire Mon Dieu… Oh, mon Dieu… En cherchant dans le monde prosaïque insistant sous les vêtements les boutons qui menaçaient à chaque contact de déchirer le flou d'interrompre la chute dans les ténèbres jusqu'à ce que je sente ma chair nue contre la sienne et comment était-il possible que tout disparaisse si vite, si complètement, ma vie et même mes enfants à des millions de kilomètres de là et aussi ce bruit Mon Dieu Mon Dieu le bruit d'une présence d'une présence dans la chambre…

« Oh… Je… euh… Désolé. »

Je n'avais jamais rien connu de plus horrible, de plus affligeant que l'arrachement de cet instant, la réalité quasi insupportable de l'obligation de lever la tête pour regarder par-dessus son épaule (en entreprenant déjà de l'écarter de moi, malgré mes jambes nouées autour de son corps). Olek se tenait à la porte, ébouriffé par le sommeil, les mains vaguement levées en un geste d'excuse qui me donna envie de le tuer.

« Je suis désolé », reprit-il. Pour une fois, son sourire d'écolier provocateur lui faisait défaut, donnant à voir une version inconnue de son visage, d'une nudité alarmante. « Je voulais juste… »

Il ne put achever : Remshi le tenait en l'air par la gorge, une fraction de seconde durant (j'en étais encore à enregistrer la disparition de sa chaleur et de son poids sur moi), puis l'envoyait s'écraser contre le mur.

« *Varmu !* s'écria Olek. *Varmu va mor ! Varmu !* »

Remshi le dominait de toute sa taille, les mains levées, le sexe dressé, fièrement quoique absurdement, dépassant de sa braguette ouverte. La chambre était pleine à craquer de l'énergie qu'il déversait et qui plaquait contre moi le souvenir confus du rêve fait entre ces murs — celui où je découvrais au bout de mes bras de simples moignons.

« *Manyek da gorgim,* reprit Olek, avec de grands

gestes apaisants. *Manyek va fennu da gorgim. Enyu-chin, Remshi, enyuchin.*»

J'eus la certitude fugace que ce qu'il racontait n'allait faire aucune différence, quel qu'en fût le sens, car la violence auréolait Remshi. Il va lui arracher la tête, pensai-je. Si Olek dit un mot de plus, il va lui arracher la tête... (Je me demandai simultanément s'ils n'étaient pas unis par une trahison quelconque ou une vieille rancœur, mais mon intuition me souffla que non. Remshi était juste furieux de l'interruption, en proie à une rage qui égalait son désir. Il me désirait à ce point, voilà tout.) Peut-être Olek en eut-il l'intuition, lui aussi, car il se tut. Son visage passa au hasard par toutes les expressions calculées de la soumission sans réussir à en adopter aucune.

«Allez-vous-en», lui dis-je en me levant.

Je ne portais que les vêtements dans lesquels j'avais dormi, culotte et tee-shirt noir en coton. Trempée, la culotte, mais je m'en fichais. À un niveau superficiel, je baignais dans l'affliction de la passion interrompue, — on venait de lui tirer le tapis de sous les pieds; à un niveau plus profond, dans la certitude que nous allions y retourner — cela ne faisait aucun doute. Mon corps tout entier exigeait à grands cris ce retour en un lieu familier, remémoré, hors du temps.

«Laisse-le, ajoutai-je. Il t'a soigné. Il t'a sans doute sauvé la vie.»

Nous savions tous deux — nous saurions toujours — quand nous nous adressions l'un à l'autre. Sa fureur baissa d'un cran, je le sentis. Des bruits s'élevèrent au rez-de-chaussée. Le soleil était couché depuis... je n'en avais aucune idée, le temps avait déserté en rêveur. Il n'empêche : certains des hôtes nocturnes de la demeure s'étaient réveillés. Les questions, les réclamations, les explications, les mises au point allaient s'enchaîner. Pas question d'être tranquilles.

« Allez-vous-en, Olek, insistai-je. Tout de suite, bordel. »

Sans un mot de plus, il se releva en s'appuyant aux lambris de bois sombre, nous tourna le dos et quitta la chambre. Remshi en referma la porte. Sa puissance battait dans mon sang. J'adorais. Comme le disait Jake dans un des volumes de son journal : *La faiblesse féminine séduit certains hommes. La faiblesse masculine ne séduit aucune femme. La plupart des hommes ne le comprennent pas, alors qu'il n'existe pas pour eux vérité plus utile.*

J'enfilai mon jean et mes bottes.

Sans mot dire, Remshi s'approcha pour me prendre dans ses bras. (Le fil fantôme, renforcé par l'intrusion d'Olek et le souvenir des observations de Jake, me présenta *Officier et Gentleman*, mais ce n'était pas grave. Le réel avait sa place. Tout avait sa place. Ça aussi, ça émanait de lui : vivre, c'était essayer de faire de la place à tout.) L'espace alentour se délectait du moindre de nos mouvements. La fenêtre ouverte dominait le jardin de huit mètres. Autant dire rien.

84

On partit dans le 4 × 4 BMW des autres. Il conduisait. Au hasard, autant que je puisse en juger. D'abord la route goudronnée menant chez Olek, puis des pistes et chemins plus étroits, de droite et de gauche, qui nous menèrent à une chaîne de collines basses, couvertes d'une herbe rude. Une plantation, dont la récolte dégageait une odeur inconnue — du thé, supposa mon côté américain idiot, de même qu'il supposait la «jungle» chaque fois que les arbres et le sous-bois se densifiaient. On n'avait pas dépassé plus d'une douzaine de constructions, petites maisons dont portes et fenêtres encadraient l'éclat orangé du feu ou la lueur bleutée de la télé. Le soleil avait complètement disparu. Une mince bande de nuage froissée ourlait l'horizon, dominée par les étoiles, énorme diagramme de réjouissances lointaines.

Il savait sans doute. Que je n'étais pas celle à laquelle il pensait. Pas vraiment. Pas comme il l'avait cru. D'où l'impossibilité de discuter. La réalité du moment, c'était qu'une force de mouvement s'exerçait sur nous, que je sois ou pas celle à laquelle il pensait.

La certitude nous unissait que ça arrivait, de toute manière, ça devait arriver. Il était fasciné, contraint, incertain de tout, sauf d'une chose : rien ne pourrait empêcher ça, malgré l'ambiguïté des faits. Le vacarme se déchaînait en moi. Les questions repoussées tambourinaient aux portes, que le moment en expansion maintenait pourtant closes. Chaque coup d'œil échangé nous arrachait un sourire. Quelque chose l'empêchait toujours de venir totalement à moi (mon identité subsistait dans son esprit, brouillonne, à croire qu'une peau de verre insonorisée m'enveloppait), mais dès qu'on se touchait (à un moment, il posa la main sur la mienne, mais un nid-de-poule nous secoua, l'obligeant très vite à se cramponner au volant), le souvenir des instants flous vécus dans la chambre nous imposait sa chaleur vibrante. Ma vie — mes enfants, Walker, la meute et jusqu'au fantôme de Jake — s'éloignait de moi, comme une planète vue d'un vaisseau spatial rapetisse dans le sillage d'une accélération terrible. Cette perte s'accompagnait d'une joie sombre, d'un aperçu effrayant de la fugacité de toute vie, minuscule morceau de papier flambant une fraction de seconde dans la flamme invisible du néant glacé avant de disparaître. Des millions. Des milliards. C'était son sens du temps à lui, émanant de lui. Il ne peut pas avoir cette impression-là en permanence, me dis-je, ce n'est pas possible. Pas une perspective pareille. Il ne peut pas vivre avec tout ce qu'il a vu.

À vingt mille ans, on finit par croire qu'on a tout vu.

Tels étaient les premiers mots qu'il m'avait adressés, en Alaska, la nuit où j'avais donné la vie.

Le souvenir de ce que pensait Olek de la cure à la Malédiction me revenait aussi : *mais franchement... franchement... c'est comique. Oui, comique.*

On était pourtant là, lui et moi. Il faisait partie de mes rêves depuis deux ans. Il rongeait le sentiment

495

si proche de l'amour que j'éprouvais pour Walker. Il reposait la question : n'y avait-il pas, après tout, une intrigue à l'œuvre ? *Ne te fatigue pas à chercher un sens à tout ça, Lu, il n'y en a pas.* J'essayais de me projeter dans l'avenir au-delà de cette nuit, de ce *maintenant*, mais je n'y arrivais pas. Aucune vision ne m'apparaissait (rentrer chez moi, tout plaquer, me tuer, guérir mes enfants, lever une armée de garous). Je n'éprouvais qu'une agréable indifférence, associée à une obscurité contre laquelle m'appuyer, comme un enfant fiévreux contre une surface fraîche. Sa simple proximité m'offrait un koan de calme profond, mêlé d'une excitation quasi grotesque qui allait au-delà du sexe, même si ma chatte toujours trempée, toujours douloureuse, ne souffrait pas la discussion. (Avide de lui, spécifiquement de *lui*.) J'étais partie intégrante de quelque chose d'inéluctable, voilà ce que je trouvais excitant : l'impossibilité d'empêcher ça de devenir ce que ça allait devenir. C'était libérateur.

Le 4 × 4 s'arrêta.

Le chorégraphe invisible coercitif nous fit descendre de voiture puis parcourir une cinquantaine de mètres sur la pente douce d'une colline à l'herbe sèche, couronnée de neems et de figuiers des pagodes que le déplacement imperceptible de l'air suffisait à faire frissonner. Les constellations brillaient, énormes, d'une bienveillante indifférence. Elles auraient souri de même (qui le savait mieux que moi ?) si on était venus tuer plutôt qu'aimer.

85

Ce dont on ne peut parler, il faut le taire.

Sauf qu'on est incapable de se taire. C'est ça, la vraie Malédiction.

Je me rappelle — distinctement — notre déshabillage. Qui ne fut pas mutuel. Je me rappelle m'être déshabillée, chaque geste évoquant…

Évoquant quoi?

L'absence de temps. Ce qui se produisait se produisait depuis toujours et se produirait toujours.

Je me rappelle — indistinctement — avoir étendu mes vêtements par terre pour me coucher dessus.

Je me rappelle — la dernière chose dont je suis sûre — sa bouche et son poids sur moi. Et ma pensée : Où est la terre?

Après, je n'émerge que par moments de la nuit. On dirait un lent battement de cœur. Systole, diastole.

Dans la nuit, le néant.

Hors la nuit, le bonheur.

Non. Ce n'est pas vrai.

Je me rappelle autre chose.

Je me rappelle qu'à la fin — une fin qui nous offrit la joie de s'éloigner un peu plus chaque fois qu'on s'en approchait, une fin qui contraignit le plaisir à croître pour l'atteindre jusqu'au moment où pousser plus loin serait devenu souffrance et où elle céda, où mon corps me revint, avec toute la béatitude engrangée par l'univers en vue de cet instant précis, de ce point unique où le fini rencontrait l'infini —, à cette fin paradoxale d'une suavité insupportable, quelque chose passa de lui à moi. Je compris que je ne serais plus jamais la même.

86

Justine

Je dormis tard. Des heures et des heures. Dieu sait pourquoi. Peut-être parce que je m'étais nourrie alors que je n'aurais pas dû. Il me suffit d'ouvrir les yeux pour savoir qu'il n'était pas là, mais j'allai malgré tout jeter un œil dans le labo. Mia et Caleb n'y étaient pas non plus. Je me précipitai au rez-de-chaussée.

Le silence régnait, mais Olek lisait dans le bureau. La lumière allumée, la télé fixée au mur aussi, le son coupé. Un match de cricket illuminé par le soleil.

«Où est-il? demandai-je.

— Ah, vous êtes réveillée. Vous avez dormi très longtemps, jeune fille.

— Où est-il?»

Il marqua une pause. Malgré son sourire inamovible, mes manières le gênaient manifestement. Quel âge pouvait-il bien avoir? Les manières auraient-elles encore pour moi la moindre importance dans mille ans? Chaque fois que je pensais au temps dont je disposais, il me semblait faire les derniers pas après lesquels je plongerais d'une falaise dans une obscurité totale.

«Avec Talulla, répondit Olek. Ils sont...» Rire. «... sortis.

— Où sont-ils allés?

— Je crains de ne pas le savoir, mais je peux vous dire qu'il était en bien meilleure forme. Si seulement l'hystérie générale se calmait un peu…

— Qu'est-ce que vous racontez? Il était guéri?»

Olek referma son livre et se leva. Il n'est gentil avec moi que parce qu'il a peur de Nounours, me dis-je. Autrement, il m'aurait déjà arraché la tête.

Il s'approcha de la fenêtre pour regarder dehors. L'aube poindrait dans une heure, pas davantage. Je n'arrivais pas à croire que j'avais dormi aussi longtemps. Presque toute la nuit.

«Laissez-moi vous expliquer clairement où nous en sommes, commença Olek. Votre créateur est parti je ne sais où avec Mlle Demetriou. J'ajouterai que j'attends *vos* lumières sur ce qui se passe de ce côté-là. Mia et Caleb se sont nourris sur mes réserves au réveil, il y a quelques heures, avant de sortir profiter de la nuit. Ils ne vont sans doute pas tarder à rentrer. Nos deux tourtereaux russes, en proie à la même anxiété que vous, se sont lancés à la recherche de Talulla. Voilà, vous êtes contente? Que puis-je encore pour vous?

— Dans quelle direction sont-ils partis?»

Il soupira. Enfouit les mains dans les poches.

«Deuxième étoile à droite, puis tout droit jusqu'au matin. Franchement, quand je pense à la manière dont j'ai ouvert ma demeure, à l'accueil… Enfin. Je n'en ai aucune idée. Ils ont sauté par la fenêtre de Talulla, si ça peut vous aider, mais à part ça, je n'en sais pas plus que vous. Vous êtes très jeune, je ne cesse de l'oublier. Vous allez vivre dans un monde que je n'imagine même pas. Tout finit par être tellement triste.»

Je me précipitai à la porte.

«Il vaudrait mieux éviter de trop vous éloigner,

fillette, s'écria-t-il dans mon dos. Le soleil se lève dans une heure trente-six minutes. »

Mais, déjà, je m'étais mise à courir.

Non que je sache où aller. Je parcourus l'allée, dans l'espoir de repérer l'odeur de Nounours… ou de Talulla, mais ils étaient partis depuis trop longtemps. Ou alors, je n'étais pas encore capable de capter ce genre de choses.

C'est alors que je vis le type aux jumelles.

Planté au bord de la route, une centaine de mètres plus loin. Il avait beau me tourner le dos, sa silhouette me sembla vaguement familière. La forme de sa tête, ses grosses épaules rondes… la bedaine que j'imaginais. Il portait un treillis foncé curieusement incongru sur lui, un automatique en bandoulière dans le dos, un holster sur chaque hanche. À vue de nez, il était seul, mais je n'avais pas besoin de mon nez pour savoir qu'il y en avait d'autres.

J'aurais pu retourner prévenir Olek en quelques secondes. Sauf que, *a priori*, il était peut-être au courant de ce qui se passait. Quoi que ce soit.

Et, quoi que ce soit, ce n'était pas une bonne chose.

Ne le tue pas. Fais-le parler. Il faut savoir combien et où ils sont.

Seigneur, Nounours, pourvu qu'il ne te soit rien arrivé…

Il m'était si facile de me déplacer sans bruit entre les arbres qu'il me semblait dégager du silence. Le gouffre qui séparait mes capacités de celles de l'intrus restait excitant, malgré tout. Un humain. *Les* humains. Quand Nounours prononçait le mot en ma présence, on aurait dit qu'il ne s'appliquait pas à moi. Que c'était une plaisanterie. Ça n'y ressemblait plus du tout, maintenant.

Une nuit nerveuse m'entourait. Nerveuse, parce que le temps n'allait pas tarder à nous manquer.

Quand j'arrivai au niveau du type, j'aurais juré que la jungle mourait d'envie de l'informer de ma présence, mais qu'elle n'en avait pas le droit. J'allais le rejoindre d'un bond — j'imaginais parfaitement à quoi ça ressemblerait dans un film. On tournerait la scène depuis l'autre côté de la route : lui de profil, regardant par ses jumelles de nuit ; la muraille obscure de la forêt luxuriante, dans son dos ; forêt d'où je jaillissais soudainement — la courbe du saut, seconde de silence absolu avant le contact.

Tout était là, dans mes hanches et mes genoux fléchis, la manière dont la distance qui nous séparait se réduirait à rien. Je pliai les doigts.

Il baissa les jumelles… et je vis le pansement chirurgical qui lui barrait le nez.

Le type du Sofitel de Bangkok.

Peut-être les choses se seraient-elles passées différemment si je n'avais pas hésité, pendant que mon esprit rebroussait chemin à toute allure en quête d'un lien, de l'identité de l'inconnu, des raisons pour lesquelles il me suivait ou même de la preuve qu'il me suivait bel et bien. Peut-être les choses se seraient-elles passées différemment. Je n'en sais rien.

Ce que je sais, c'est que quand je le reconnus, je me redressai.

Raison pour laquelle les six premières balles en bois me transpercèrent les entrailles au lieu du cœur.

87

Talulla

Lorsque j'ouvris les yeux, les étoiles avaient pâli et
changé. Le temps avait passé. Il dormait. Je le secouai
pour le réveiller puis le regardai passer de l'inexpres-
sivité la plus complète — il ignorait totalement où,
quand et qui il était — à l'histoire brutalement réas-
semblée. Trois battements de paupière, quatre, cinq, les
dernières heures lui revenant tel un chapelet d'explosions. Il n'aurait pas dû s'endormir, me dis-je. Ce n'est
pas normal.

Lorsque je pris la parole, ma voix me parut étrangère, comme si j'avais les oreilles bouchées.

«Il est tard. Il faut qu'on… il faut que tu rentres.»

Les douces écorchures de l'habillement. Mon corps
m'emplissant d'une humble gratitude par sa finitude
unique — empreintes digitales, lèvres, mamelons, cils.
Le cadeau du néant : on en revient conscient qu'il est
merveilleusement bon d'être chair et sang mortels. Le
silence régnait, car il était absorbé par son propre enrichissement brouillon. On ne pourrait commencer à en
parler, à décrire ce que c'était, qu'au bout de quatre ou
cinq fois. Le fil fantôme, qui mourait d'envie de retrouver la normalité, de prouver que rien n'avait changé,
offrait des remarques du genre *Alors, ça valait le coup*

d'attendre ? ou encore *Tu es sûr que tu ne t'étais pas exercé ?* L'heure du jeu viendrait, de l'introduction en douceur dans le langage, mais il était trop tôt. Il n'y avait pour l'instant que l'obscurité crue, la réalité nouvelle, le monde transformé. L'heure viendrait pour tout. On avait le temps.

Mais la peur, virus murmurant, me chuchota que je me trompais. Quoi que ça puisse signifier pour moi, ça ne signifiait pas la même chose pour lui.

Il s'effondra en redescendant la colline. Ses jambes se dérobèrent sous lui, mais il se releva aussitôt, nerveusement, à une vitesse surnaturelle.

« Tu te sens bien ? » demandai-je.

Il sourit. Me prit la main, m'attira contre lui avec douceur et m'enlaça, m'étreignit. Je pleurais sans savoir pourquoi. Quelque chose s'était brisé dans ma poitrine. Les portes mentales s'étaient rouvertes. La morne foule des questions, libre d'entrer, n'en faisait pourtant rien. Les interrogations restaient où elles se trouvaient à regarder, hésitantes, comme si elles venaient juste d'être informées de leur absurdité collective. Comme si elles venaient de découvrir que le monstre qu'elles avaient mission de tuer était déjà mort.

« Allez, viens, dis-je. Il faut y aller. »

La fissure s'élargissait du fait que c'était moi qui m'inquiétais de l'heure tardive. Je pouvais continuer à lui donner des ordres un certain temps, mais pas éternellement. Il y avait en lui un calme et une simplicité qui finiraient par me faire défaut.

Le monde réel se réaffirmait par degrés, à travers le froufroutement de notre progression dans l'herbe, le bruissement de plus en plus lointain des arbres, le chant des cigales, le froissement léger d'une chauve-souris en plein vol. (Le fil fantôme s'évanouissait aussi, vaguement vengeur : une chauve-souris, ha ha ha !) Il n'avait toujours pas dit un traître mot. Comme si un énorme problème mathématique se résolvait paisiblement dans sa tête. Il n'avait rien à faire ; il le regardait juste se résoudre.

J'aurais dû conduire, mais en arrivant au 4 × 4, il prit le volant. De toute manière, je ne me rappelais pas le chemin, et je l'imaginais mal me donner des indications, perdu dans sa transe. L'habitacle sentait bon le cuir, le vinyle et la moquette neufs. L'odeur de la continuité, de la persévérance humaine à ouvrir des possibilités. Pensée qui élargit encore une fois la fissure : cet état de choses se prolongeait depuis si longtemps, et je n'avais plus droit au qualificatif d'« humaine », il ne s'appliquait plus à moi. La tristesse perçait dans le modeste fait de mettre le contact, dans le bruit du moteur qui démarrait, les phares qui ruinaient soudain l'intimité de la poussière, du macadam, de l'herbe pâle et sèche.

88

Justine

Je me réveillai au chant bruyant des oiseaux et à l'odeur suave du sang. Il me fallut un moment pour intégrer les problèmes d'inclinaison, de balancement, de gravité, puis je compris que je me trouvais sur les épaules de quelqu'un. Lorsque j'ouvris les yeux, il y eut une sorte de ruée focalisatrice de ma vue, mais aussi de mes autres sens. L'aube approchait. Mon regard plongeait le long du dos et des jambes de ma porteuse jusqu'à la terre sanglante de la forêt. Un bras humain arraché. Un treillis. Des *Militi Christi*. Je levai la tête (pas facile) pour examiner les alentours. Des cadavres et des morceaux de cadavres. Impossible de dire combien, mais une demi-douzaine, minimum.

«Pose-moi, demandai-je.

— Elle s'est réveillée, dit Caleb.

— Je peux marcher. Sérieux. Pose-moi.»

Mia se pencha et me reposa sur mes pieds.

«Il faut faire vite, dit-elle. Tu es sûre que tu vas y arriver?

— Il faut le récupérer, répondis-je. Il est quelque part là-dehors.

— On n'a pas le temps», trancha-t-elle.

Son aura vibrait encore de ce qui venait de se passer.

Deux taches rosées soulignaient ses yeux bleus. Mes pensées, pendant les quelques secondes où les premières balles m'avaient frappée, arrivant de partout à la fois : Espèce d'idiote, idiote, *idiote*. Une sorte de rêve m'avait engloutie. J'avais tué deux de mes assaillants sans même en avoir réellement conscience, dans une confusion où surnageaient quelques détails. Mes ongles traversant proprement la gorge d'un inconnu. La chaîne et le crucifix en argent d'une jeune femme s'envolant dans l'obscurité. La petite voix de Caleb : Bordel de *merde*. Le bruit d'une nuque brisée par Mia. Je n'avais jamais vu personne bouger aussi vite. La tête d'un homme s'arrachant avec un bruit terrible de déchirure humide, la main pâle de Mia prise dans ses cheveux. Les balles m'avaient fait un mal de chien. Une douzaine de minuscules explosions dans mes entrailles, plus trois ou quatre dans ma jambe gauche. Le trait de feu d'un carreau me traversant le bras gauche. Le bois incrusté dans la chair transformait soudain le cœur en pauvre type enterré vivant, cherchant à briser son cercueil à coups de poings.

« Doucement, reprit Mia quand je fis deux pas et faillis m'effondrer. Dou-ce-ment.

— Le mec aux jumelles… On l'a eu ?

— Il s'est tiré en voiture, répondit Caleb. Moi, je voulais le rattraper.

— S'ils savent pour nous, ils savent pour Remshi. On ne peut pas le laisser là-dehors !

— On n'a pas le temps, répéta Mia. Il ne nous reste que quelques minutes. Ou on rentre maintenant, ou on est morts. Moi, je n'ai pas l'intention de mourir. »

Elle avait raison, le soleil était tout proche. Je le sentais, muraille sonore en pleine construction. Mon corps hurlait son besoin de se cacher sous terre, comme si toutes mes cellules, toutes mes molécules ou je ne sais quoi encore tiraient sur leur laisse, milliards de minuscules créatures.

«S'ils le trouvent, ils le tueront, m'obstinai-je. Dans son état… dans son…»

Ça ne servait à rien. Mia avait déjà pris dix mètres d'avance. Caleb me tirait par la manche, ses mains pâles couvertes de sang. J'avais envie de vomir. Le soleil était si proche.

«Allez», insista Caleb, manquant me faire tomber tellement il tirait fort. «Pourquoi tu pleures?»

J'accélérais à chaque pas, pendant que mes blessures s'empressaient de guérir dans une sorte de papotage discret. Un vague plaisir écœurant s'offrait pourtant à moi, parce que je me réveillerais comme neuve. Comme neuve et parfaitement réveillée, dans un monde où la seule personne que j'avais jamais aimée aurait peut-être disparu à jamais.

89

Talulla

Le coup de frein me réveilla.

Je ne me rappelais pas m'être endormie.

Lorsque j'ouvris les yeux, il regardait fixement quelque chose, droit devant lui. Quelqu'un. Un vieillard revêtu d'un cocon de loques, appuyé sur sa béquille au bord de la route, juste à la limite de la lumière des phares.

«Hein?» marmonnai-je.

Pas de réponse, mais l'aura soudain densifiée de mon compagnon. Le vieillard — la peau sombre, la barbe négligée, un œil complètement injecté de sang — reporta son poids sur sa jambe saine puis leva sa béquille, comme pour nous montrer quelque chose. Il souriait. Je me demandai s'il voulait qu'on l'emmène. De quoi il s'agissait.

Mais il reposa sa béquille, se détourna et disparut en boitant dans l'obscurité.

«Qu'est-ce qui se passe? m'enquis-je.

— Cet estropié chenu.»

Remshi se mit à rire.

«Hein?»

Il restait là, souriant, les deux mains sur le volant, à regarder droit devant lui, rayonnant de fatigue.

«Qu'est-ce que tu disais?» insistai-je.

Les phares d'une autre voiture approchaient, tressautants. La route était — juste — assez large pour qu'elle nous croise. Une Land Rover aux vitres réfléchissantes.

Il ne bougeait pas. Pas un coup d'œil à la Land Rover. Si je lui posais la question, peut-être me dirait-il qu'il ne l'avait pas vue, alors qu'elle venait de nous frôler. Il restait plongé dans ce qui ressemblait fort à une sorte de joie creuse.

«Hé, appelai-je en lui posant la main sur le bras. Ça va?»

Pour toute réponse, il repassa une vitesse puis avança lentement jusqu'à l'endroit où s'était tenu le vieillard — plus ou moins. Une route étroite partait sur la gauche : c'était ce que nous avait montré l'infirme.

«C'est par là?» demandai-je. La sensation de déchirement dans ma poitrine croissait à nouveau. J'avais peur, sans savoir pourquoi. «Tu crois que c'est le bon chemin?»

Le ciel s'éclaircissait indéniablement.

«Peut-être, répondit Remshi. Oui.»

La route serpentait sur deux cents mètres entre des arbres échevelés inidentifiables puis rétrécissait jusqu'à former une piste sableuse, trop étroite pour le 4 × 4.

«On s'est trompés, objectai-je, ce n'est pas par là.»

Une distance et une proximité brûlantes s'étaient imposées entre nous.

«Tout va bien, dit-il. Tout ira bien.»

L'odeur de la mer me parvint dès qu'il ouvrit sa portière. Et, outre l'odeur, l'impression écœurante de vastitude, de profondeur, d'obscurité. De poids. Un conteneur noir rouillé, assez grand pour loger toute cette eau, serait tellement énorme ; ce serait tellement terrible de grimper dessus et de regarder à l'intérieur.

Des poissons par milliards, des requins, des bateaux naufragés. La minuscule particule du corps pourrissant de Cloquet.

«Non, ça ne va pas, protestai-je. C'est dingue. Regarde le ciel.» Une faiblesse frénétique m'emplissait les jambes, les poignets, les mains. J'avais cru à la disparition du chorégraphe invisible coercitif, mais il était toujours là. «Il faut faire demi-tour. Tout de suite.» Remshi s'éloignait sans m'écouter. «Attends! Attends-moi, bordel!»

Je lui emboîtai le pas sur la piste. Elle se perdait d'abord parmi des touffes compactes de hautes herbes, ensuite dans des dunes de sable moelleux qui finissaient par s'aplanir jusqu'à s'étirer en plage — vaste amphithéâtre désert. L'obscurité avait beau noircir l'eau, une collerette d'écume pâle naissait de la nuit chaque fois qu'une vague se brisait sur le rivage.

Il ôta ses chaussures. Sourit lorsque ses orteils se crispèrent dans le sable.

«J'aime. On oublie à quel point ces choses-là sont agréables.»

Je regardais le ciel au-dessus des flots d'encre. L'horizon s'éclaircissait.

«Marchons un peu», continua-t-il.

Sa voix paraissait fragile sur la plage immense.

«Pourquoi fais-tu une chose pareille?» demandai-je, alors que je croyais connaître la réponse à la question.

Des poids invisibles très doux glissaient de mes épaules à chaque pas, annonciateurs de l'insupportable légèreté que j'éprouverais quand ils seraient tombés jusqu'au dernier. *Insupportable.* Comme le disait un des journaux de Jake: *Le mot «insupportable» vous transforme en menteur... à moins d'être suivi d'un suicide.*

« J'ai souvent rêvé de cet endroit », dit Remshi au bout de quelques dizaines de mètres. Le bruit des vagues, diminution bienfaisante dans sa régularité, enchaînement de petites soustractions, actes de compassion aussi inlassables que douloureux. « Je me promenais sur cette plage avec quelqu'un. »

La brise rejetait légèrement ses cheveux en arrière. Ses grands yeux sombres brillaient.

« Moi aussi », reconnus-je, malgré le goût de défaite qui me monta alors à la bouche.

« J'ai lu je ne sais où qu'il fallait être mort pour comprendre ses rêves.

— Pourquoi tu as dit ça de ce vieux, là ? Pourquoi tu l'as appelé comme ça ? »

Il secoua la tête, son sourire retrouvé. Incrédulité heureuse face à ce qu'il était lui-même. Parce qu'il avait raté quelque chose d'aussi évident.

« Je pensai tout d'abord : il ment à chaque mot, récita-t-il.

Cet estropié chenu, à l'œil plein de malice
Détourné pour épier l'effet de son mensonge
Sur mes yeux, et dont la bouche pouvait à peine
Cacher la joie qui la plissait et la ridait
Devant une victime encore ainsi gagnée.

— Je connais. » Un poids supplémentaire glissa de mes épaules. Une défaite supplémentaire dans ma bouche. « C'est un extrait du *Chevalier Roland*. Je l'ai lu chez Olek. »

Il acquiesça. Souriant, une fois de plus, nullement surpris. Je me tournai vers l'est, où la nuit pâlissait.

« Pourtant, docilement,
Je pris le tournant qu'il montrait ; non par orgueil,
Ni par espoir se rallumant en vue du terme,

Mais par joie d'entrevoir un terme, quel qu'il fût, continua-t-il.

Mais bien sûr…»

Ses jambes se dérobèrent à nouveau. Je l'aidai à se relever. La chaleur qu'il m'avait transmise se concentrait dans mes reins, au point que je me demandai si j'étais retombée enceinte — pensée qui me poignarda d'une impression de deuil prématurée.

«Merci, dit-il. Je suis désolé. Sincèrement désolé.

— Rentrons, s'il te plaît. *Je t'en prie.*

— J'allais dire que ce n'est évidemment *pas* un mensonge. *L'effet de son mensonge?* Il montre bel et bien le chemin. La route qu'il indique mène bel et bien à la tour noire.

— Tu n'as pas à faire une chose pareille.

— Dans le rêve, j'ai toujours cru qu'il s'agissait du crépuscule. Pas toi?»

Je ne voulais pas répondre. Chacune de mes réponses, chacune de mes paroles, chacun de mes actes me débarrasseraient d'un poids très doux supplémentaire. Je m'y contraignis pourtant, par dégoût.

«Si.

— Je me trompais. On oublie que l'aube ressemble au crépuscule. On oublie tellement d'évidences.»

Une vingtaine de mètres plus loin, sur notre droite, les dunes et les touffes d'herbe cédaient la place à la roche. Il en émanait un froid qui me glaçait aux endroits dégagés par les poids. Et, bien sûr, la petite barque retournée était là, ajoutant sa part innocente à l'impression sinistre de déjà-vu abrutissant.

Il s'en approcha et se mit à en arracher les algues.

«Tu n'as pas à faire une chose pareille», répétai-je.

Le seul fait de prononcer ces mots en prouvait perversement la fausseté.

Il continua à dégager le bateau avec méthode.

«Tu n'es pas elle. Pas au sens littéral. Mais tu es sa manière de me rappeler à elle. Voilà ce que je n'avais pas compris dans son message. Elle disait : *Et tu me reviendras.* C'était ça, l'important. Les morts ne peuvent venir à nous. C'est à nous d'aller à eux.»

Une brusque colère me saisit à le voir si calme.

«C'est complètement idiot. Tu n'as pas à faire une chose pareille… C'est juste… Tu en as rêvé. Et alors? Les rêves… Eh merde.

— Les rêves sont des allumeuses sans pareilles. Ils font encore et toujours des promesses qu'ils ne tiennent jamais. Un ami m'a dit ça, une nuit. Il avait raison.

— Alors ne fais pas une chose pareille.

— Écoute. Dis à Justine qu'il y a un exemplaire des *Œuvres complètes* de Browning par terre, dans la bibliothèque de Las Rosas. Ouvert, retourné. Demande-lui de te dire à quel poème.» Il secoua la tête. Se remit à rire. Compréhension à retardement, là aussi. «Demande à Caleb quel poème d'*Hommes et femmes,* de Browning, il lisait dans l'avion.

— Ça ne veut rien dire. C'est juste ce qu'on fait, nous, de ces coïncidences de merde. Ça vient de *nous*.

— Dis à Justine que je donne la maison de Big Sur à Mia et Caleb. Et à elle. Ils se feront du bien les uns aux autres. Elle a besoin d'une famille et eux aussi.

— Pourquoi veux-tu faire une chose pareille?»

Il poussa la barque afin de la retourner. Les rames étaient sanglées au petit banc, une grosse corde visqueuse attachée à la proue. Lorsqu'il leva les yeux vers l'horizon oriental, je n'aurais su dire au juste quand le soleil y apparaîtrait, mais notre marge de manœuvre se réduisait évidemment. Vingt minutes? Une demi-heure? Elle nous permettait encore de rentrer chez Olek, je n'en doutais pas.

«Justine voulait m'empêcher de te rejoindre, parce qu'elle pensait que tu me rendais malade, reprit-il. C'est pour ça qu'elle est partie, au fond. Elle savait que je me lancerais à sa recherche.» Cette constatation lui apportait un réconfort qu'il prit le temps d'assimiler. Rasséréné, il sourit, sans aucun signe de lassitude. «Elle sait que je l'aime, Dieu merci.» Puis il considéra ses mains tremblantes. «Mais ça n'avait rien à voir avec toi. J'étais malade, de toute manière.

— Olek peut te soigner. Hier, tu étais dans le coma.»

Il entreprit de dérouler la corde.

«Vali a exigé de moi une promesse, autrefois. Celle que je vivrais aussi longtemps que je pourrais. Curieusement, je l'ai tenue... alors que je n'y croyais pas! Et te voilà, toi, son message, qui m'informes qu'elle considère ma promesse comme tenue.»

Déloger la barque se révéla difficile. Il dut s'y reprendre à trois fois, chaque tentative l'épuisant visiblement un peu plus, pendant que je le regardais, impuissante.

«Tu sais ce que m'a dit mon créateur, avant de mourir? reprit-il. Il m'a dit, *J'ai vu cet endroit en rêve. Je suis soulagé d'y être enfin.* Quand je rêvais de cette plage, j'avais l'impression profonde de savoir quelque chose sans savoir quoi. Maintenant, je sais.

— S'il te plaît, s'il te plaît, ne t'en va pas.»

Il lâcha la corde, s'approcha de moi et me prit les mains. Les siennes étaient pleines d'un sang frémissant.

«Talulla... Quel beau nom. Je suis heureux que tu sois ici avec moi.

— Tu t'en vas parce que tu crois qu'elle t'attend de l'autre côté, mais si elle ne t'attend pas? S'il n'y a rien de l'autre côté, ni pour toi ni pour personne ? Il n'y a *pas* d'autre côté. »

J'avais pourtant deviné ce qu'allait dire Olek avant qu'il ne le dise, et l'image se découpait dans ma tête, aussi nette qu'une des stations d'un chemin de croix émaillé : le bébé, la tablette de pierre, le mélange de sang coulant par le trou, tombant vers une obscurité qui n'avait rien de terrestre ni de spatial, totalement étrangère au temps. Ce souvenir m'exaspéra parce qu'il ne prouvait rien, évidemment, sinon que l'imagination avait ses petites habitudes. Que toute créature avait ses inclinations. Branchez un jungien sur le sujet. Un putain de *structuraliste*. Dieu — *les* dieux — et les contes de fées n'étaient que des dispositions, ajoutées à une envie : celle que tout ce bordel ne soit pas le simple fruit stupide du hasard, qu'il *serve* à quelque chose.

« Tu n'as aucune preuve, insistai-je. Juste des rêves et des coïncidences. Une illusion… une illusion de motif, comme si la vie était un putain de film ou de *livre* débiles.

— Je suis désolé. Sincèrement désolé », répéta-t-il. Sourire attristé. « Je suis arrivé au terme de mon parcours psychologique. »

J'étais bien décidée à ne pas l'aider avec la barque, jusqu'à ce qu'il tombe à mi-chemin des flots. Sans doute avais-je l'air ridicule, à traîner un bateau en pleurant, mais je ne l'en accompagnai pas moins dans l'eau sur plusieurs mètres. L'odeur fraîche et brute de la mer excitait malgré tout une part de mon être. Le ciel immense et la plage déserte. En aurais-je jamais assez ? Le monde, les événements, les gens de plus en plus proches, l'honnête chaleur de la chair et du sang. Des deux espèces. J'avais fait tellement de mal à Walker. C'était tellement injuste que Jake ne soit plus là.

516

Cloquet, Trish, Fergus. Ils ne reviendraient jamais. Les morts ne peuvent venir à nous. C'est à nous d'aller à eux. La vie finit par mener à ça. On choisit de ne pas aller aux morts.

«C'est nul, dis-je. Complètement nul et complètement idiot.»

C'était aussi complètement nul et complètement idiot de rester plantés tous les deux dans le ressac, avec un petit bateau optimiste, car l'ourlet vaguement lumineux tendu à l'horizon nous montrait que le soleil se levait, qu'un autre jour naissait, que les événements s'enchaînaient toujours, que ce putain de monde continuait.

Il se mit à rire et me reprit les mains.

«Toutes ces années…» commença-t-il avant de s'interrompre, manifestement incapable de trouver ses mots. «La vie donne des indices terribles. On appelle ça l'ensorcellement. Quand on boit…» Il leva les yeux. Les étoiles avaient presque disparu. «Quand on boit, on en voit tellement de ce que tu appellerais des coïncidences, des liens entre les choses. Les humains aussi les voient. C'est une malédiction partagée, qui nous tourmente en permanence. Les rêves n'ont guère d'importance. Ce ne sont pas les rêves, c'est la beauté, la métaphore, l'amour. Surtout l'amour. Le voilà, le gros indice que la vie ne peut pas s'empêcher de donner, le plus puissant des ensorcellements.» Il se tourna vers la lumière bourgeonnante. «J'allais dire que j'en ai assez de ne pas savoir, mais ce serait inexact. C'est bien mieux que ça : je suis prêt à savoir. Ça ne peut pas être un mal, hein ? Être prêt à savoir ? Allez, ne pleure pas. Arrête, s'il te plaît.»

Mais je pleurais en effet. Pas seulement sur lui, mais sur moi, sur le gâchis que j'avais provoqué, le gaspillage auquel je m'étais livrée, les trésors que j'avais perdus. Et bien sûr, *bien sûr*, parce que je n'étais *pas* prête à savoir et n'imaginais pas l'être jamais.

« Il paraît qu'au moment de mourir, on voit défiler toute sa vie en un clin d'œil, continua-t-il. Ça va être un sacré clin d'œil. Il va sans doute me tuer. »

Il me regardait, souriant, me mettant au défi de rire. Et, parce qu'il n'existe pas d'extrêmes qui ne puissent se rejoindre en nous, parce qu'il n'existe pas de farces ni de bouffonneries qui nous soient inacceptables, je m'aperçus que je riais en effet, avec une sorte d'angoisse.

« Embrasse-moi, ajouta-t-il. Une dernière fois. Pour me porter bonheur. »

Je l'embrassai, en cherchant à prolonger le baiser. Mais c'est impossible, il s'achève tôt ou tard. On aime, on perd. C'est comme ça.

Il monta dans la barque, voulut donner un coup de rames et perdit l'équilibre. Se redressa en riant, une fois de plus.

« Ça fait au moins cent ans, tu sais ! »

On se regardait. Ce qu'il m'avait transmis, quoi que ce fût, me chatouillait, s'épanouissait dans mon sang.

« Vas-y, reprit-il. Maintenant. Ne reste pas là, s'il te plaît. »

Je n'y allai pas. Je le regardai s'éloigner au rythme de plus en plus sûr des coups de rames. Dix. Vingt. Trente. Alors je me détournai pour regagner le rivage en pataugeant, le jean et les bottes trempés, les yeux brûlants, la poitrine creuse. Les derniers poids doux me glissaient des épaules. Je passai un moment le dos tourné à la mer, les yeux fixés sur le sable luisant.

Puis je pivotai.

Il était beaucoup plus loin que je ne le croyais.

J'aurais juré l'avoir perdu de vue quelques secondes à peine, mais le bateau avait rapetissé jusqu'à la taille d'une boîte d'allumettes.

Je n'aurais rien affirmé, à cette distance, même s'il me semblait bien qu'il se tenait debout, tourné vers l'horizon. La pensée me vint alors que je ne lui avais pas dit adieu, et à cette seule idée, à l'idée de ce que j'aurais ressenti en prononçant le mot «adieu», mes yeux s'emplirent de larmes, une fois de plus. Je m'enveloppai de mes bras.

Et regardai.

Il bénéficia de quelques secondes. Voire d'une minute. Une lumière à l'orange et au rouge profonds, des nuages bas duveteux, flocons membraneux, eau mercurielle pailletée de bleu, de rose, de pêche. Pas charmant, non, mais spectaculaire, constatation terriblement indifférente de l'échelle de ce monde — la gigantesque chaleur impliquée, les vastes mathématiques sans âme donnant par accident naissance à tout ce que nous connaissions sur terre, meurtres et poèmes, rêves et révélations, ennui et amour.

Je crois qu'il vit le premier quartier du soleil s'élever sur les flots. Je crois qu'il cria quelque chose en riant. «Magnifique!», peut-être.

La barque piqua du nez, se redressa. Il était là. Une bouffée de flammes éclatantes, frangées de violet, bref éclat adouci. Il n'y était plus.

90

Le cardinal Salvatore di Campanetti m'attendait à côté du 4 × 4, le nez dissimulé par un gros pansement chirurgical, un pistolet à la main.

« La tradition exigeait autrefois qu'on rapporte la tête du loup, commença-t-il. Les défenseurs de la Lumière mettaient un point d'honneur à prendre le monstre sous forme de monstre, et les païens de l'OMPPO eux-mêmes ont autant que possible respecté la coutume. De nos jours, nous sommes un peu moins exigeants. »

Mon sang cliquetait. Un goût écœurant m'emplissait la bouche, une vibration de diapason la tête.

L'argent.

Les balles.

Pas de cachette. Rien. Maintenant. La réalité de mes enfants explosant dans mon cœur. Ma vie tout entière se ruant à la recherche d'un moyen de… de…

Le cardinal leva son arme et me tira en pleine poitrine.

Je n'avais encore jamais pris une balle dans le corps. Ça ressemblait à une ruade de cheval, telle que je l'imaginais. Je me sentis tomber, mais réussis de justesse à me cramponner au rétro extérieur pour rester sur mes pieds. Une douleur brûlante, écrasante avait envahi mon torse, détonation de lumière blanche pesante m'emplissant les poumons et la tête. Il me restait quoi ? Quelques secondes ? Je me rappelais — lorsque mes yeux se rouvrirent sans que j'aie eu conscience de les avoir fermés et que les grands arbres non identifiés me réapparurent, vacillants, énergisés, outrageusement débordants d'une vie détaillée — je me rappelais avoir tenu Jake dans mes bras au moment de sa mort. Combien de temps cela avait-il duré ? J'avais senti l'argent cartographier à toute allure ses systèmes veineux, nerveux, tissulaire, osseux. Exulter d'avoir été libéré en lui et de s'en donner à cœur joie. Couper l'électricité pour éteindre les lumières de la ville, quartier par quartier. Cinq secondes ? Dix ? Une minute ? Je me disais aussi (Dieu étant mort, l'ironie toujours en pleine forme) que ce qui m'arrivait fichait en l'air le grand discours auquel j'avais pensé quelques instants plus tôt — comme quoi je n'étais pas prête à savoir. Le savoir n'attendait pas qu'on soit prêt à l'accueillir. Le savoir savait où nous trouver. Je m'imaginai la surprise de Remshi, jetant un coup d'œil en arrière et me découvrant tout près de lui sur le chemin de l'autre monde. Et, s'il ne se trompait pas, bien sûr, Vali serait là aussi, en fin de compte. De même que Jake et ma mère. Présentations immatérielles maladroites… Ridicule ! La petite portion légère et dansante de mon être riait.

Nouvelle ruade, dans mes tripes, cette fois, qui ouvrit l'étau de ma main sur le rétro et me fit tomber à quatre pattes, par degrés inutilement étirés. De petites brindilles roulèrent sous mes tibias, irritant parfaitement distinct, quoique mineur. Je pensais aux jumeaux. Heureusement, ils étaient encore assez jeunes pour m'oublier. Walker ne les abandonnerait pas. Maddy non plus. Ils n'auraient aucun problème.

Puis je sentis ce qui se passait.

La Mort levait les yeux sous son attirail du mardi gras et regardait la Vie s'abattre sur elle en véritable raz-de-marée.

Elle cherchait à refaire ses calculs, assimiler, intégrer. L'inversion.

Une masse d'eau colossale s'abattait sur un incendie colossal avec un sifflement intérieur assourdissant.

L'eau est toujours la plus forte.

Il m'avait transmis quelque chose.

Je ne comprenais pas.

Et, bien sûr, je comprenais.

Je savais que je ne serais plus jamais la même. Simplement, je ne savais pas en quoi.

Le silence régnait. J'ignore combien de temps je restai à genoux, les yeux fixés sur les cailloux et la poussière de la piste. La chaleur du jour s'étoffait, lourde suggestion de la masse suffocante qu'elle imposerait dès midi. Le moteur du 4 × 4 produisit un *tonk* discret en refroidissant. Je relevai la tête. Décollai les mains de terre. Posai un pied à plat. Me redressai.

Le cardinal fut surpris, pour dire le moins. La volonté qui le guidait déserta son visage. Je m'approchai. Si je tendais le bras pour lui prendre son arme, sans doute ne résisterait-il pas. Je la lui prendrais, je la pointerais vers sa tête et je presserais la détente.

Je savais pourtant que je n'en ferais rien. Pas par pitié, mais par épuisement et par dégoût. La réserve infinie des actions et réactions, des causes et des effets. Jake détestait les *si* et les *alors* sans fin. La barque, le soleil levant, la bouffée de flammes m'avaient vidée. J'étais fatiguée. Je voulais rentrer chez moi.

Je montai dans le 4 × 4 et démarrai.

L'univers ne mettait jamais les lois de la physique

entre parenthèses, si extrême que fût la situation. Elles me contraignirent donc à la farce maladroite du demi-tour dans un espace réduit, sous les yeux du cardinal bouche bée, stupide, son pistolet néantisé à la main. Jake aurait baissé sa vitre pour une dernière réplique assassine : *Mon Dieu, mon Dieu, pourquoi m'as-tu abandonné ?*

Je n'avais même pas le cœur à ça.

91

Je ne trouvai le chemin de chez Olek qu'à la troisième tentative. Grishma patrouillait à la limite du jardin, à ma recherche, un AK-47 entre les mains. Lorsque
je coupai le moteur et descendis de voiture, les cigales
se turent quelques secondes, avant de reprendre leur
vacarme.

«Ah, dit Grishma. Bon. Très bien. Entrez donc, je
vous en prie.»

Il me mit au courant de l'attaque en descendant à la
cave. *A priori*, l'escouade des *Militi Christi* avait été
éliminée tout entière, à part le cardinal. Olek (enfermé à
double tour dans sa chambre la plus sûre — j'en dédui-
sis des armes et des tunnels de secours : on n'atteignait
pas un âge pareil sans parer à toute éventualité) n'en
avait pas moins rappelé ses gardes, qui allaient arriver
sous peu. Les autres dormaient, sains et saufs. Caleb,
Mia et Justine, couverts de sang ; Natasha sur un édredon, au labo, Konstantinov écroulé contre le mur à côté
d'elle, un automatique dans la main droite.

« M. Konstantinov vous attendait», m'expliqua
Grishma, la tête penchée de côté, des yeux pleins de
fierté fixés sur le Russe, telle une mère devant son bam-

bin épuisé. «Mais il n'a pas pu. Il avait tellement peu dormi, ces derniers jours. »

Il me semblait ne pas avoir dormi du tout moi-même.

«Il y a aussi quelque chose que vous devez voir», reprit Grishma pendant que nous remontions les escaliers.

Je devais surtout prendre une douche brûlante et m'en aller, mais je le suivis pourtant au salon.

La télé à écran plasma était allumée, le son coupé. CNN. Une séquence nocturne. Un entrepôt abandonné en feu. Des silhouettes en treillis. Armées.

«Ça passe sur toutes les chaînes, m'apprit Grishma en me servant un Macallan et en me tendant mon verre. Un nouveau développement. Oui. »

Il remit le son à l'instant précis où je me plongeais dans le commentaire déroulant : *NOUVELLES : CHICAGO — LES MILITI CHRISTI ATTAQUENT LA TANIÈRE D'UNE MEUTE DE LOUPS-GAROUS... «L'ÉPOQUE DU DÉNI EST TERMINÉE», DÉCLARE UN SÉNATEUR RÉPUBLICAIN... TWEETEZ VOTRE POINT DE...*

Scène filmée dans de mauvaises conditions, mais par des professionnels. Rien à voir avec le témoignage tressautant d'un iPhone. Une équipe complète, disposant de plusieurs caméras. Le reportage — car c'en était un — faisait partie du planning.

«... que cet assaut marque le début d'une action franche et massive, expliqua une voix off. Le chef de l'escouade, Martin Scholes, se propose de faire une déclaration...»

Changement de plan, apparition d'un type très brun d'une bonne trentaine d'années, en treillis noir, barbouillé de maquillage camouflage brouillé par la sueur. Haletant. Manifestement heureux.

«On est là pour ça. On est là pour…»

Un autre combattant lui donna une claque dans le dos en passant derrière lui.

«*Gloria Patri! Et Filio! Et Spiritui Sancto!*» cria l'inconnu.

Suivirent un *Ouaouh* et une tentative avortée de V de la victoire.

«Désolé», reprit Scholes, souriant, quand l'intrus fut sorti du champ de la caméra. «C'est… Les hommes se sont entraînés dur, vous comprenez. Je… Ils sont contents, c'est normal. Ce que je veux dire, c'est que ce travail doit être fait. Personne n'oserait prétendre que le problème va en s'arrangeant. Au contraire, ça ne fait qu'empirer. Il faut bien que quelqu'un fixe des limites, vous voyez? Que quelqu'un… Il n'y a pas que les chrétiens qui soient en danger, que les Américains, mais l'espèce humaine tout entière, la vie humaine, partout. Si on n'est pas devant un ennemi évident, je ne sais pas ce que c'est.

— On dénombre pour l'instant cinq morts garous et seize humains», intervint la voix off, pendant qu'apparaissaient à l'écran deux cadavres de lycanthropes décapités, couchés dans des gravats brasillants, entourés de quatre jeunes *Militi Christi* armés.

«On n'est pas un mouvement politique, disait Scholes lorsque le reportage se recentra sur lui. Notre but est d'éradiquer cet ennemi évident, par la grâce de Dieu et pour Sa plus grande gloire. On ne va pas…

— Qu'avez-vous à répondre aux gens qui accusent l'Église de se servir de cette campagne pour restaurer sa crédibilité, ruinée par de multiples affaires d'abus sexuels sur enfants…

— C'est ridicule», coupa Scholes, au moment où quelque chose explosait hors champ. Son interlocuteur sursauta, ce qui le fit apparaître à l'écran. Scholes l'aida à reprendre l'équilibre. «Ça va? Ne vous en faites pas, ce n'est… Oui, je disais donc que ça prouve juste qu'ils détestent l'Église. Certains ont toujours détesté l'Église. Ils sont prêts à raconter n'importe quoi pour nous discréditer. Tenez, regardez. Vous pouvez filmer ça?»

Quelqu'un lui tendait une baïonnette, à la lame couronnée d'une tête de loup-garou. Il s'agissait là encore du fruit d'une réflexion, censé être cueilli à cet instant précis pour avoir le maximum d'impact visuel.

«Voilà, dit Scholes. *Voilà* ce qu'on fait.»

Suivit un extrait de la conférence de presse donnée par le sénateur Républicain McGowan. Des flashs. Un buisson de micros.

«Il y a eu erreur, déclarait-il. J'ai dit qu'il nous fallait plus *que* des armes, pas plus d'armes. Il nous faut plus que des armes et des balles en argent pour venir à bout de cet ennemi, car seuls les politiciens les plus aveugles persistent à ne pas le voir tel qu'il est. Il nous faut la foi, il nous faut les saines valeurs que nous avons perdues, et chacun sait au fond de son cœur ce que j'entends par là…»

Je coupai le son.

Grishma restait silencieux.

«Dites à Olek que je le recontacterai.

— Mais madame…

— Pas pour ce qu'il a à vendre, mais on arrivera peut-être à mettre quelque chose au point. Dites-lui de me laisser deux semaines.»

S'il était possible de synthétiser ce qui circulait dans mon sang, peut-être Olek constituait-il ma meilleure chance. Quoi qu'il en fût par ailleurs, il maîtrisait son domaine scientifique. Tant que nous, les garous,

ne disposerions pas de notre propre génie de laboratoire, nous devrions nous contenter de lui. Après tout,
il n'allait pas renoncer à ce qu'il voulait. Il suffisait que
je le persuade de ne pas le chercher ailleurs.

J'appelai Walker de ma chambre.

«Oh, nom de Dieu! s'exclama-t-il. Qu'est-ce qui se
passe? Qu'est-ce que tu foutais? Tu n'as pas consulté
tes messages?»

Non, j'étais trop occupée à lire Browning et à baiser
avec un vampire.

«Comment vont les…?

— Les enfants se portent comme des charmes.»

Jamais sa voix n'avait vibré d'une telle colère.

«Je suis désolée, assurai-je. Je reprends l'avion
aujourd'hui. Où êtes-vous?»

Silence. Long silence. Maddy était là, près de lui.
Peu importait. C'était une bonne chose. Il fallait qu'il
en soit ainsi.

«En Croatie, toujours, répondit-il enfin. Mais merde,
Lu, tu as regardé la télé, non?

— Je viens de voir ce qu'il en est. Désolée.

— Arrête avec ça, bordel.

— Les enfants…?

— Ils dorment.

— Très bien. Tant mieux. Désolée.»

Oui, encore une fois. C'était sorti avant que je ne
puisse le retenir.

«Qu'est-ce que vous trafiquez là-bas, bordel?»
Puis : «Ça va, toi?

— Oui, oui. Je… ça va. Je rentre.

— Qu'est-ce qui s'est passé avec Olek? Et cette histoire de guérison?»

Je réfléchis un instant à la question. À toutes les
réponses possibles.

528

« C'est trop cher payé, répondis-je enfin. Pour moi, en tout cas. Et pour les enfants. »

Silence, encore. Tout de questions retenues.

« Ça ne fait que commencer, tu en es bien consciente ? reprit enfin Walker. Tu te rends bien compte qu'il va falloir se battre ?

— Oui. On se battra tels qu'on est. Tu avais raison, on ne peut pas revenir en arrière. On n'a jamais pu. Et si on pouvait, nous, ils ne pourraient pas, eux. Je rappellerai de l'aéroport. Ne t'inquiète pas. Ne t'inquiète de rien. S'il te plaît. Je veux que tu sois heureux. Que tu… »

Arrête, bordel. Tu ne vas quand même pas te mettre à pleurer.

« Je rappellerai de l'aéroport », répétai-je avant de raccrocher.

Au rez-de-chaussée, je demandai à Grishma du papier et un stylo. J'avais des choses à dire à tout le monde.

92

Dans l'avion — et à l'aéroport, avant l'embarquement —, il n'était question que de l'assaut. Les *Militi Christi* avaient mené au cours des dernières vingt-quatre heures une vingtaine de raids, minimum, sur des tanières de loups-garous (abritant soit des solitaires, soit des meutes), dans une demi-douzaine de pays. On ne voyait que ça à la télé. Les salles d'embarquement vibraient d'une excitation collective palpable. Jusqu'au personnel de cabine qui, animé, les yeux brillants, servait les boissons avec une décision inhabituelle. J'évoquai le journal de Jake : *Un changement de paradigme répond toujours à un désir amoral de nouveauté.* Ma foi, il s'agissait clairement d'un changement de paradigme. Des mois de rumeurs et de contre-rumeurs, de vidéos sur YouTube, de théories conspirationnistes, d'affabulateurs et de cinglés religieux… et voilà que les gouvernants d'une dizaine de grandes puissances faisaient leur coming-out en admettant que c'était vrai. Les soldats du Christ les y avaient obligés. On assistait maintenant aux tentatives de récupération brouillonnes, car la sphère politique cherchait à prendre le contrôle des événements avant que les saints armés ne fassent figures de sauveurs.

«Nous sommes informés du danger depuis quelque temps déjà, déclarait un général britannique poupin sur la BBC World News. Nous sommes informés, entraînés, nous avons mis au point un éventail de stratégies et de matériel, mais il faut comprendre que notre objectif principal… outre l'objectif évident… a été d'éviter la panique et la méfiance civiles qui, hélas, découlent des actions précipitées menées à l'heure actuelle. C'était à prévoir, évidemment. J'aimerais profiter de l'occasion qui m'est offerte pour rappeler la position du gouvernement dans les termes les plus clairs : laissez faire les professionnels. »

Au décollage, quand les roues quittèrent la piste et que la sensation de légèreté s'empara des passagers, corrélat objectif du lâcher dans un avenir inconnu, je repensai à ce que m'avait dit Olek : *Votre espèce — comme la nôtre — vit ses derniers jours liminaux…* Curieusement, j'étais soulagée qu'il ait raison — mais il en va toujours ainsi de ce genre de choses. Les survivants des guerres ont conscience de cette primauté renouvelée de la survie, de leur propre point de vue neuf, brutal, leur franche impression rafraîchissante d'être capables de trancher dans les âneries habituelles, d'aller à l'essentiel des inconnus en un instant — pour tirer un coup de l'une ou l'autre sorte. Parce que la mort s'est posée sur leur épaule, corbeau de bonne composition.

Je pensais aussi à Remshi, bien sûr, qui ne verrait pas ça, mais qui m'avait fait don (sans le savoir ?) de quelque chose de crucial pour les jours et les années à venir. Je portais maintenant l'immunité à l'argent. Nous trouverions — oh, ne vous y trompez pas, nous *trouverions* — comment la transmettre à nos frères et sœurs. À nos enfants. Mes enfants.

Quant au reste… aux dieux, aux sacrifices magiques, aux rêves, aux indices, aux coïncidences, aux synchronicités et au destin, à l'impression parfois écrasante qu'il existait un dessein, un but, une grande architecture, un sens, une *intrigue*…

Voilà ce que je me rappelais avoir lu, je ne savais où : *C'est très bien d'y croire, mais mieux vaut ne pas compter dessus.*

«Madame?» L'hôtesse de l'air se penchait vers moi. «Une autre flûte de champagne?»

Jolie fille. Blonde, une tresse française dégageant le visage, des yeux verts frappants, un vernis à ongles rouge (*pas* «Scarlet Vamp») presque parfaitement assorti à la jupe d'uniforme moulante. Odeur évidente de maquillage et de Dune, mais le *lukos* pouvait affirmer qu'elle avait mangé moins de deux heures plus tôt un samosa au poulet tikka et une salade de fruits. Les quelques secondes que je mis à répondre «Oui, s'il vous plaît», suffirent à ses détails pour se rassembler avec une précision compacte qui me donna conscience — en une brusque poussée — que j'adorerais la tuer et la manger.

Lorsqu'elle eut rempli ma flûte et poursuivi son chemin, je me coiffai de mon casque et me branchai sur une station radio au hasard. Court silence, puis début de la réception : Bob Dylan, «The Times They Are a-Changin».

Difficile de réprimer un sourire.

C'est très bien d'y croire, mais mieux vaut ne pas compter dessus.

Je m'adossai dans mon fauteuil en me demandant quand un de mes compagnons de vol humains — un des vôtres, un de vous — perdrait un proche à cause d'un des nôtres, un de nous. Vous. Les vôtres. Nous.

Les nôtres. Les jours à venir allaient sortir la division de l'ombre pour la faire entrer dans la lumière. Le cardinal et sa sainte armée représentaient l'avant-garde d'une guerre nouvelle. Il en viendrait d'autres.

Il en viendra d'autres.

Nous savons que vous viendrez.

Nous serons prêts à vous accueillir.

Remerciements

L'auteur remercie : Jonny Geller, Jane Gelfman, Kirsten Foster, Francis Bickmore, Jamie Byng, Jenny Todd, Vicki Rutherford, Lorraine McCann, Cate Cannon, Anna Frame, Jaz Lacey-Campbell, Andrea Joyce, Diana Coglianese, Sonny Mehta, Kim Thornton, Ruth Liebmann, Peter Mendelsund, Mandy Brett et Jane Novak. Tout mon amour et ma reconnaissance à Kim Teasdale, comme toujours.

Note de la traductrice :

Les extraits du poème de Browning, « Le chevalier Roland s'en vint à la tour noire », sont tirés de l'ouvrage bilingue *Hommes et Femmes/Men and Women*, paru aux Éditions Aubier-Montaigne, Paris, en 1979, réédition du même recueil paru chez le même éditeur en 1938. La traduction est de Louis Cazamian.

DU MÊME AUTEUR

Composition Utibi
Impression Novoprint
à Barcelone, le 16 août 2016
Dépôt légal : août 2016
ISBN 978-2-07-079228-3 / Imprimé en Espagne

300045